WAC BUNKO

被爆三世だから言う

日本は核武装せよ！

橋本琴絵

WAC

はじめに　「非核による被爆」を防ぐために日本がやるべきこととは

『作戦当事者が誤るのは、知識は優れているが、判断に感情や期待が入るからである』

大本営陸軍部　情報参謀　堀栄三

岸田文雄総理は令和四年六月十八日、国内外に向けて「核拡散に拍車をかけるきっかけになりかねない核共有の議論は慎重でなければならない」と発表した。また、その八日前にはシンガポールで開催されたアジア安全保障会議で「核兵器による威嚇も使用もあってはならない。唯一の戦争被爆国の首相として強く訴える」と声明を出した。

しかし、米国防総省は「中国は二〇三〇年までに一千発の核弾頭を保有する意図がある」という調査結果を公表し、岸田首相がいくら「核兵器の威嚇は許されない」と言っても中露朝は全く聞く耳を持たない。

ところで、「非核を貫く」という信念と、「日本も核抑止力を持つ」という物理的事実の対立軸は、何を意味しているのだろうか。それは、宗教と科学である。宗教とはあくまで「思想」であり形は無い。一方で、科学とは物理的事実である。問題は、「日本に再度核攻撃をさせない」という目的を実現するにあたって、宗教と科学という全く異なるアプローチのどちらが、国益に資するのかという判断が重要である。

言うまでもなく、宗教とは同じ信仰心を共有するコミュニティーのあいだでのみ効力を持ち、科学とは人であろうと動物であろうと無制限に効力を持つ。つまり、日本人が非核を唱えても、核兵器を持つ近隣国の為政者がその観念を信仰しない限り、なにも意味はない。しかし、科学であれば、「日本を核攻撃したら自らも核攻撃される」という現実は当然、近隣の為政者と共有できる認識となる。

冒頭で紹介した堀栄三参謀の言葉（『大本営参謀の情報戦記』文春文庫を参照）は、まさに大東亜戦争の敗北の原因、そしてこのままであれば「三度目の核攻撃」を受けて敗戦する日本の未来を回避する重要なヒントである。「感情や期待」とは観念であり、物理的な事実ではないからだ。そこで、すこし大東亜戦争敗北の原因を今後の日本の未来と比定する形で述べてみたい。

一般に、大東亜戦争の敗北は物量差であると思われているが、私の歴史観は少し違う。それは、日本が哲学上の「観念論」に支配されたことに因《よ》るというものだ。では、具体的にそれは何か。堀栄三参謀の実体験を紹介した上で説明したい。

昭和十九年秋に、日本海軍航空隊が台湾沖航空戦で米艦隊を壊滅させるという大勝利を発表した。米空母十隻の撃沈を含む大戦果だ。今日では、これが虚偽発表であったことが判明している。堀参謀は、この時「海軍は虚偽発表をしたのではないか」という疑念を抱き、実際に米艦隊と交戦した海軍パイロットたちを尋問するため、鹿児島県の鹿《か》屋《の》基地に足を運んだ。そして、パイロット一人一人に、「どうして撃沈したと判断したのか」「米艦船の艦影は暗記しているのか」「戦果確認は誰がどのような基準でしたのか」など、詳細に「戦果発表の根拠」を質問した。しかし、海軍パイロットは誰一人として明確に答える者はいなかった。それどころか、日本海軍は戦果確認に写真撮影をすることさえしていなかった。

こうしたことから、堀参謀は「海軍の戦果発表は虚偽であり、米艦隊はほぼ無傷の可能性大」と結論付けた。そのときまさに「米海軍は壊滅した」という「前提条件」でフィリピン防衛作戦を展開中の陸軍の山下奉文将軍に上申した。山下将軍の幕僚たちは、この海軍を侮辱したとも言える情報分析に明らかな不快の感情を示したが、しばらくすると憲兵隊から連絡があり、「撃墜した米パイロットを尋問した結果、米艦隊の空母十二隻以上は無傷」という情報が入った。しかし、時は遅く、すでに縦横無尽の防衛作戦準備を終えたフィリピン諸島の「ルソン島」から、山下将軍の兵力を六百キロメートル海の向こうの「レイテ島」に移送する作戦が立てられていた。「米海軍は壊滅した」という「前提」であるから、当然兵員輸送時に攻撃される想定などしていなかったのである。

このように、あの戦争は「海軍の戦果発表を信用した陸軍が、米戦力がその海域に存在しないという前提で輸送作戦や上陸作戦を立案して結果的にほぼ全て沈められた」ということを繰り返していた（同時期に行われた陸軍単一の作戦立案であり海軍が輸送に一切関与していない「大陸打通《だつう》作戦」では、日本陸軍は、米国の中国国内の飛行機基地の占領に成功し勝利を収めている）。

つまり、「客観的根拠」ではなく、感情や期待という主観的観念論で作戦を実行した結果、日本は敗北しているのである。ところで現在の非核三原則とは、まさに「白旗を挙げていれば攻撃されないだろう」という期待や感情ではないのか。日本はあの戦争を全く反省していないのである。ただ戦争がつらかったという話は、食中毒のときに「お腹が痛かったです」というだけでその原因菌を特定しないことと同じ愚かさである。

畢竟《ひっきょう》、この「感情と期待」だけで国政を壟断《ろうだん》する行為こそ、過去四百年間にわたって哲学の「経験論」が批判してきた「イドラ（幻影）」という人類社会を惑わす魔物の正体なのである。

哲学とは、大陸合理論（観念論含む）と英国経験論という対立軸がある。この経験論の開祖であるフランシス・ベーコンが十七世紀初頭に『ノヴム・オルガヌム』を著し、人類は「経験的事実」に基づかず、さまざまなイドラ（幻影）に騙され続けており、社会発展を妨げているという批判をした。この「経験主義」を政治学に応用したのがイギリスの保守主義である。つまり、保守主義とは科学同様にエビデンスに基づく政治を行い、反対にリベラル（革新）とは、文学同様にエピソードに基づく政治をするのである。

ここまできて、日本の核保有論の議論が保守と革新で全く相容れない事情を特定できたと思われる。保守主義は核防衛に「根拠」（抑止力）を必要としているのに対して、リベラルは「観念」（信仰心）をただ唱えているだけだからだ。まさに、敗北した戦争が「感情と期待」で立案されていたように、何千万人が一瞬で殺害される「物理的能力」を持つ核兵器への対応策が、再び「感情と期待」で立案されようとしているのである。

「推論によって立てられた一般命題が、新たな成果の発見に役立つことはけっしてあり得ない。なぜならば自然の持つ精細さは、推論のそれを何倍も超えるものだから」（『ノヴム・オルガヌム』桂寿一訳。岩波文庫）

日本が核攻撃される要因は複数あり、それはどのような人間の推論も超える。核保有国為政者の精神作用の機序、装置の誤作動、突発的暴発などの現実（自然）の複雑さを人間が予め知ることは不可能である。

しかし、核報復能力は「恐怖」を相手方へ確実に与える。恐怖は精度の高い自律を促進し、決して誤作動さえ起きないような緊張の必要性を心理的に強制し、軽挙を抑える。少なくとも他の核保有国へ阿諛《あゆ》を繰りかえす、「非核三原則」という観念よりも遥かに核抑止効果を持つ。

私が納得できるのは、敵の核ミサイルよりも多くの本数の核ミサイルを保有ないし共有して日本を守ることである。敵が日本を攻撃すれば敵もまた同時に滅亡するという物理的根拠である。この物理的根拠によって抑止が成立するという確信である。現状は、米国が代理報復するかもしれないし、しないかもしれないという情況だ。これで国を守れるという無知蒙昧な迷信が許される時局ではない。

核兵器の威力は皆知っているはずだが、落ちるというリアリティーの自覚が無い。

それは、核保有国の朝鮮人と中国人の攻撃性をどこか軽視した「マイルド人種差別」が楽観の観念をもたらしたのではないか。しかし、今はそれら楽観を構成する要素が無くなった。ロシアは恐ろしく強大だ。その為政者が核攻撃を示唆したというリアリティーは、日本人の心にささった。このままでは荊棘《けいきょく》の道である。

私が選挙に出た時、核防衛自体が無理でもせめて核シェルターの普及を訴えた。世界をみても、スイスが普及率百％、アメリカが八十二％、イギリスが六十七％に対して、日本は〇・〇二％という後進性があるからだ。しかし、街の人々の反応は冷ややかだった。核兵器への対応を訴える私を異常者と見なす有権者さえいた。ところが、数年前に私を非難した人々からウクライナ戦争以後、「やはり、あなたに投票しておくべきだった」というメッセージが届き始めた。その数はけっして少なくない。

　歴史的にみても、何らかの観念主義者が国防上の失敗をし、それが現実を基礎にした経験主義者によって穴埋めされることが繰り返されている。古くは刀伊《とい》の入寇《にゅうこう》で「祈り」をしただけの貴族政治が没落して実際に侵略者へ武力を行使した武家が活躍したこと、近世では欧米列強の来襲で江戸幕府が失墜した一方、早くから反射炉建設など現実的な対応をすすめていた薩長の天下となったことなど、挙げればきりがない。

　日本人は多くが夢想家だ。だから、日本のアニメや漫画は世界的に貴重であり重宝される。他の地域はそのような夢想家が生き残れるほど生ぬるい歴史は無く、早々に死に絶えてしまったのだろう。だから、日本のように多くの人が漫画を描けるような人口構成ではない。それはそれで文化的に貴重だが、その夢想で外交と政治が運営されたならば亡国まっしぐらである。漫画と政治は違う。呪文のように非核を唱えても敵に効力はない。

本書を通じて多くの日本人が国を憂いてくれれば、その心ひとつひとつが必ずしや国を守る道に通じると信じる。核兵器は女性や子どもを避けてくれない。すべてが消滅するのである。

令和四年（二〇二二年）七月

橋本琴絵

被爆三世だから言う
日本は核武装せよ！

●目次

第3章 いま、ここにある日本の危機――憲法改正と皇室の未来

第4章　人権と救国の思想――バークの保守主義に学べ

装幀　須川貴弘（ＷＡＣ装幀室）

第1章

ウクライナの教訓
――反核・非核では国を守れない！

被爆三世がなぜ核保有論を主張するのか！

「被爆者＝反核」ではない

私は被爆三世だ。先祖代々、広島県で生まれ育ち、私自身も反核・平和教育を十二年以上受け続け、祖父母は広島原爆の被爆者だ。

被爆者といえば「反核」であることが当然であるかのような、全体主義的な思想統制がある。しかし、核兵器についての強い気持ちがあることは共通しているものの、すべて同じではない。そこで、少し祖母の話を紹介してみたいと思う。

私の祖母は昭和二十年八月六日当時、高等女学校五年生（現在の高校二年生に相当）だった。激化する空襲を避け、本家のある広島県甲山町（現在の世羅町）に寄宿していた。あの日の朝、広島市内に新型爆弾が投下され、壊滅的打撃を受けたことを祖母が知ると、大叔父に「すぐ広島市に行きたい」と泣きついた。広島東警察署に父親が勤務していたからだ。大叔父は近隣の親族から貴重な備蓄ガソリンを借り集め、自家用車（オート三輪）に祖母を乗せて出発した。

そして夕暮れ時に、ようやく広島市内に差し掛かった。京橋川を渡ろうとすると、もうあたりは死体と負傷者にあふれていた。市内の火の手は勢いをなくしていたが、肉の焼けた臭いが充満していた。東警察署前に着くと、建物自体は大きな損壊はしておらず、東警察署は翌日から臨時県庁舎として使うということで人の出入りがあった。

しかし、父の所在は確認できなかった。大叔父は祖母に対して「新型爆弾だから、どんな毒が仕込まれているかわからんけぇ、車内から出るな」と念を押し、祖母が車から飛び出して市内中央に行こうとするのを止め、慰めながら帰路についた。祖母は無数の死傷者と壊滅した街を目に焼き付け、「皇軍はこの新型爆弾を持っていないんだ。だからアメリカは使ったんだ。持っていたら、報復合戦になるから使うはずがない」と思い、悲しみと怒りを噛み締めたという（我が国における被爆者の定義は原爆投下後二週間以内に市内に入った者を含める）。

少し前の話になるが、参議院予算委員会で敵基地攻撃能力を含む「あらゆる選択肢」についての議論がなされた（令和四年二月二十四日午前十時頃）。

白眞勲《はくしんくん》議員（立憲民主党）が「選択肢に核兵器は含まれるのか」と質問したところ、岸田文雄首相は「非核三原則は我が国の国是と認識している。核兵器を使用する、保有する選択肢はない」と答弁。そして、その約三時間後、ロシアによるウクライナ侵攻作戦が始まった。

世界各国がロシアの軍事行動に対して否定的な外交方針を表明すると、プーチン大統領は「ロシアへの直接攻撃は侵略者の壊滅と悲惨な結果につながるだろう」「邪魔する者は歴史上で類を見ないほど大きな結果に直面する」などと、核兵器による脅迫を繰り返した。

国連常任理事国による「核攻撃の脅迫」を受け、安倍晋三元首相は出演したフジテレビの番組内で、日本の領土内にアメリカの核兵器を配備して共同運用する「核共有（ニュークリア・シェアリング）について国内でも議論すべきだ」との認識を示した。

一方、岸田首相は「非核三原則を堅持するという我が国の立場から考えて認められない」と述べている。記者会見で記者から「ロシアの核攻撃のリスクが高まっている中で非核三原則を堅持して国民の命を守れるのか」と質問されたときも、「守れると信じている」と強調した。しかし、その具体的根拠はなく、まるで「必ず戦争に勝つ」と国民に主張した大本営発表のように精神論を語るだけだった。

国際状況が日本国憲法や非核三原則を制定した当時とはまったく変化しているにもかかわらず、なぜこれらの「平和原則」を原理主義の経典のように仰ぐのか。祖母の体験談を聞いて育った私としては、日本の安全保障政策を考え直すべき時期を迎えていると感じざるを得ない。

日本の奇妙な核議論

我が国における核兵器をめぐる議論には、到底理解できないものがある。

たとえば、条約と国会決議の法的地位の理解だ。我が国では義務教育で、憲法、条約、法律、決議、条例の順に法規範の序列を学ぶ。条約は憲法の下位にあるも、法律より上位にあるため、条約に反する法律は制定できない。ところが、非核三原則という「国会決議」があるため、日米安全保障条約第六条（日本国における米軍の施設・区域使用権）が制限されるという奇妙な議論がたびたび起きている。法学の常識からいえば、国会決議は衆議院の内閣不信任決議（日本国憲法第六十九条）以外の法的効果を持たないが、条約、ときには憲法まで「拘束する」という錯乱した認識を持つ人々が多くいる。

たとえば、令和四年三月十一日、津軽海峡を核武装していると思われるロシア艦隊が航行した。領海は領土沿岸から十二海里だが、津軽海峡や対馬海峡などは領海を法律ではなく政令で裁量的に決めて公海を定めている。というのも、沿岸から十二海里だと津軽海峡全域が領海となってしまうため、核兵器を装備した米艦隊が航行できなくなってしまうという奇妙な議論が国会で繰り返されたからだ。

「核兵器積載艦の我が国の領海内の通航というのは、自由に通せば非核三原則を崩したと言われることになる」（正森成二日本共産党衆議院議員・昭和五十一年七月十四日衆議院決算委員会第十三号）といったように、「国会決議が条約を制限する」という錯乱した議論がこれまでなされてきた。

同様の議論は憲法論にも見られる。令和四年三月七日の参院予算委員会では、小西洋之議員（立憲民主党）による核共有についての質問に、岸田首相は「私の内閣としても国是として（非核三原則を）堅持をしている」「少なくとも非核三原則の『持ち込ませず』とは相いれない。核共有について政府としては考えない」と答弁した。しかし、国会決議は憲法が定める自衛権を否定できない。内閣法制局は憲法と核兵器の関係性について、次のように公式答弁している。

「我が国を防衛するための必要最小限度のものにもちろん限られるということでございますが、憲法上全てのあらゆる種類の核兵器の使用がおよそ禁止されているというふうには考えておりません」（横畠裕介内閣法制局長官・平成二十八年三月十八日参議院予算委員会第十七号）

核兵器といっても、さまざまな種類がある。核地雷や核機雷のように相手国が侵攻してこなければ爆発しないものもある（射程五百キロメートル以下のものは戦術核に分類される）。憲法が敵国内への侵攻を含む交戦権を否定しても自衛権を否定していないことは自明の理であるにもかかわらず、この世界の常識を共有できない人が我が国には大勢いる。それはなぜなのだろうか。

現実は非核〝五〟原則

広島・長崎への原爆投下や東京大空襲など各都市への無差別攻撃を戦略爆撃という。その目的は都市インフラの破壊だと一般的に誤解されているが、実はそうではない。戦略爆撃理論の創設者、イタリア王国陸軍少将ジュリオ・ドゥーエは主著『Il dominio dell'aria』（制空論）の中で、戦略爆撃の目的を次のように論じた。

「無慈悲な空襲を受けた国では、社会構造の完全な崩壊が避けられない。国民自身が恐怖と苦しみに終止符を打つため、自衛本能に駆られて戦争の終結を求めて立ち上がる時が来るだろう」（原書イタリア語の英訳版〈Tannenberg Publishing Translated by Dino Ferrari〉を筆者が邦訳）

つまり、「死の恐怖」を多くの民間人に与えることで根治不可能な心的外傷を負わせ、パニック状態にすることが戦略爆撃の目的だ。パニックになれば、選挙権を有する民衆が錯乱を起こして、その戦争が侵略であろうと防衛であろうと、政府は戦争能力を喪失するという期待が戦略爆撃理論の支柱である（ただし、民主国家でなければ民衆の錯乱は統治行為に影響しないので、戦略爆撃をしても戦争に影響しない）。戦略爆撃の目的はインフラの破壊ではなく、精神の破壊にある。

そして、心的外傷を負った人々は次世代も同様の心理状態にすべく絶え間ない努力をした。広島平和記念資料館には、かつて原爆投下後に熱線を浴びて皮膚が剝《は》がれ落ちて、絶命する寸前の女性と子どもの等身大の残酷な人形が展示されていた。

また、判断能力がない児童に対して「熱線を浴びて眼球が溶けて死ぬ描写」を含む残酷なアニメーション動画を制作して視聴させ続けた。児童に死体や殺人描写を視聴させることは欧米社会で厳しく制限されているが、日本では七歳未満の未就学児にさえ残酷映像を「平和教育」と称して見せ続けたのだ。私自身、幼稚園児のときにこれらの残酷映像を視聴させられ、以後三カ月間は悪夢や動悸が止まらなかった記憶がある。

このように、「核兵器」となれば法の議論ができず、児童虐待を行政が平然と行うなどの狂気の沙汰が、この戦後に繰り返されてきたのだ。

この錯乱の中で、「非核三原則」という経典が宗教的な価値を有したのではないか。そして、非核三原則に異議を唱えることは許されないかりそめの普遍的真理と化した。つまり、核の議論を政治的論争と考え違いしていては、正しい結論は得られない。これは、被爆した苦しみを少しでも癒すために用意された経典に対する宗教論争だととらえなければならないのだ。

それは、非核三原則ではなく「議論させず」と「考えさせず」が加えられ、非核五原則となっている現実からもわかるだろう。

「非核」という宗教

米ハーバード大学医学部教授で心理学の権威、ウィリアム・ジェイムズ博士は「宗教の原理」について、次のように説明している。
「すべての宗教が合流するように見える或る一様な意見がある。それは次の二つの部分からなる。一、不安感、および、二、その解決。一、不安感は、もっとも簡単な言葉で表すと、自然の状態にありながら、私たちはどこか狂ったところがあるという感じである。二、解決というのは、より高い力と正しく結びつくことによって、この狂いから私たちが救い出されているという感じである」(『宗教的経験の諸相』第二十講/岩波文庫/桝田啓三郎訳。傍点筆者)

私たち日本人が抱く核武装についての不安は、核武装によって外国を刺激して本来ならば起き得なかった攻撃を招くだとか、(核共有は脱退の必要はないが)核兵器不拡散条約(NPT)脱退をして核軍備を選択したことに対する諸外国からの強い非難に萎縮しているというよりも、「核兵器を持っていれば、いつの日か私たちがそれを他人に使ってしまうのではないか」という恐怖が内在しているからではないだろうか。

もしかすると、核兵器という存在を単に核実験の記録映像でしか認識したことがない人にしてみたら、憎き敵国を粉砕できる実に痛快な道具だと思うかもしれない。しかし、多かれ少なかれ幼少時から反核教育を受けた日本人にしたら、そのような想像力の欠如は生じ得ず、「核は抑止力のためにある」という本来の用途を忘却して、妊婦や児童もいる街に核を落として無辜《むこ》の人々の死体に溢れた世界を思わず知らずのうちに想像してしまうのではないだろうか。

そして、その想像に伴う苦痛は自らが被《こうむ》る国家的な危機以上の不安を生じさせ、それが「より高い力」と見なされた「非核三原則の国会決議」との精神的な結びつきによって緩和されたことで、反核を社会観念として受け入れる構造をつくり出したのではないだろうか。

しかし、「非核」という宗教的観念と共に歩んだこの戦後七十七年の一時的な成功経験にすがりついてさえいれば、迫りくる対外的危機があっても、それに目をつぶり不安から解放されるという妄信はもう許されない。これからは米国の核使用における判断能力という合理的な「より高い力」と結びつく必要がある。

日本には核を持つ権利がある

要するに、日本人は自信がないのだ。

だからこそ、核共有はその目的が「批判の回避」ではなく「使用責任の共有」にあるため、最適な選択と言えるだろう。何であれ初心者は手が震えるものであり、先発者の指導によりゆっくりと経験を蓄積して一人前に成長する。我が国は核兵器の使用について単独で責任を負うことには耐えられなくても、長年の同盟国と責任を共有することには耐えられるのだ。核共有こそ、私たち日本人にとって大いなる第一歩なのである。

今まで「合理的な結論」だとみなされていた憲法九条や非核三原則があるから日本は大丈夫だという「印象」に、私たちの本能は安堵していた。北朝鮮がミサイル実験をしても、「非核三原則がある相手にまさか攻撃しないだろう」という楽観と相手方の理性に期待した「印象」が非核三原則に結び付けられていた。

しかし、今回改めてマッハ二十まで加速して絶対に撃墜できない新型極超音速ミサイルを持つ国から、しかも侵略戦争を起こした国から核の脅迫を実際に受けて、今までのぼんやりとした恐怖の源が他国の核兵器にあることを日本人は再認識した。よって、殺されたくないという生存本能が刺激され、もはや非核三原則が持つ宗教の領域に合理的理由を見出せなくなったのだ。

令和四年三月六日に放送された『日曜報道ザ・プライム』(フジテレビ)に、高市早苗議員が出演して核共有についての議論を深めた。その際、番組終了時に「核共有」についての視聴者アンケートが採られ、有効投票総数九万千六百二十八票のうち七六％が「核共有に賛成」だった。これは統計学上も有意な無作為集計だ。世論は確実に核共有を求めている。

私の祖母は最後まで「日本が核を持っていればやられなかった」と言っていた。世界で唯一の被爆国だからこそ、核を持つ正当な権利がある。核兵器の恐ろしさを、想像ではなく経験から知っているからだ。だからこそ、被爆者の記憶を継ぐ子孫は核に賛成する資格がある。「非核による被爆」という過ちを繰り返さないために、岸田首相には被爆者の声に耳を傾けるようお願い申し上げる。

北方領土奪回のため日米安保に「核報復義務」を

対ロシア非難決議も「名指し」ナシ

衆議院が「名無しの非難決議」(対中非難決議であるにもかかわらず、中国という国名を削除した衆議院決議)に引き続き、またもや「ロシア」という国名を削除した決議(ウクライナを巡る憂慮すべき状況の改善を求める決議案)を採択した(二〇二二年二月八日)。

ウクライナが直面した侵略戦争の危機は他人事ではない。日本の北方領土もウクライナのクリミア半島も、ロシアの侵略戦争によって国土を占領され、そこに住む国民を殺害され、今日にいたるまで解決されていない問題だ。ウクライナへの侵略戦争は容認し、自国の北方領土だけは返せという深刻な矛盾を抱えた外交方針は、国際社会から決して受け入れられないだろう。

侵略戦争が着々と準備されていた二月上旬に採決された決議は、あくまで「ウクライナ国境付近の情勢は国外勢力の動向によって不安定化しており、緊迫した状況が継続している。いかなる国であろうとも、力による現状変更は断じて容認できない」との文言のみで、「ロシア」という具体的国名を挙げることはなかった。

今回の「非難決議」からロシアという具体的な国名を削除したことは、日本政府の主観としては「ロシアへの配慮」だったとしても、客観的には「ロシアの不法への配慮」であると評価されてもしかたない。「侵略戦争の容認」という日本の姿勢を世界に発表したも同然だと言えよう。

岸田文雄首相は、前日二月七日に行われた「北方領土返還要求全国大会」で「北方領土問題について次の世代に先送りすることなく、プーチン氏とともにしっかり取り組んでいきたい」と挨拶した。

しかし、ロシアは二〇二〇年に憲法改正を行い、領土のいかなる割譲も憲法違反であると定めた。つまり、この状態で「北方領土を平和的対話によって返還させる」という岸田政権の外交方針には、必然的に「ロシアに再度憲法改正をさせる内政干渉」が含まれることになるが、そのような対外活動に予算が割《さ》かれた形跡は一切ない。

ガルージン駐日ロシア大使は、「日本政府と北方領土交渉をした事実はない。平和条約締結交渉をしている」という発表を行い、日本側とはまったく異なる認識であることを示している。ロシア政府は、北方領土を「対米前線基地」と位置づけ、ミサイル基地建設とミサイル演習を繰り返し行っている。この状況下で「対話による領土返還」が実現されるというのだろうか。筆者は、絶対にあり得ないと断言する。そもそも、犯罪で奪われた土地を「お話」で取り返したことは歴史上ないからだ。

恩を仇で返すのが「ロシア流」

「外交による領土返還」といえば、沖縄や奄美、小笠原諸島を連想する方も多いと思う。しかし、これらの領土は、犯罪によって奪われた土地ではない。日米が正々堂々と戦った結果、占領された土地だ。

しかし、ロシアはそうではない。ポツダム宣言が受諾され停戦命令が発令された後の一九四五年九月五日に北方領土を占領した。しかも、日ソ中立条約の締結下である。米国の沖縄占領と、ソ連の北方四島占領は根本的に異なる。犯罪によって土地を得た者に、合法的に土地を得た者と同じ返還手段をとることはできない。理屈が通じないからだ。そもそも、ロシア相手に「恩を売る」という概念は通用しない。

それを物語る歴史的事実があるので、次に紹介したい。

一九四一年、アメリカで「レンドリース法」が施行された。これは、ナチスと戦うソ連などに対して、戦車や戦闘機、弾丸などの武器弾薬や缶詰などの食糧、そして軍靴や軍服など戦争の遂行に必要なあらゆる物資を海上輸送して支援する法律だ。これによって、ソ連は国力を蓄えドイツに勝利することができた。問題なのは、その輸送経路である。実は、支援軍事物資およそ千七百五十万トンのうち、八百二十四・四万トンが日本の領海を通過してソ連に届けられている。これは、大東亜戦争中のことだ。

もちろん、使用された艦艇はアメリカの輸送艦であり、ソ連の輸送艦ではない。ソ連艦隊は、独ソ戦開戦当初にかの爆撃王ハンス・ウルリッヒ・ルーデルの戦果が物語るように、ことごとく破壊されている。つまり、日本海軍は大東亜戦争中に、日本領海を通過するアメリカ輸送艦隊を一切攻撃していなかったという史実が浮かび上がる。一体どのような理屈だったのだろうか。

実は、一九四三年の帝国議会で、この「海軍がアメリカ艦隊を攻撃しない」という問題が紛糾しており、政府側は外務省条約局長に「ソ連旗ノ下ニソ連邦ガ軍事的目的ニ使用シ得ト認メラレルル物資ヲ輸送スル米国船ニ対シ帝国ノ執リ得ベキ措置ニ関スル法律上ノ意見」（一九四三年四月一日）という答弁をさせている。その内容は「船舶の積み荷で国籍は決まらない。その船の籍で国籍決まる」というもの。しかし、海軍は「積み荷がソ連の所有物なら日ソ中立条約が適用されてアメリカ艦隊でも攻撃できない」というのだ。この方針に対して、政府が「そんなことはない。拿捕しろ」と反論するやり取りがあったのだ。

実際、当時の輸送任務に就いていたアメリカ軍人の回顧録を読むと、次のようなことが記録されている。

"When the Perouse Strait was frozen, US ships traveled south of Kyushu and entered the Sea of Japan through the Tsushima Strait to reach Vladivostok."（宗谷海峡が凍っているとき、米輸送艦は南九州から対馬海峡を通過して日本海に入りウラジオストクに到着した。出典：Blair Clay『Silent Victory』J. B. Lippincott 1975/訳：筆者）

レンドリース法によるソ連行きアメリカ艦艇を日本海軍が攻撃した例は、伊百八十潜（艦長・藤田秀範大尉）が一九四四年四月十九日にアラスカ湾で雷撃・撃沈した一件のみしかない。

アメリカ政府は輸送艦のすべてに「Fresco Transport Group」というソビエト共産党の組織に所属しているという書類を持たせており、これで「アメリカ艦隊ではあるがそうではない」という理屈を主張し、それを日本海軍が受け入れていた。

当時の情勢は、天皇の御前会議で「対ソ戦」が決定され関東軍特種大演習と称して開戦準備が進められていた中、海軍の反対からこれが頓挫《とんざ》した経緯を持つ。海軍の親ソ姿勢は強固なものであった。

つまり、単純にレンドリース法の数字だけをみても、日本海軍の「対ソ支援協力」がなければソ連はドイツに勝つことは不可能であり、対独戦勝利に「貢献」してくれた日本に「恩」があった。しかし、ソ連はその恩をどのように返しただろうか。日ソ中立条約の破棄による対日侵略戦争であり、日本海軍の協力で得た武器弾薬を使って日本人を大量虐殺したのである。そして、南樺太や千島に侵攻してこれを占領し、今日まで続く北方領土問題を残した。

歴史的事実に鑑みれば、ロシアに「恩」という概念はない。にもかかわらず、令和の今日にあっても、政府はロシアの侵略戦争を名指しで非難しないという不可思議な選択をしているのだ。一体何が目的なのだろうか。歴史に対する致命的な無知に起因する外交を改めるべきだ。

いまこそ日米安保「条約改正」を急げ

次に、今般のウクライナ危機によって目指すべき日本の国益について論じたい。

実は、衆議院が何らかの非難決議をする際、国際的な摩擦を避けるためにいつも「国名を外している」のかというと、そうではない。相手がミャンマー（二〇二一年六月八日の非難決議）やシリアのテロリスト（二〇一六年二月五日の非難決議）の場合は、具体的に名指しして非難している。しかし、なぜかロシアや中国となると、この勢いがなくなるのだ。

過去、ソ連崩壊時やソ連高官が国外逃亡した際に流出した文書に、日本の政府高官や外交官とその家族、また大手新聞社の経営者がソ連の国益のために尽力していた様子が記録されていた事実も広く知られているが、そうした人々が令和の今もいるならば、迅速に特定して排除すべき絶好の機会が、このウクライナ危機にあると言えよう。

幸いなことに、アメリカ合衆国のラーム・エマニュエル駐日大使は、「北方領土は日本国に帰属します」という米国の立場を明らかにしたビデオメッセージを日本国民に対して発表している。同盟国のアメリカは明らかに日本の国際貢献を求めている。では、日本は何をすべきであろうか。

ロシアは核兵器を持つ国だ。プーチン大統領はウクライナ侵攻直前の二月七日、フランスのマクロン大統領とモスクワで会談した際、「ロシアは核保有国の一つ。戦争が起きれば勝者はいない」と述べ、核攻撃も辞さない考えを明らかにして諸外国を威嚇している。

このウクライナ危機に際して日本がとるべき道は、日米安保条約に「核報復義務」を盛り込む改正を米国に取り付けることである。米国は世界秩序の変更を望んでおらず、中国に対しても「ウクライナ情勢に乗じて国際秩序の変更を試みることは許されない」と語気を強めて牽制している。しかし、そうはいっても日本に核兵器はないから、核攻撃されれば一巻の終わりである。よって、いくら米国の強い求めがあったとしても、ウクライナ支援に及び腰となっても仕方がない側面があることも否定できない。

なればこそ、米国が期待する国際秩序の維持に向けて全面協力（自衛隊の北方領土派兵を含む）を約束する代わりに、日米安保に核報復義務を盛り込む要求を米国になすべき時局である。結局、現状ではいくら日本が威勢の良いことを言っても、核攻撃されれば、そのまま放置されるという残酷な現実が訪れる可能性は否定できない。そうならないため、米国の核を日本の核とする具体的約定が必要なのである。

非難決議から中国の国名を削除したのも、ウクライナ侵略問題で非難決議からロシアの国名を削除したのも、力なき者が国際社会で発言権を持たない現実を反映したものといえる。憲法改正を実現して自衛隊を国防軍にしたとしても、核兵器を持たない以上、その国際的立場が大きく変わるものではない。

繰り返すが、ウクライナへの侵略は容認して、自国の北方領土の侵略に抗議するダブルスタンダードが許されるほど国際社会は甘くない。しかし、日本は不正に対抗するだけの力が現状ない。なればこそ、その「力」を最優先に獲得すべきなのである。

日本は今こそ、ウクライナ危機に際して日米安保条約改正問題（核報復義務）に真摯に取り組むべきである。大戦争の足音が聞こえているのだから。

「独立承認」という新たな侵略の手口

オランダはインドネシアに何をしたか

ロシアのプーチン大統領はウクライナ東部の二州に対して、「独立国家である」との宣言をした（二〇二二年二月二十一日）。

それまでは「同地域の発行したパスポートを公的旅券として認める」という程度であったものの、ロシア議会が同二州の独立承認を可決してプーチン大統領の裁可を保留していた状態で、今回、ロシア大統領令にて独立を承認した。

ウクライナという遠く離れた地域の出来事に対して、多くの日本人は対岸の火事を見物するような気持ちでいたことだろう。しかし、武力による国際秩序の変更を国際社会が容認した場合、同時にそれは我が国の領土に対する武力行使も容認される可能性を示唆する。

「他国の施政地域の一方的な独立承認」という手段が、どのようにして残酷な侵略戦争の遂行に使われてきたか、その歴史的背景を説明しつつ、我が国の防衛について警鐘を鳴らしたい。

二〇二二年二月十七日、オランダ王国のマルク・ルッテ総理大臣は、一九四五年から一九四九年のあいだ、インドネシアの再植民地化を目的に軍隊を派遣した侵略戦争について、「オランダ政府を代表してインドネシアに深く謝罪する」と述べた。

これに先立って二〇二〇年三月十日には、オランダ王国ウィレム・アレクサンダー国王がインドネシアを直接訪問し、インドネシア独立戦争中にオランダ軍が犯した数々の暴力について謝罪をしている（植民地政策についての謝罪ではない）。

今回、ロシアが東ウクライナの二州をそれぞれ「ドネツク人民共和国」と「ルガンスク人民共和国」であると称して独立承認を一方的に行い、この二カ国でノヴォロシア人民共和国連邦を構成するとし、さらに隣接する地域についても編入を主張した経緯は、かつてインドネシアの再植民地化を狙ったオランダの動きと酷似《こくじ》している。

日本の軍政下でかねてから独立に向けた準備をしていたインドネシアは、一九四五年八月十五日、大日本帝国がポツダム宣言を受諾すると、その二日後には「インドネシア独立宣言」を発表した。その際に使用された年号は西暦ではなく、我が国の神武天皇御即位二六〇五年（西暦一九四五年にあたる）に独立したことが明記されていた。

また、独立宣言の草稿自体、日本軍人・前田精《ただし》らの助力に依り、独立宣言の場に複数の日本軍人が参列するなど、大東亜共同宣言にある通り「アジアの自主独立の尊重」と「人種差別の撤廃」が日本の戦争目的であることを示していた。

これに対して、ナチスドイツのザイス・インクヴァルト親衛隊大将の施政下から米英軍らによって解放されたばかりのオランダは、国力の回復を狙い、独立を宣言したインドネシア共和国に対して、「インドネシア連邦共和国構想」を提案し、リンガジャティ協定の締結を要求した。この協定は、「インドネシアは、独立を宣言したインドネシア共和国を含む六つの独立国家と九つの自治領によって連邦をつくり、この連邦とオランダは連合する」というものだった。

そして、実際にオランダは、一九四六年以降、親オランダ地域に次々と独立宣言をさせて独立国家として承認し、スカルノらによって独立したインドネシア共和国は広大なインドネシア連邦の一部に過ぎないとの立場を明らかにした。

独立宣言をしたインドネシア共和国に軍隊を派遣すれば、「侵略戦争」であるとの非難は免れない。そこで、オランダ植民地政策によって利益を得ていた地域に分離工作を行い、独立国家として承認し、これらの傀儡《かいらい》国家が「インドネシア共和国から侵略を受けている」との外観をつくり出した。そして、「防衛を要請された」という建前で軍隊を派遣して侵略戦争を始め、以後四年間にわたって累計八十万人以上のインドネシア共和国の人々が犠牲になった。

一般に、我が国の保守派はインドネシア独立宣言の様相と、独立戦争に日本人義勇兵が参戦して生命を捧げた史実から「インドネシアは親日」であるとの印象を持っているが、前述の経緯から、必ずしもそうとばかりは言えない。「インドネシア」という地域には、オランダの植民地政策を肯定するインドネシア人と、独立を要求するインドネシア人が混在しており、後者が独立戦争で勝利したことによって、現在のインドネシア共和国が成り立った歴史を持つ。よって、必ずしも国家で統一された歴史観を持つというわけではない。

このインドネシアのケースを見ても、「侵略したい地域に軍隊を派遣するのではなく、まず分離工作をして独立宣言をさせて承認し、この独立国家から防衛を要請されたとの口実をつくり出した上で、軍隊を派遣し侵略戦争を行う」というスタイルは、今回のロシアのみならず、昔から採用されている手法だということが理解できる。

新しい侵略戦争のあり方

現在の日本では、侵略と進出の区別がついていない。だから、今回のロシアの「ウクライナ二州独立承認」について、メディアも正しい報道をしていない。しかし、法律上、侵略と進出の区別は容易に可能である。

宣戦布告による交戦上の占領は別にし、条約を締結した上での領土編入は合法的な「進出」であり、条約締結のない占拠が「侵略」である。

具体例として、我が国は明治以降、台湾（一八九五年の下関条約の締結で領土編入）、南樺太（一九〇五年のポーツマス条約で領土編入）、朝鮮（一九一〇年の日韓併合条約で領土編入）、南洋諸島（一九一九年のヴェルサイユ条約で委任統治領）の編入があり、一九五一年のサンフランシスコ条約で、これらの地域の施政権放棄、またサンフランシスコ条約未締結だった大韓民国に対しては、一九六五年の日韓基本条約で「日韓併合条約」を無効にした。

ところが、オランダのインドネシア植民地化や、ロシアのウクライナ東部二州の侵略については、条約締結はない。

条約とは法であり、法とは合意の有無を表す。英語においても、植民地化（colonialize）は"To take control of an area or country that is not your own, especially using force."であると説明され、「力の行使」によって行われるという意味を持つ。

しかし、条約締結による領土編入は"merge"と言い、合法であるという意味を持つ。以上、近代以降の我が国の新領土獲得は戦時下の交戦を除き、すべて合法に獲得し、また合法に放棄したといえる。条約締結による領土変更とは、統治されることまたは統治を終了させることについての「同意」を意味するからだ。

つまり、法的概念を理解できる人々からしてみれば、その領土政策が合法であるか、非合法の犯罪であるかは一目瞭然なのである。

かつての満洲国は、「清国」という国をつくり上げていた女真族という民族と、漢族という言葉も文化も国も全く異なる民族が混在していた地域で、我が国は女真族の国として満洲国の建国を手助けし、バチカン市国などを含む国連加盟国の多くの独立承認を得ている。ところが、今回の東ウクライナの状況は全く異なっている。「同じ民族同じ言葉同じ文化」に対して分断工作を行い、「統治される同意」なく、派兵を推し進めたのである。

この一部地域を独立させるやり方は、「新しい侵略戦争のあり方」として、歴史的にスキーム化されている。これを「もし、沖縄や北海道で行われたら」と想像してみてほしい。

公安調査庁が発行する「内外情勢の回顧と展望」（令和二年一月）には、次の記述がある。《普天間飛行場の辺野古移設反対派による沖縄現地などでの集会・デモに活動家が参加し、「沖縄解放」などと訴えた》（七十二頁）

我が国の地方議会や一部地域が分離工作によって占拠され、その地域で独立宣言が一方的になされて、これが敵対国によって承認された場合、侵略はたちまち「防衛」だと主張されることになる。ウクライナがいま直面している危機は、決して対岸の火事ではない。明日の我が身である。

外国人地方参政権や、審査基準が諸外国に比して、ずさんであるとの批判がある帰化政策は、我が国の未来に何をもたらすのだろうか。それは、「戦争」を目的にしたものであることを理解し、一層強い警戒が必要である。

岸田政権よ、日本人ウクライナ義勇兵を止めるな

「義勇兵」は憲法に違反しないとの政府答弁

駐日ウクライナ大使館は、ロシアによる侵略戦争を受けて約六万人の日本人から二十億円近くの寄付金があったことを明らかにした（二〇二二年三月一日）。

同時期、ウクライナ政府が世界各国で義勇兵を募集したところ、七十名の日本人から志願があった。志願動機は「ウクライナの若い人が亡くなるぐらいなら自分が戦う」というものだ。しかし、この感動すべき「義」による助太刀に対して、林芳正外相は記者会見で「在日ウクライナ大使館がそうした呼びかけをしていることは承知しているが、目的の如何《いかん》を問わず同国への渡航はやめていただきたい」と発言して水を差した。

「義勇兵」という言葉は聞きなれないが、歴史的には近代以降、各国政府の呼びかけに応じて戦争に出征した日本人は少なからずいる。

古くは（一九三六年から三九年にかけて）スペイン人民政府が義勇兵を募集して「国際旅団」を結成した際、日本人左翼がこれに参加した記録が残っている。また、日本共産党の野坂参三氏は日本から中国共産党やソ連共産党を渡り歩き、数々のプロパガンダ作戦に従事し、戦後帰国して衆議院議員となった。そして、ナチスドイツとソ連の戦争が勃発すると、九州医学専門学校（現在の久留米大学医学部）の教授であった古森善五郎という医学博士が志願し、ドイツ陸軍の軍医少佐となって独ソ戦に従軍した。

これらは戦前戦中の出来事だが、大東亜戦争の終結後、現地に残留して戦った者も少なくない。中でも最大数の日本人義勇兵が参加した戦いは、インドネシア独立戦争だ。欧米列強からアジアを解放する大東亜宣言の大義を果たせなかったのを潔しとせず、約束を守るため再植民地化を目的に侵略してきたオランダ軍と激闘を重ねた。その命をインドネシアに捧げた日本人義勇兵は、今も記念碑に名を刻まれ現地で語り継がれている。日本国憲法が施行された後も、日本人義勇兵はいる。中華民国の要請に応じて日本陸軍の将軍であった根本博氏は部下六名と共に台湾へ渡航し、台湾海峡を巡る古寧頭《こねいとう》戦役（一九四九年）に参戦して指揮を執った。

根本氏が義勇兵となったことについて、日本社会党の猪俣浩三衆議院議員は当時、次のように国会で質問している。

「あの根本らのような行動をとる者が続々現われて、それが発覚した際に、これに対処するいかなる法律上の制裁があるのかをなお明らかにしていただきたい」

これに対して政府（佐藤藤佐《とうすけ》刑事局長、のち検事総長）は、「旅行証明書なくして海外に旅行する者がありましたならば、覚書違反として厳重に処罰されることになります」と、旅券の問題であると答弁。続いて猪俣議員が「外国の軍隊に参加する、あるいは作戦に参加するような目的で同志を募るというような運動に対して、何らかの取締りがあるやいなや、お考えをお尋ねしたい」と再質問したところ、政府は「団体等規正令にいう政治活動といえるかどうか、その点が問題だろうと思うのであります」と答え、日本人義勇兵が憲法および刑法に何ら抵触することはない旨を説明している。（昭和二十四年十一月二十六日衆議院法務委員会第十二号）

この質疑応答を受けて、元陸軍少将・富田直亮《なおすけ》氏が率いる日本人軍事顧問団の「白団」が結成され、一九五〇年から十八年間にわたって台湾の軍事指導と軍人育成に貢献したのである。

台湾有事には日本人義勇兵を

今回、ウクライナへの日本人義勇兵の派兵が実現されたならば、来たる台湾有事の際、憲法上の制約から直ちに派兵できない自衛隊にかわって台湾防衛で義勇兵が活躍するという、大変重要な意義を持つ前例となることが予想し得よう。

歴史的にも、正規軍が戦闘行為をする前に「義勇兵」が戦闘行為をする例は珍しくない。たとえば、対米戦開始前の「フライングタイガース」軍団（アメリカ義勇兵）は、多くの日本人将兵を殺傷したが、米国政府は「不知」であるとの外交上の立場を主張した。かつて、我が国を苦しめた戦術の採用は検討に値する。

自衛官OB・OGの人数は現役よりも多い。その意味からも、憲法改正のときまで政府は義勇兵を支援することも妨害することもなく、無言で見送るべきであろう。

一方で二〇一四年七月に、国際テロ組織「イスラム国」の戦闘員募集に応じたとして、北海道大学の学生と元同志社大学教授の二名を刑法第九十三条が定める「私戦予備陰謀罪」の容疑で警視庁公安部が書類送検したことがある。

（参考）刑法第九十三条　外国に対して私的に戦闘行為をする目的で、その予備又は陰謀をした者は、三月以上五年以下の禁錮に処する。ただし、自首した者は、その刑を免除する。

この件を引き合いに出して、今回のウクライナ義勇兵が違法であるかのように論じる動きもある。しかし、そもそも「義勇兵」とは、ある国家の要請によって成立する存在であるから「私戦」にあたる理由がない。

最高裁判事を務めた団藤重光氏は、同罪の成立要件について次のように説明している。

「私的とは、かかる戦闘が私的な組織により、国家意思とは無関係に行われることをいう」（注釈刑法各則一・有斐閣）

ただし、「国家意思」とは日本国の意思に限定されるという指摘もある。

たとえば、中国の要請に応じて日本人義勇兵が集められ、在日米軍基地が攻撃されるような事態も想定され得る。だが、これは（憲法に基づく条約が締結された外国基地を攻撃したならば）内乱罪が適用される事案だ。私戦とはあくまで国家意思に拠らない戦闘、たとえばイスラエルのテルアビブ空港を強襲して自爆攻撃をした日本人テロリストの例などをいう。

しかしながら、日本と友好関係がある国と日本人義勇兵が海外で交戦するケースでは、日本の外交上の国益を損ねる恐れもある。今回も、交戦中のウクライナとロシアは両国とも日本と国交がある。よって、ウクライナの国家意思に応じて日本人義勇兵がロシア兵と交戦した場合、日本の外交上の利益を損なう可能性も考えられる。

国家意思が競合した場合は、「日本国の国家意思」と「外国の国家意思」の比較衡量《こうりょう》（対立する当事者の権利・利益を天秤にかけて、どちらがより重いかを判断する手法）によって判断されるべきだろう。

つまり、日本国が「中立」または「義勇兵が交戦する予定の相手国との友好関係を優先する」という国家意思を表示していた場合、この時に初めて「国家意思に反した私戦」と処断されるのである。外国の国家意思よりも、主権によって日本国の国家意思が優先されるからだ。

今回の戦争でいうならば、すでにロシアの侵略非難決議を日本の衆参両議院が採択しているため、中立ではなく、日本国の国家意思は「ウクライナとの外交関係」を優先尊重したと客観的にいえる。よって、仮にロシア国の要請に応じて義勇兵となった日本人がいた場合、それは日本国の国家意思に反するため、予備陰謀の段階で処罰されるべきだ。

前述した台湾へ行った日本人義勇兵や、またフランス外国人部隊に参加した日本人のケースでは、日本国の国家意思が何ら表示されていないため、外国の国家意思が優先されたケースといえる。今回、日本政府は明確にロシア側を非難しているため、日本人義勇兵がウクライナでロシア兵と戦うことの合法性は担保されているといえよう。

勇気ある義勇兵は国益に資する

現在の法令は「義勇兵」の取り扱いについて整備されていない。それは、日本国憲法が自衛権の行使を除く交戦権を否定しているからだ。しかし、これは「派兵」の場合であって、「義勇兵の受け入れ」であれば憲法が禁止するところではないため、今後、法整備していく必要がある。

たとえば、アメリカでは一九五〇年に「ロッジ・フィルビン法」が可決され、最大上限一万二千五百人の外国人義勇兵を受け入れることが認められた。義勇兵は五年間の軍務に服すると米国市民権を得られ、また共産圏など反米を国是とする国家・地域からの受け入れは認められないことも法定されている。

この法律の適用を受けた有名な人物が、ラリー・ソーンだ。この人物はフィンランド軍に入隊し、ソ連によるフィンランド侵略戦争である「冬戦争」で戦ったあと、ナチスドイツの武装親衛隊「第5SS装甲ヴィーキング師団」に志願し、親衛隊大尉となった。そして大戦終結後は渡米してアメリカ陸軍に志願、数々の任務をこなし、ベトナム戦争に従軍して戦死した。最終階級は米陸軍少佐であり、今もアーリントン国立墓地に眠っている。

「武装親衛隊からアメリカ軍に志願」という経歴は珍しいが、冬戦争、独ソ戦、継続戦争という激戦を戦い抜いた「経験者」の実力をアメリカが重視した結果であるといえよう。

わが国の自衛隊は日々の訓練から精強であることに疑いを容れる余地はないが、それでも実際に戦場で敵兵を殺害した経験を持つわけでない。そこで、実戦経験豊富な外国人義勇兵を友好国に限り受け入れる法制度もアメリカに倣い、今後必要であると提言したい。

最後に、今後の国際情勢の変動に対して、日本人義勇兵がもたらす意義を述べたい。

先般、ウクライナ国連大使は「ロシアが国連常任理事国である法的根拠はない」という演説をした。これは、常任理事国が中華民国から中華人民共和国に変更された際に、アルバニア決議（第二十六回国際連合総会二七五八号決議・一九七一年十月二十五日採択）があったのに対して、ソ連邦崩壊後にロシア連邦へ常任理事国の地位変更を認めた決議がないことを指摘したものだ。

これを受けてイギリス報道官は「ロシアは常任理事国の資格を欠く」という公式見解を発表している。核兵器を脅迫に使用したロシアの姿勢は、国連常任理事国の資格要件とされる「核兵器の適正管理義務」に反しているというのが主な理由だ。

民間レベルでも、ロシアの銀行の送金振替業務をSWIFT（国際銀行間通信協会）が拒否し、VISAやマスターカードなど大手クレジット会社も軒並みロシアの銀行決済を廃止し、サハリンから化石燃料採掘業が撤退した。日本銀行もロシア資産を凍結するなど、ロシアに対する世界の非難包囲網は前例がない苛烈さを見せている。

この中で、ウクライナへ日本人義勇兵が派兵されることの意義は政治的に極めて重要である。将来の「常任理事国」との強固な友好関係の理由になるからだ。それは日本の国際的地位に著しく寄与する期待を抱かせる。

日本政府は勇気ある義勇兵たちに対して、その志を妨害することなく静観すべきであった。必ず日本の国益に資するのだから。

旧海軍〝対ソ支援〟の過ちを繰り返す日本政府

命より金儲け優先か

令和四年三月八日、自民党外交部会の佐藤正久参議院議員が恐るべき内容の記者会見を行った。まずそれを引用したい。

「連帯とか命より金もうけを優先するとか、さもしい腰砕け外交の部分が見えて仕方ない。実際、アジアの空路・海路がロシアの抜け穴になっている実態が明らかになっている。日本有事があった際に欧米諸国に協力を求めても物流を理由にしてうちはやらないよと言われてしまう。この背景には当部会で外務省欧州局長が明言された『ウクライナの問題は基本的に欧州諸国の問題だ』という基本認識があると言わざるを得ない。対岸の火事という認識があるというふうに言わざるを得ない」

これは、ロシアへの経済制裁を決定した我が国の国会および同盟国の方針に反して、外務省主導による事実上の「ロシア経済支援」を継続することでロシア軍の継戦能力の維持に貢献している「外交方針」を非難したものだ。

欧米諸国は、既に自国の領空と領海においてロシア籍の航空貨物・船舶貨物の荷受けを拒否している。これは、ロシアとの商取引によってロシアが獲得した物資がウクライナとの戦争で使用されるのを避けるための措置だ。しかし、日本は衆参両議会でロシア非難決議を採択し欧米同様の経済制裁を行う国策を決定したにもかかわらず、ロシアが持つ極東の不凍港ウラジオストクに日本から入港する貨物船やその他の航空便を事実上放置している。

その目的は何なのか。佐藤議員は「金儲けのため」というが、既に一ルーブルの価値は一円に満たないほど値崩れして、まるでデフォルトしたかのような状態に一時なった。このような経済状態でロシアの外貨預金も日銀を含む世界各国が預金封鎖しているため、ロシアとの商取引で得られる金銭的利益は現状ないに等しい。

そうすると、ロシア経済政策の「抜け穴」を日本が用意する目的は、ただ一つしかない。ロシアの戦争遂行能力への貢献である。そう、また歴史を繰り返しているのである。

海軍に潜んでいた共産党工作員

実は、日本がロシアの戦争を背後から支援したことは第二次世界大戦でも同様であった。日本がなぜ第二次世界大戦で敗北したのかといえば、戦力の逐次投入や国力の差などいろいろと分析されているが、どれも直接的な理由ではない。誤解を恐れずに端的な表現をすれば、日本が戦争に負けたのは「日本が連合国支援を続けていた」からである。

というのも、前述したように、第二次世界大戦中、アメリカは事実上のロシア支援法であるレンドリース法を可決し、参戦前から軍事的支援をしていた。アメリカの対露支援ルートは、北極航路、ペルシャ回廊、そして太平洋航路であった。このうち前者二つにはドイツ海軍が総力を挙げて襲い掛かったためＰＱ艦隊（対ソ支援輸送艦隊）などには多数の護衛をつけていたが、太平洋航路は輸送船だけの丸腰であった。なぜならば、日本海軍は大東亜戦争が開始された後も、アメリカ輸送艦隊の日本領海通過を黙認し、一度だけあった誤射を除けば「航行の安全」を保障していたからである。

レンドリース法の太平洋航路は八百三十四万トンの軍事物質の輸送に使われ、これは全体の五〇％を余裕で超えていた。四十万台以上の軍用車両と、一万二千両の装甲車両

（このうち四千両以上は当時最新だったM４シャーマン戦車）、一万機の航空機、そして百七十五万トン以上の軍事食糧が日本領海の宗谷海峡（北海道と樺太のあいだ）を通過してロシアに輸送されていた。冬季に宗谷海峡が凍結した際は、北九州の対馬海峡をアメリカ輸送艦隊は通過してウラジオストクに入港した。そして、シベリア鉄道で輸送され最前線に届けられたのである。このとき、日本海軍は一切攻撃していない。これらの軍事物資はソ連軍がナチスドイツと戦争を行う上で重要な役割を果たしている。

初見だとまるで陰謀論であるかのように聞こえる「日本海軍が大東亜戦争中にアメリカ輸送艦隊の日本領海通過の安全を保障していた」という史実は、一つの法的解釈の違いによって説明できる。

それは、前述したように「輸送に使われている船舶がアメリカ国籍なのかソ連国籍なのか」という議論であった。戦争中、外務省条約局は「アメリカで建造された船舶ならばアメリカ国籍であるから海軍は拿捕《だほ》すべきである。拿捕しても日ソ中立条約には何ら反しない」と主張したのに対して、日本海軍は「積載物質がソ連の所有物ならその船舶はソ連籍である」または「ソ連の船舶であるという証明書を所持していたらアメリカ人が操船し、かつアメリカで建造されたアメリカ国籍の船舶でもソ連船舶である」という立場を堅持し、アメリカ輸送艦隊に日ソ中立条約が適用されるとの立場を崩さなかった（現場が宗谷海峡でカーメネッツポドルスク号、イングール号、アルコス号のソ連船舶三隻を拿捕したことがあったが、ヤコフ・マリク駐日ソ連大使の抗議を受けると海軍上層部は直ちに拿捕した船舶を釈放する弱腰姿勢を見せた）。

船舶の国籍が荷物で定義されることは当時も今もない。国際条約と国際法の専門である外務省に対して、海軍省は正面から「独自の法解釈」をしてロシアを支援し続けたのである。結果、このときに輸送された武器弾薬で間もなく対日侵攻作戦が開始され、多くの日本人が殺害されたのである。

そもそも大東亜戦争開戦時には「ドイツが勝つ」という前提で国策が進められていた。ドイツ側も日本が対ソ支援を妨害してくれるという前提で、第二次世界大戦が勃発した後に軍事同盟を締結している。まさか「日本海軍がロシア支援を保障」という動きをするとは、日本陸軍もドイツも予想できなかったことであろう。

なぜ海軍が独自の法解釈をしてロシア軍を支援し続けたのかは、いまだ我が国では研究されていない。というのも、陸軍とは違って海軍は戦争が終結すると多くの書類を破棄したため、内部の犯罪や当時の首脳部の意思決定の経緯等が不明なのである。

陸軍は軍法会議の裁判記録が戦後も残っていたため、陸軍内部でどのような犯罪者がいたのか一定範囲で今日も知ることができるが、海軍軍法会議の記録は残されていない。唯一残っているのは、海軍に出向していた司法省の検事が私的に謄写《とうしゃ》していた一部の裁判記録程度であるが、それによると、広島県呉鎮守府の海軍将兵の中に、当時非合法化されていた日本共産党が工作員を送り込み「海軍細胞」という暗号を使い、反軍チラシを制作して配布し、検挙されたという事件があった。

当然の話だが、共産主義が当時違法だったとはいえ、内務省所轄の特高警察や陸軍省所轄の憲兵隊の捜査権は海軍船舶や基地に及ぶことはない。そして、海軍内の犯罪記録は戦後に残されておらず、海軍はロシア支援を大東亜戦争中も継続していたという客観的事実は、何を意味するのかは読者の判断に任せたい。現在の問題は、同種の行為をまた日本が繰り返そうとしている点である。

行政府にちらつく親露派の影

今回、日本国外務省がロシア経済制裁の「穴」を我が国に設定することでロシアの戦争継続能力の維持に貢献している動機は、二つ考えられる。

一つ目は冒頭で佐藤議員が批判した欧州局長の言葉通り「ウクライナの戦争は対岸の火事」という認識であり、グローバルな視点がないこと。

そして、二つ目は明確な「ロシア支援」の意図である。

二つ目の意図をさらに分けて考えると、国会で堂々とウクライナ批判をし続けた野党議員のように「親露派」である可能性と、「我が国の安全保障上、ロシア支援を行っている」という可能性が考えられる。前者はもはやスパイと言うしかなく弁明の余地のない国賊であるが、後者の視点であれば話は違ってくる。

日本時間令和四年三月九日午前〇時四十五分、バイデン政権が対ロ制裁の発表を行った。その内容はロシア産の化石燃料の輸入禁止であった。これを受けて、中東産油国は翌四月から石油卸価格値上げを発表した。ロシアは全世界三位の産油国であり、一日あたり約一万一千バレルを採掘している。この禁輸によって、原発をほぼ廃止して火力発電にシフトした欧州（特にドイツ）は経済的困難が生じ、ユーロは下落している。我が国も東日本大震災以降、ほぼ原発を止めており、化石燃料依存度は高い。

このような中で「ロシアの息の根」を急激かつ完全に止めてしまうことは、我が国のエネルギー政策上危険であるとの見解がある。しかし、二〇一九年度の主要原油輸入先でロシアが占める割合は四・八％であり、天然ガスでも八・三％である。常識的に考えれば、この不足分は原子力で補うべく原発再稼働の議論をすべきところ、岸田政権はお得意の「検討する」というフレーズを用いることなく、ロシアからの輸入継続を決断した。政府のこの姿勢は、果たして国益になるのだろうか。

もちろん、ロシアは撃墜不可能な超音速核ミサイルを配備しており、我が国が通常防衛をどのように揃えても、究極的にはロシアの軍事力に対応できる策はない。こうした我が国の状況を踏まえて「完全に息の根を止めること」に外務省が反対している、という見方もできるかもしれない。

しかし、有事であるにもかかわらずウクライナ大使との面会を一定期間拒否し続けた外務省副大臣がいたように、行政府に潜む「親露派」の影が見え隠れしてはいないだろうか。

エネルギーや安全保障で危機を迎えているのは欧州諸国も同じである。もし我が国が「ウクライナは対岸の火事」「日米安全保障条約とＮＡＴＯは全く別物であるから関係ない」という外交方針をとるにしても、親露方針をとるにしても、いずれも我が国の国益になるとは到底評価できない。

ソ連崩壊時に北方領土を取り返すことさえできなかった「無能外交」どころか、敗戦の要因となった前述の「隠れた対ソ支援」の再来になるのではないかという一抹の不安をぬぐい切れない。なぜ、ロシア経済制裁の「穴」を日本国が提供しているのか、外務省はその意図を明らかにすべきである。佐藤議員による今後の議会質問を大いに期待したい。

ウクライナの姿は護憲派が期待する日本の未来

「ロシアに〝平和憲法〟があれば」の嘘

ロシアによるウクライナ侵攻を受けて、「護憲勢力」に激震が走った。それは、日本国憲法が施行され、爾来七十六年間、憲法九条を「平和をもたらすもの」として「護憲」を主張してきたが、その存在意義を揺るがす一方的な侵略戦争が現実に起きたからだ。

一九九四年のブダペスト覚書において自衛権を担保する核武装を解き、諸外国との協調外交によって自国の安全保障を守るというウクライナの国是が踏みにじられた様子を日本人は目の当たりにした。これにより、「憲法九条は平和ではなく戦争をもたらすものではないか」という疑念が一般国民に生じた。

そこで、護憲派は作戦を変更した。今までの「憲法九条があるから平和が守られる」という論調から、「ロシアに憲法九条（と同趣旨の憲法）がないから（プーチンの様な独裁者を止められずに）戦争になった」という論理のすり替えを始めたのだ。

　例えば、日本共産党の志位和夫委員長は令和四年二月二十四日、自身のツイッターで「仮にプーチン氏のようなリーダーが選ばれても、他国への侵略ができないようにするための条項が、憲法九条なのです」と主張し、日共機関紙『赤旗』も委員長擁護の論陣を張った。日共の支持母体である全国労働組合総連合も、公式ツイッターで「もしロシアに九条と同じようなものがあり、それがしっかり機能していれば、ロシアはウクライナに進攻できなかったでしょう」と同趣旨の主張を繰り返している。

　しかし、ロシア憲法第八十七条第二項では、明確に「ロシア連邦に対する侵略または直接的侵略の脅威がある場合」という制限条件を定めている。その上で武力行使を認めるという事実がある。ロシアも侵略戦争を否定した「平和憲法」を持っているのだ。

　それが今回、ウクライナのドンバス地方のロシア系住民が迫害されているという主張を根拠に、武力行使を始めたのである。つまり、護憲派の「ロシアに平和憲法がないからウクライナに侵攻した」という主張は虚偽である。

　では何故、こうした虚偽の主張を繰り返すのだろうか？　それについては、次のように分析できる。

もともと、日本共産党は「改憲政党」だった。日本国憲法の定める「平和主義」に異議を唱え、憲法を可決した第九十回帝国議会では、日本共産党議員は「反対票」を投じている。

その理由を当時の党首、野坂参三氏が議会演説しているので、次に引用したい。

「我々は我が民族の獨立を飽くまで維持しなければならない、日本共産黨は一切を犠牲にして、我が民族の獨立と繁榮の爲に奮闘する決意を持つて居るのであります、要するに當憲法第二章は、我が國の自衛權を抛棄して民族の獨立を危くする危險がある、それ故に我が黨は民族獨立の爲に此の憲法に反對しなければならない」（昭和二十一年八月二十四日 第九十回帝国議会衆議院本会議第三十五号）

見事な理由である。現在の日本共産党とは真逆の考え方だ。この矛盾は、日共内で内部抗争を続けた「所感派」と「国際派」の違いによって説明できる。

日本共産党は、過去も現在も「暴力革命で天皇を廃位して統治権を掌握する」という政策の基本方針は変わらない。そのため、公安調査庁によって破壊活動防止法監視対象団体に指定されている。これは、他のテロ組織と同様の指定である。

しかし、この「暴力革命」に至る手段が所感派と国際派で全く異なるのである。野坂参三氏が所属した所感派は、あくまで日本人共産主義者の手によって革命を成し遂げて天皇を廃位するという方向であった。そのため、共産党員は警察官を襲撃して殺害し、拳銃を奪取するなどの凶悪犯罪を繰り返した。

一方で「国際派」は、現実として警察・自衛隊が統治機構を防衛している以上、これらの組織と戦争をして勝利できる武器や資金もないことから、「日本人による暴力革命」を放棄した。では、どのようにして革命を成し遂げるのか。近隣諸国は核兵器で武装した共産軍が数百万の兵力を誇る。これらの共産軍が日本を占領すれば、必然的に革命と天皇の廃位は実現する。そのためには、自衛権を制限する法体制が必要であった。

例えば、日本人女子中学生が拉致されても「犯人が共産主義者である場合、警察は捜査してはいけない」とする政治活動を繰り返し、騒音防止のため在日米軍の空軍力は否定されるべきであるとの立場を取った。

日本共産党内の所感派と国際派は内部抗争を繰り返し、ついには野坂参三氏を除名することで国際派が勝利した。だからこその「憲法九条」なのである。自国を自分の力で守ることができなければウクライナのように侵略される。それ自体が「護憲」の目的なのである。

ロシアの侵略を肯定する人々

ウクライナ侵攻後、「侵略戦争賛成派」と思しき日本人がメディアにたびたび登場している。彼らが言っていることは結局、ロシア人の権利は保護されるべきであるが、ウクライナ人の基本的人権は否定されるべきであるというヘイトスピーチ（人種や国籍を理由にした権利の否定）と変わらない。

令和四年三月四日、テレビ朝日の玉川徹氏は「羽鳥慎一モーニングショー」で、「どこかでウクライナが引く以外にない」と、ウクライナ人の降伏を推奨したとも取れる発言をした。同じく三月十三日には、日本維新の会の鈴木宗男氏が札幌市内で講演し「原因をつくった側にも幾ばくかの責任がある」と述べ、ロシアの侵略戦争に賛成する発言を繰り返した。三月十四日には、ラジオ番組「垣花正《かきはなただし》　あなたとハッピー！」（ニッポン放送）でタレントのテリー伊藤氏が在日ウクライナ人に対して「ウクライナは勝てませんよ」という発言を繰り返し、同国の人々の基本的人権の保障に対する否定的見解を明らかにした。

これらの主張を俯瞰《ふかん》すると、「ロシアとウクライナの戦争に対して、人種や国籍による差別に基づき一方の主権や基本的人権の保障に対して否定的見解を述べる」という共通点が見出せる。

私たち日本人はひとつの発言に対して、発言者の「主観」や「動機」を重要視するが、大切なことは「発言がもたらす客観的効果」である。これらの発言は、暴力による国際秩序の変更と民間人の大量虐殺に賛成しているものだとする「客観的評価」に基づき、その狙いを分析することが重要だ。これは、著名人の発言のみならず、「アストロ・ターフィング」と呼ばれる自作自演の草の根政治運動（意図的なタグ付き投稿の連続など）についても同様のことが言える。

侵略されたら日本はすぐ降伏すべしという論法

いま最も懸念されていることは、ロシアによるウクライナ侵攻が「核の抑止力」によって国際社会からの反撃を回避して成功した場合、中国に台湾・沖縄侵攻作戦の成功を確信させるのではないかということである。

すでに中国は党機関紙の『人民日報』において、「沖縄の帰属は国際法上未確定である」と主張しており、侵略願望を隠していない。

ここにきて、日本国内における著名人や政治家が侵略戦争に賛成し、国籍や人種によって基本的人権（抵抗権）は制限されるべきであるという論陣を展開した理由を考えなければならない。それは、同様の侵略戦争が我が国に対して発動された際、「尖閣諸島・沖縄本島を諦めれば戦争にならなかった」もしくは「中国軍による無差別殺人に対して日本人は抵抗すべきではない」という論調に、そのままシフトすることができるという事実である。

近代以降の「戦争」を分析したことで知られるプロイセン軍人のカール・フォン・クラウゼヴィッツの『戦争論』では、「精神と戦争」の関係性について次のような分析が述べられている。

《将軍の才能、軍隊の武徳と国民精神の中で、どれがより大きな価値を持っているかを一般的に規定することは出来ない。これら三つの要素の明確な効果を充分な歴史的証拠によって明らかにすることが望ましい。しかし、現在の状況では、軍隊の国民精神や戦争への習熟がよりいっそう重要な役割を果たすようになっていることは否定できない》（『戦争論』レクラム版・日本クラウゼヴィッツ学会訳。一部要約）

つまり、戦争とは軍隊だけでするものではなく、その軍隊を支える国民の精神力が、具体的な戦争協力（兵站《へいたん》の確保等）において重要であるという指摘だ。どのような軍隊であっても、士気というものが戦闘能力の維持にとって極めて重要である。軍隊の存在意義となる「国民の防衛」において、その国民側から「領土はいらない、降伏しよう」と声高らかに叫ばれたならば、その戦争が例え防衛戦争であったとしても、継戦能力は致命的な打撃をうけることであろう。

仮に、その侵略される側の人々が、「降伏しても基本的人権が保障される」という間違った認識を動機にして侵略戦争を肯定していたとしても、敗戦後には間違いを改める機会そのものがない。

侵略者は倫理観を持たない相手国の国民を操ることで、防衛軍の士気と戦闘能力そのものを削り取り、侵略戦争を成功させる足掛かりとしているのである。もはや、現代の戦争において兵士は軍服を必ず着用しているとは限らず、銃弾が飛び交う前に、放送やインターネットを利用した「下準備」が進められていると考えなければならない。

我が国には、形而下の物理的侵略に対応する防衛組織はあっても、形而上の精神的侵略に対応する防衛組織がないのである。敵がそこを狙わない理由はない。

以上から、護憲派の動きと民間レベルにおける侵略戦争肯定論に対し、私たちは煽動されることなく細心の注意と警戒を払わなければならない。ウクライナは対岸の火事ではない。何もしなければ、近い将来の私たちだと覚悟せねばならない時局なのである。

いまこそ国防に「男女共同参戦」を実現しよう！

軍務参加に男女差はなくなった

ウクライナの十八歳～五十五歳の男女を対象にしたアンケートが、ノルウェーのオスロ国際平和研究所とウクライナの世論調査会社インフォサピエンスの協力のもと、ロシアによる侵略が開始された後の令和四年三月九日～十二日にかけて調査された。

このアンケートは、以下の四つの質問事項に分かれていた。

①ロシア軍および親ロシア派との戦闘に野戦部隊として戦争に参加するか。
②ウクライナ軍の要塞化された防衛基地内で戦争に参加するか。
③ウクライナ軍への非軍事的支援（食料および弾薬補給や情報収集）などで戦争に参加するか。
④ウクライナの負傷した市民や将兵などの医療や看護に関わる形で戦争に参加するか。

このアンケートは実際に戦地に赴いた本人、または家族や親しい知人がロシア軍の攻撃で死傷した人々を過半数以上含む対象者から採られ、かつ男女の比率を集計した。それによると、野戦部隊として戦闘に参加すると答えたウクライナ人は男性のうち七十二%であり、女性のうち二十八%であった。また、防衛基地内での戦闘に参加すると答えたウクライナ人も男性六十九%、女性二十七%であった。

実際の国家存立危機事態であっても、銃を手に取って戦うと答えた女性は三割未満であった。しかし、戦闘参加ではなく、補給や医療など非戦闘任務に参加して戦争を支援すると答えたウクライナ人男性は八十一%であり、女性は七十八%の割合を示し、性別による差が縮小している。これは何を意味しているのだろうか。

現在、ウクライナでふるさとを守るために戦う多くの兵士たちの様子がニュースやSNSを通じて全世界に拡散され、その中でも女性兵士の姿が目立った。今こそまさに、「女性の戦争参加」について考えるべき好機であろう。

ジェンダー平等から女性も徴兵される北欧

まず、女性の戦争参加は、大別して次の三つの目的に分類できる。

第一に、自らが一般女性とは異なる「特別な女性」であることを証明するため

第二に、男女平等の理念を実現する政治的イデオロギーのため

第三に、共同体存立危機に対処するには男性だけでは足りないため

第一の「女性」は、ベルギー王国のエリザベート・ド・ベルジック王女が十八歳になり成人すると、王立士官学校に入学してアサルトライフルの射撃訓練を受けるなどした事実が指摘できる。欧州にある十一王家はいずれも戦争指揮と王権の確立が歴史的に密接しているため、王族は軍事訓練を受ける伝統がある。そこで、平民女性と王族女性はその義務が異なる事実を示す目的で、「儀式」として戦争参加意思を内外に示す必要がある。ほか、多数の女性とは異なり、軍隊に自ら志願した少数の女性にも「特別な存在である理由」があるといえるだろう。

第二はジェンダー平等の実現を意識した女性徴兵だ。ノルウェーが二〇一五年に、スウェーデンが二〇一八年に女性の徴兵義務を法制化したのは、男女の生物学的性差を度外視しても、ジェンダー平等の政治的理念を社会で実現するには、女性も男性と同様に銃を手に取る必要があるという結論にたどり着いたためである（なお性差は考慮されないため、兵役中は「男女同室」で寝泊まりすることが行われ、数々の性犯罪の温床となった）。

第三は、国家の存立危機事態が現に生じており、これに男性だけでは対応する人員を確保できない事情がある場合である。周辺を宗教の異なる国々に囲まれ、戦争が日常となったイスラエルなどがこれに当てはまる。それでも、男性の兵役は三年であるのに対して、女性の兵役は二年である「性差」は守られている。

歴史的には、第三の理由で女性が戦争に参加しているケースが多い。たとえば、ソ連軍では独ソ戦開始初期にスターリンの粛清とドイツ軍の活躍によって、多くの将兵が失われた。このため、女性兵士の登用が促進され、女性戦闘機パイロットから女性戦車長がT34戦車を操縦した事実も記録されている。また、イギリス空軍でも女性情報官が登用され、ドイツ軍の空襲情報の伝達係（電話交換手など含む）として軍に登用されている。

わが国では、大東亜戦争の末期であっても大陸と南方に数百万の正規軍が無傷で残された状態での降伏であるため、あえて女性を軍隊に登用する必要性がなかったものの、昭和二十年年六月には義勇兵役法（昭和二十年法律第三十九号）が施行され、十七歳以上四十五歳未満の妊婦を除く女性の国防義務が法定された。ただし、女性の実戦投入の計画はなかった（よく女性が竹やりで訓練をしている様子が写真撮影されているため、実際に竹やりでアメリカ軍との戦闘に参加するつもりだったという誤解が広まっているが、これは士気高揚のためのスポーツであったことが、女子は訓練科目を薙刀《なぎなた》と竹槍〈銃剣道〉で選択できたことからもいえる）。

女性自衛官は、わずか二万人弱だが……

ここから、今後のわが国の「国防における男女共同参画」についていえることがある。それは、国家存立危機事態であっても野戦に参加すると答えた女性は三割未満であったが、後方支援に参加すると答えた女性は約八割であるというウクライナの実情をわが国にも生かせないかということだ。

実際に、ジェンダーフリーという政治的イデオロギーのため自動小銃を手に取ることを女性に強要したならば、強い反発が起きるだろう。しかし、国家の存立が脅かされ基本的人権の保障が終了しかねない事態に限り、女性は約八割が後方支援に志願できるのである。つまり、女性は「儀式・アイデンティティー」や「政治的イデオロギー」のために戦争に参加することは少数であっても、実際の危機に対しては戦争参加を厭《いと》わないのである。

ウクライナがロシアの軍事力によく対抗しているのは英米の傭兵の活躍や軍事支援だけではなく、国民がよく訓練されているという事情を無視することはできない。

現在のわが国の「女性の国防」は、少数の女性だけが国防に参加する形式を採用しているが、これからは女性全体が国防にかかわるようにしていくべきではないだろうか。

わが国では、令和三年三月末の時点で女性自衛官は、約一・八万人（全自衛官の約七・九%）が任官しており、これは過去に比べて最も多い割合となっている。しかし、これはあくまで「志願」を前提している数値である。つまり、個々の女性の特別に強い愛国心に立脚したものである。国を守るという根源的な目的を実現するために、政府はあくまで「個別的な愛国心」に依存している。果たしてこのままで良いのだろうか。

現在の日本を取り巻く情況を俯瞰《ふかん》すると、中国軍の圧倒的軍事力に日本の国防は脅かされている現実を見ることができる。しかも、中国は「国防動員法」という法律をすでに施行し、健康な中国籍の成人男女に対して戦時における「国防任務」を義務付けている。在日中国人でこの「国防任務」を法律上の義務とする人数はすでに百万人近くに迫り、これはわが国の自衛官と警察官を足した総数よりも多い。このことからも、戦時においてわが国の防衛は非常に不安定である。

「銃を撃つだけが防衛ではない」という意識の改革

では、どうすれば良いのだろうか。二つの提案がある。

まず、大学教育に予備役《よびえき》将校訓練課程（Reserve Officers' Training Corps 通称ROTC）を導入することである。これは、アメリカの大学では一般的な制度であり、カリキュラムの一つとして軍事訓練を受けることが出来る。そして、一定の単位を履修すると予備役将校訓練課程研修士官（Simultaneous Membership Program）として「士官実習」に参加することが出来る。つまり、教職課程のように単位を履修すると実際の「現場」に出て、教職資格を得るように指揮官である「将校資格」を取得できる制度だ。

アメリカでは、単に将校資格を取得できるのみならず、奨学金獲得の理由にもなる。日本でも戦前は似たような制度があったが、あくまで「基礎訓練」のみであり、指揮官としての技能を育成するカリキュラムではなかった。このため、大東亜戦争においては日米で顕著な差が出たのである。つまり、アメリカの大学生は軍事訓練を受けている者が多かったため、政府から言われるまでもなく愛国心によって軍隊に志願して戦場に赴いたが、日本の大学にそのような制度はなかったため、あくまで政府に強制される昭和十八年の学徒出陣まで大学生が戦場に出てくることはなかったのである。このため、若く体力があり、一定の知的能力を有する二十代の現場指揮官の数が日米では圧倒的に異なっていた。

平成十三年から陸上自衛隊に限り「予備自衛官制度」が導入され、戦闘能力のみならず法務や医療など幅広い分野の人材を防衛に役立てることが可能となっているが、あくまでこれは既存の社会で育成した技能を役立てるというものであり、新たに指揮官の数を担保するものではない。

政府は予備役将校訓練課程の導入を急ぐべきである。平成三十年の時点で女子の大学等進学率は五七・七%を超えているため、女性の半数が将校になる道を選択できる社会はわが国の独立を守る意義において重要である。

第二の提言は、十八歳以上の健康な男女に対する「実習」の導入だ。徴兵というのは実際の国防任務を担わせるものであるが、国防とは銃を手に取るだけが全てではない。補給や医療など幅広い分野の仕事がある。いざ戦争になったとき、目の前に医薬品やトラックが余っているのに扱える者が誰もいないという事態は、亡国の直接的原因になる。

大学生が合宿制の自動車学校に泊まり込み楽しみながら運転免許を取得することがあるが、あのようなシステムをそのまま防衛技能の取得に役立てるべきである。

ウクライナの国家存立危機事態を目《ま》の当たりにして、「今までと同じで良い」と考えるのではなく、小さな変化であっても受け入れて前に進むことが大切だ。危機を憂う一人ひとりの気持ちが国を守るのである。そして、「銃を撃つだけが防衛ではない」という意識の改革が今後必要である。

ウクライナの女性の八割は「後方支援」ならば、有事の際の戦争参加意思を有しているのである。日本女性がこれに劣る理由は毫《ごう》も無い。

第2章

〝ポスト安倍〟自民党政治

——真価が問われる

岸田新総裁に靖國参拝のススメ

主体的行動と信教の自由を国民に示せ

二〇二一年秋に岸田文雄・自民党新総裁が誕生した。自民党総裁選は、実質的に日本の総理大臣を決める選挙でもある。現在の日本を取り巻く国際情況は厳しく、岸田政権が取り組むべき課題は多岐に渡るが、本稿では新政権の「統治能力と外交能力」をはかる客観的なメルクマールとして「靖國神社参拝」を提唱したい。

岸田新総裁は総裁選中、靖國神社参拝の是非について「時機をみて参拝したい」と答えている。自らに有利な時局を見極めることは政治的能力を発揮するうえで大切だが、それ以上に重要な視点は「政治的主体」であることだ。つまり、他者の都合や動静に影響されて方針を決めるのではなく、自らが能動的に物事を決めて他者に影響を与える主体性を持つことにこそ政治の本質的目的がある。外国が反対するから参拝できないという主張は、外交能力がないという無能の自白に過ぎない。

この意味で、もし岸田新総裁がその内心において散華《さんげ》された英霊への弔意は不要であると考えるのではなく、真摯に靖國神社参拝の必要性を感じられているなら、その主体性をもって参拝に反対する諸外国の「説得と同意」を引き出す外交能力を示す好機であるといえよう。

そこで、本稿は新政権の外交能力を高めるための「四つの提言」を以下に謹んで申し上げたく思う。

第一に、靖國神社に合祀された御霊《みたま》のなかに戦争指導者がいるという事実についての評価に伴う「信教の自由」である。個人的な思想で、これを戦犯だとして否定的に捉えることが内心の自由であることと同様、極東国際軍事裁判（東京裁判）などで法務死※されに方々の御魂に尊崇の念を抱くこともまた信教の自由である。

「靖國神社に参拝したいが批判されるのでできない」という規範を一国の宰相が示すことは、基本的人権を構成する「信教の自由」の制限が実質的に行われている国であることを同時に意味してしまう。

したがって、日本のリーダーたる者は、何人たりとも信教の自由を否定することはできないことを国民に示す必要がある。信教の自由は宗教活動の一環として、たとえば警察から指名手配中の被疑者を匿《かくま》ったりするなど、他の法令に抵触する場合を除き、公共の福祉による制約を受けない。極論とも思えるが、テロ行為をしたオウム真理教が解散しても、その信者は法人格を有しない宗教団体を存続させ、あるいは新たに結成することを妨げられるわけではないという最高裁の「信教の自由」の基準すらあるのだ。つまり、宗教法人としての靖國神社参拝を妨げることは、基本的人権の否定以外のなにものでもない。

※法務死：刑死した者を指すが、特に東京裁判の刑死者に対して用いられることが多い。

死後の「魂」まで罰するのか

第二に、戦犯という概念の正しい理解である。日本国においては、戦傷病者戦没者遺族等援護法の一部を改正する法律（昭和二十八年法律第百八十一号）附則第二十項、そして恩給法の一部を改正する法律（昭和二十九年法律第二百号）附則第四項に基づき、大東亜戦争の終戦後に拘禁されて死亡した方々の遺族に対して遺族年金支給を法定している。そこに「戦犯」という概念はない。もちろん、この法定に対していわゆる戦勝国からは一切の抗議は出ていない。

それはなぜか。理由は明白である。「戦犯」は、いわゆるサンフランシスコ平和条約（昭和二十七年条約第五号）第十一条「日本国は、極東国際軍事裁判所並びに日本国内及び国外の他の連合国戦争犯罪法廷の裁判を受諾し、且つ、日本国で拘禁されている日本国民にこれらの法廷が課した刑を執行するものとする」という法的根拠を持つが、これは生存している自然人に適用される条約であって、その者の死亡後の「魂」に適用される条約ではないからだ。宗教観の取り扱いを定めた条約ではないのである。

つまり、連合国による被拘留者が拘禁中に死亡または法務死するまでは確かに昭和二十七年条約第五号という根拠法に基づく「戦犯」であるが、その者が死亡した後も、「魂」という形而上の存在に対してサンフランシスコ平和条約第十一条が適用されるという法解釈は存在しないということだ。だからこそ、戦犯とされた方々の遺族年金給付の法定について、諸外国は何も言わなかったのである。

にもかかわらず、この「魂にもサンフランシスコ条約が適用される」という荒唐無稽な法解釈が独り歩きし、靖國神社の祭神を「戦犯」と言う珍説が、外国のみならず我が国の政府高官や国会議員、マスメディアなどにも浸透しているのである。残念ながら高等教育の失敗であると言わざるを得ない。靖國の英霊に戦犯はいないのだ。

第三に、倫理的反論を欠いていることである。前述の「魂にも生前の法的判断が適用される」という基準を仮に適用するならば、次のことが言える。岸田新総裁は当然、今後渡米してアーリントン国立墓地に参詣することが予想される。しかし、同墓地には広島に原爆を投下したB29エノラ・ゲイ搭乗員のウィリアム・スタリング・パーソンズが埋葬されている。パーソンズは原子爆弾リトルボーイの起爆装置を組み立てて原爆内で起動させるという極めて重要な役割を果たし、およそ二十万人以上の一般市民を死なせた「直接の行為」を行った人物だ。

もし、「靖國神社にも参拝し、アーリントン国立墓地にも参拝する」というのであれば、戦争という凄惨な歴史を踏まえ、個別的な行為の是非は問わず戦没者全体に対する哀悼の念を優先するという姿勢であるといえるが、祭祀対象が日本人の場合は参拝せず、原爆によって大量の日本人を死に追いやった者に対しては参詣するという非対称性を持つのであれば、それは人種差別的であろう。

これは韓国の国立ソウル顕忠院にもいえる。ベトナム戦争で五万人以上の兵士を派兵し、今もある戦時強姦混血児のライダイハン問題などを引き起こし、多くのベトナム人女性をそれこそ「性奴隷」にした最高責任者の朴正煕の魂には参詣する一方、日本の戦争指導者の魂を合祀する靖國神社には参拝しないというのであれば、これもまた人種差別思想がその根底にあると言わざるを得ない。

よって今後、諸外国から靖國神社参拝につき「A級戦犯」を理由に非難された場合、「原爆投下メンバーをアーリントン国立墓地から外せ」と反論するのが合理的である。これが「外交能力」というものではないだろうか。

必要なのは国民への「共感能力」だ

最後の提言は、靖國神社参拝に関してなされた、非常に重要な演説を引用することをもって代えたい。

我が国最初の女性国会議員、山下春江衆議院議員（自由民主党、当時改進党所属）による第十五回国会衆議院本会議第十一号昭和二十七年十二月九日における大演説である。

《極東裁判の判事であり、日本の無罪を主張したインドのパール博士は戦犯に対して、「ここにおられる皆さんは最悪の不公正の犠牲者である。戦犯條例によつて定められた法は、ドイツ人を、あるいは日本人を対象とした法であつて、一般社会に適用されるべきものでない」というあいさつをされています。

占領中、戦犯裁判の実相は、ことさらに隠蔽されましてその真相を報道したり、あるいはこれを批判することは、かたく禁ぜられて参りました。当時報道されたものは、裁判がいかに公平に行われ、戦争犯罪者はいかに正義人道に反した不運残虐の徒で憎むべきものであるかという、一方的の宣伝のみでございました。国民の敗戦による虚脱状態に乗じまして、その宣伝は巧妙をきわめたものでありまして、今でも一部国民の中には、その宣伝から抜け切れない者が決して少くないのであります。

戦犯裁判は、勝つた者が負けた者をさばくという一方的な裁判として行われたのであります。**国際法の諸原則に反して、しかも現在文明諸国の基本的刑法原理である罪刑法定主義を無視いたしまして、犯罪を事後において規定し、その上、勝者が敗者に対して一方的にこれを裁判したということは、法律の権威を失墜せしめた、ぬぐうべからざる文明の汚辱である**と申さなければならないのであります。

有罪項目が自分の行為ではなく、まつたく虚構であつたか、あるいは捏造された者、人違いであつた者が非常に多く、日本人なるがゆえに、他に何らの理由もなく処罰された者などがあるありさまでありまして、また、裁判の審理が一方的で、公判廷において被告に十分の陳述を許されず、証拠も物的証拠はなく、ほとんどが人的証拠、すなわち証人の証言によるものでありましたが、その証人も多くは公判廷に出席せず、検事のつくつた宣誓口述書を単に読み上げるものが多かつたようでございます。それは、もし証人を出席させますと、被告人と対決することにより、証人の偽つた証言が暴露されることをおそれたからでございましよう。

今巣鴨にいる大多数の者は、家庭を離れてすでに平均十年になつており、十五年から、はなはだしきは二十余年に及ぶ者もいるありさまでございます。戦時中は、いまだ留守家族は、国家、国民のあたたかい庇護を受けて、ただ別離の悲しみのみでございましたが、終戦後は、一家の大黒柱を奪われたまま、忌まわしい戦犯者の家族として、一般国民以上に深刻な精神的な苦悩を負わされて参りました。留守家族が経済的に困窮して生活にあえぎ、また種々の不幸を人一倍味わわされたことは、想像にかたくないのでございます。

その困窮の状況は依然として深刻なるものがございます。戦犯者となつたがために、本人が離婚または婚約解消のうき目を見た者が実に六十九名もあるのでありますが、この悲しみは、単に本人のみならず、家族も、戦犯者の家族なるがゆえに就職を拒否された者二十二名、結婚をはばまれた者十二名、その他社会的迫害を受けた事例ははなはだ多いのでありまして、これがために自殺をはかつた者十二名、発狂した者十六名という、悲惨きわまりないものでございます。

つい最近のことでございますが、**私が巣鴨訪問中、待ち切れなくなつた妻から離婚届の捺印を求めて来た書簡を持つて、ぽたぽたと涙を流しながらうなだれている戦犯者の前で、何と言つて慰めてよいか、言う言葉もなく、私もまた涙しながら政府のふがいなさに憤りを感じたのでございます。**政府はこれが実現のためにあらゆる方途を講じ、最善の努力を傾け、すみやかに解決せられんことを念願いたすものでございます。》（一部要約。太字は筆者）

議員が持つ国民への共感とは、かくも重要であることを示す名演説である。

政治家はしばしば「国民に寄り添う政治」をテーマにした主張をする。これは、国民に対する共感能力があることを宣言したものであると見做すことができる。いま、コロナ禍の中、多くの国民は貧困と感染の恐怖に苦しんでいる。その痛みに共感できる新指導者であることを示すことが統治する上で重要である。

なればこそ、祖国のために殉じた英霊の痛みと孤独に共感できない者が、現在の国民に共感できるとする理由はない。

新総理大臣が最も優先すべきは、先ず高い共感能力を示すことにある。先輩自民党議員に範を取り、新政権閣僚は全員、靖國神社参拝を以て真摯な愛国心（共感能力）を示すべき時局であると申し上げたい。

保守主義とは対極に位置する岸田流「計画経済」

「新しい資本主義」の背景

岸田文雄総理は、令和四年の年頭所信において、次のように経済施政方針を発表した。

〈「新しい資本主義」においては、全てを、市場や競争に任せるのではなく、官と民が、今後の経済社会の変革の全体像を共有しながら、共に役割を果たすことが大切です。（中略）こうした取り組みにより、「成長と分配の好循環」を生むことで、経済の持続可能性を追求するのが、私が掲げる「新しい資本主義」です。〉

しかし、マーケットの反応は鈍い。令和三年末の十二月十四日、衆院予算委員会で岸田総理が「企業の自社株買いを規制するためガイドラインの作成を検討する」という方針を表明すると、日経平均株価は三百円超の下落を示した。

経済は言うまでもなく国家の血液であり、どのような政策も経済基盤を支えにしている以上、経済が強くなければ良い政策は実行できない。今回、岸田政権が「新しい資本主義」と命名した施政方針をそのまま読み解くと、国家権力が市場に介入する行為を前提にしたものと思われる。「全てを市場に任せない」という岸田政権の宣言は、まさに「計画経済」だといえるだろう。

「計画経済」といえば、共産主義国での取り組みとその失敗を思い浮かべる方が多いと思うが、時代が変わったいま、国家権力による計画経済（市場介入）が果たして国益になるのか。その是非を検討したく思う。

まず、何ゆえ岸田政権は計画経済の施政方針を表明したのだろうか。その背景となる動機は二つ考えられる。

第一に、岸田総理が所属する自民党内派閥の宏池会は、池田勇人総理に始まる。第二次世界大戦で領土を喪失して多くのインフラを破壊された日本の経済を発展させるため、池田政権はまさに計画経済によって日本経済を復興させた。この成功経験を再現させたいという狙いがあるのだろう。

第二に、「コロナ禍」という市場への影響がある中、現在の科学技術の水準であれば、計画経済の欠点を補いながら成功する可能性は必ずしも否定できない状況にあることだ。

市場介入の成功例

第一の成功経験は単純な感情論であるから説明を省くが、第二の「計画経済が成功する可能性の是非」について検討しよう。

まず、経済政策には対立する二つのものがある。ケインズ政策とハイエク政策だ。ざっくりと両者を簡単に説明すると、ケインズ政策は国権が計画経済で市場介入して統制する。一方で、ハイエク政策は国権の市場介入を不当なものとみなす。何故ならば、国家は「市場の情報を把握できない」という前提をハイエクは指摘しているからだ。

例えば、ケインズ政策が成功した事例は、ヒトラーの第一次大戦戦後ドイツの経済復興、日本の戦後復興、アメリカの戦時経済などが挙げられる。実は、これらの成功例は国家権力が「市場の情報」を把握できたことによる。

「市場の情報」とは何か。戦争によるインフラ破壊を例にとるとわかりやすい。例えば、第一次世界大戦のドイツ敗北の影響で生じたラインラント接収、ザールラントの石炭利用権接収、そしてルール工業地帯占領など、市場原理に因らない要素で市場が干渉を受けた場合は、その「干渉を受けた分」を数値として国家が把握できるため、計画経済が上手く機能する。戦後日本の経済復興も、米軍の攻撃で破壊されたインフラは数的に計算可能であり、市場原理とは無関係の「干渉」があった場合、計画経済でその「干渉された分」を排除することができる、ということだ。

わかりやすいのがアメリカの例だ。アメリカは一九二九年の世界恐慌のあとニューディール政策を実行してダム建設などを行ったが経済復興はしなかった。※しかし、第二次世界大戦にアメリカが参加して、ドイツ軍や日本軍がアメリカの戦車や戦闘機を破壊し、戦艦と空母を損傷させて航行不能にすると、その「損害を受けた分」を計算して把握することができた。ここに戦時国債でかき集めた資金を投入し、「月刊空母」と言われるほどのペースでエセックス級空母を建艦して労働者を雇用した。また、この時代のアメリカの標準的輸送艦であるリバティ艦は、どれだけ早く建艦出来るか各企業に競わせて、最短七十二時間で建造するなどの記録が残っている。こうして政府は兵器製造を企業に発注し、企業は労働者を雇用し、計画経済は成功をおさめ、一九四四年にアメリカは世界恐慌以前の経済水準を取り戻したのである。

ではなぜ、世界大戦がはじまるまで計画経済であるニューディール政策は成功しなかったのか。それは、平時だったので、市場の情報を政府が把握できなかったためである。戦時であれば「撃沈された船と破壊された戦車の数」は政府が把握できるし、需要の目的が「日本軍とドイツ軍を倒す＝そのために銃弾が必要だ」というきわめて簡潔な図式となり、複雑性は消え失せて単純化する。要するに敵を倒せばよいのであり、「どのように美しく倒すか」などということは誰も意図しない。

※ニューディール政策の評価については諸説ある。

平時は需要が多様化する

極限状態になればなるほど「水が飲みたい」など人の願望は極めて単純化する。よって需要も単純化するので政府が把握できる。しかし、平時における人の需要は極めて複雑で多様化している。「水が飲みたい」がたちまち「アルプス山脈の一万年前の地層からくみ上げて木炭で濾過した天然水をお風呂上りに五度以下に冷たくして飲みたい」など複雑に変化する。一つでも希望条件が欠ければ「いらない」と需要が消滅する場合もある。

例えば、ポケモンカードを例にとって考えてみよう。これはカラー印刷された紙片であり、ゲームに使用するものだ。しかし、その中で「レアカード」というものが発生する。個々のカードの価値は違う。発行枚数が決まっているのに、そのカードを欲する者の数は倍加するからだ。何故そのカードを人が欲するのかは、ポケモンに対する感情的な精神作用やゲームルールなど複雑怪奇であり、もはや「ポケモンカードを愛している人」にしか把握できない。私も、官僚も、あなたも把握できない。しかし、ポケモンカード収集家という「専門家」だけはその価値の変動と理由を把握できる。このため、ポケモンカード販売業者は自由に価格を設定できるわけだ。

この、「官僚はポケモンカードの価格変動とその時間的推移や変動原因と変動幅を把握することができない」という点がポイントだ。計画経済が実施されればポケモンカードも「しょせんは紙だ」となり、ポケモンカードを愛する人々は、カードの商取引を適正価格で行うことができなくなってしまい、利益の機会を喪失する。平時に計画経済を実施すると、こうしたことが「いたるところ」で起こるである。

ハイエクは、市場の情報や知識をすべて知ることは不可能であり、部分的な情報を熟知する者が参加する市場こそ、もっとも効率のよい経済の担い手であると指摘する。

つまり、戦争中や戦争が終わった直後のように「市場介入＝破壊された分など」を政府が把握することは容易であるから計画経済は成功するが、平時においてはひとの需要はきわめて複雑化するため政府は市場の情報を把握できない。市場の情報を全て知るのはどんな知識人（政府）でも不可能だから、介入は無意味であり、専門的な情報に熟達した人々がいる市場に任せるべきであるというのがハイエクの結論だ。

ケインズが誤っており、ハイエクが正しいということではなく、ケインズは市場経済を危機から、ハイエクは平時から分析したのである。

池田内閣の所得倍増計画が成功したのは、市場における需要が「単純」であったからに他ならない。敗戦から間もない頃の市場は最低限の衣食住の確保を欲したのであり、機能的で美しく数多《あまた》の他者から称賛される「インスタ映え」する衣食住を求めたのではない。現代とは状況が全く違うのだ。

“ビッグテック”は計画経済を可能にするか

さて、ここまでは経済学の定石である。世界の自由主義の国々は戦後復興を果たした後、計画経済を差し控えてきた。平和だからだ。

ところが、技術の進歩によって事情が少し変わってきた。筆者の予想であるが、おそらくこの「技術の進歩」を理由にして岸田政権は計画経済を表明したのではないかと思料される。この「事情が変わった」という部分をハイエクの言葉から引用してみたい。

《どんな単一のセンターも、様々な商品の需要・供給状態に常に影響を与える諸々の変化を細部に至るまですべて把握したり、それらの情報を即座に収集し広範に伝達したりすることは全く不可能である。そのため、諸個人の活動が相互にどのように影響を生み出しているかを自動的に記録し、同時に、諸個人がどんな決定をしたかという結果を明らかにし、またそれに従って諸個人が決定を下していくためのガイドとなるような何らかの記録装置が必要になる》（F．A．ハイエク『隷属への道』西山千明訳、第四章「計画の不可避性」より）

ハイエクがこの論文を発表した当時（一九四四年）、そのような「記録装置」すなわち人々の「欲する気持ちやその原因」という市場の情報を把握するビッグデータを保存する方法は技術的に存在しなかった。ところが、今は「ある」かもしれないのだ。ご存じの通り、クラウド化された膨大な情報の蓄積である。つまり、ハイエクが「計画経済は出来ない」という前提条件がいま崩れているかもしれないのだ。

このため、「いまなら平時でも市場の情報を政府が把握して計画経済ができるかもしれない」と岸田政権は考えたのではないだろうか。

しかし、筆者はこれに懐疑的だ。いくらビッグデータの蓄積があるとはいえ、人の購買心理とは瞬間的に変わるものであり、それこそどのように微細な情報（移動・購入・売却・閲覧）も逃さず国家が把握収集するようにしなくてはならないからだ。それはもはや、自由主義の社会ではない。中国がいま現実にしつつある「ディストピア」だ。徹底した監視社会にするという前提の上で計画経済は機能する可能性を秘める。

もちろん、新型コロナウイルスを「有事の市場干渉」と解釈した上での計画経済なのかもしれないが、ウイルスはインフラを破壊していない。人と人の接触回避を市場にももたらしたが、現代は通信技術が発達しているため、影響を受けた市場は飲食業や旅行業など限定的だ。

アベノマスクのように、政府がマスクを発注・配給して買い占められたマスクを市場に吐き出させたのも計画経済の一種ではある。しかしこの例が「有事における計画経済」として完全な成功例となったのは、ウイルス感染によってマスク買い占めが起きたという明らかな「市場干渉」に対応するという目的の明確性と、「マスク市場」というワンイシューであったために、その単純性によって政府が市場の情報を把握できたためだ。

政府の介入を市場全般に対して行うためには、「完全監視社会」にするほかない。そして、それは自由と民主主義とは決して相容れない。

以上の理由から、岸田政権の経済施政方針に株式市場も懐疑的であり、値幅変動も限定的なのではないだろうか。経済政策まで「中国に右へ倣え」されたら、たまったものではないからだ。

岸田政権は、市場介入を示唆する行為をただちにやめるべきだ。それは、間違いなく「保守主義」とは対極に位置する思想である。

「河野談話」に対する河野太郎氏の変節

法的根拠のない人種差別談話

令和三年四月二十七日、日本維新の会所属・馬場伸幸衆議院議員の「従軍慰安婦なる用語の適切性」に関する質問に対して、当時の菅義偉政権は次のように答弁・決定した。

「政府としては、『従軍慰安婦』という用語を用いることは誤解を招くおそれがあることから、『従軍慰安婦』又は『いわゆる従軍慰安婦』ではなく、単に『慰安婦』という用語を用いることが適切であると考える」

この背景にあったものは、平成二十六年十二月二十三日に朝日新聞が「従軍慰安婦」に関して虚偽の報道を続けていた事実を認めて「御詫び」を発表したことであった。故吉田清治氏が「日本軍の命令で韓国済州島内において女性狩りをして従軍慰安婦にした」と書いた創作ポルノ小説を「事実である」としてこれまで報道してきたことに対する「御詫び」であり、政府の前記答弁はこれを受けたものであった。

しかし、そうするとひとつの矛盾が浮かび上がる。前述の政府答弁と、平成五年八月四日に発表された河野談話（慰安婦関係調査結果発表に関する河野内閣官房長官談話）とは対立する事実を主張していることになる。

政府答弁は法律に基づくものであるのに対して、河野談話は法的根拠がないものであるから、どちらが優先されるかは自明であるものの、未だ訂正ないし撤回されていない。

そもそも「河野談話」とは如何なるものなのか。

河野談話は、朝日新聞の前記フェイクニュースを根拠にして、韓国から斡旋された「元従軍慰安婦」を自称する十六名に日本政府が聞き取り調査を行い、「軍の関与の下に、多数の女性の名誉と尊厳を深く傷つけ（中略）いわゆる従軍慰安婦として数多の苦痛を経験させた」と結論付け、自民党総裁選にも出馬した河野太郎氏の実父・河野洋平氏が発表したものである。

しかし、この十六名の証言内容は未だ非公開であり、一切の検証や反対尋問はなされていない。通常、政府の調査とは事実の調査であるから、あらゆる角度から真実性を検証するのに対して、「河野談話」はそれがなされず、また第三者が証言を検証できないように非公開措置にされているという極めて政治色の強い性質を持つ。

結局のところ、客観的根拠に基づいたものではない以上、河野洋平氏個人の政治思想を談話として発表したものであると思われても致し方ないであろう。

というのも実は、アメリカ軍占領下の日本においても"Recreation and Amusement Association"（特殊慰安施設協会）という組織によって、若い日本人女性が十数万人もアメリカ軍の「従軍慰安婦」とされていた。当時、日本には主権がなかったため、日本人女性がどのような性被害を受けても警察には女性を守る権限が無かった。その際に「アメリカ軍の関与の下に、多数の女性の名誉と尊厳を深く傷つけいわゆる従軍慰安婦として数多の苦痛を経験させた」ことは多く証言されているが、河野談話は「日本人女性の証言」は一切採用せず「朝鮮人女性の証言」は「朝鮮人」という人種的属性を根拠に採用している「非対称性」を持つ。証言の信用性を「人種」で決めて「河野談話」として発表している事実は、一種の人種差別ともいえまいか。

このような問題点を多く指摘されている「河野談話」に対して、今日まで多くの批判がなされてきた。

中韓が高く評価する河野太郎氏の「血筋」

河野洋平氏の長男である河野太郎氏のブログ「ごまめの歯ぎしり」の平成二十四年八月三十一日の記事にはこんなくだりがある。

《「河野談話」を修正または撤回するためには、これまでの内閣の意思を変更するわけですから、「河野談話」に替わる内閣の新しい見解、意思を発表する、「河野談話」を踏襲しないという内閣の意思を明示する、または何らかの形での否定をすることが必要だと思われます。内閣の意思をとりまとめ、総理または官房長官が新しい見解を発表するなどが必要です。そのためには、一九九三年八月四日付け内閣官房内閣外政審議室の「いわゆる従軍慰安婦問題について」に替わる事実が出てくるか、あるいはこの調査結果を破棄するかということが必要になります。》

この一文を読む限りでは、河野談話の見直しに意欲を持たれているとの印象を持つ。私（筆者）自身、当時この記事を読んだときには「立派な志が河野太郎氏にはあるのではないか」と感心した。

しかし、それから五年後には「『河野談話』の河野さんって俺じゃないですから。別の河野さんだ。『河野談話』への評価は『本人に聞けよ』という話じゃないですか？」（『産経新聞』平成二十九年十一月二十四日付）と、まるで他人事のような言い方に変わっている。

そして現在、特段「河野談話見直し」については何の発言もしていない。もちろん、総裁選出馬時の所信演説にもいっさい見られなかった。

そんな河野太郎氏に対して、中韓の報道は極めて高い評価を下している。例えば、韓国のハンギョレ新聞は「次期日本首相にふさわしい人物一位。父親は『河野談話』の主役」と題した記事を配信し、中国共産党の報道機関である環球時報は令和三年九月十一日付け（中国語記事）で「河野太郎氏実父の河野洋平氏は、『河野談話』で日本軍が慰安所を設置し、女性たちを『従軍慰安婦』として強制的に売春をさせていたことに日本軍が直接関与していたことを認めている」と河野太郎氏の「血筋の良さ」を大絶賛しているほど「中韓のお墨付き」だ。

繰り返すが、法的根拠のない河野談話は「従軍慰安婦」の語句を使用し、菅義偉内閣は「従軍慰安婦という語句は無い」との立場を明らかにしているという矛盾がある。そもそも、河野談話の根拠とされた従軍慰安婦報道を当の朝日新聞が虚報であった旨を認めた以上、「河野談話」が果たして私たち日本国の国益にどのように資するというのだろうか。

そして、河野太郎氏は「河野談話の見直し」ではなく「歴代内閣の歴史観を踏襲する」と表明している。

河野談話最大の問題点は「証言の検証をしていない」ことと「恣意的に選択された証言のみを採用している」ことの二点に集約される。しかし、「買われた側」の女性証言のみではなく、「買った側」の男性証言にはどのようなものがあるだろうか。一例として紹介してみたい。

ラバウル航空隊の高射砲部隊を指揮していた齋藤睦馬陸軍中尉は、大東亜戦争中における戦地の慰安婦について、次のような証言をしている。

《ある日の朝、慰安所に行きたいという非番の兵隊たちにコンドームと性病予防薬の軟膏と外出許可証を渡した。それからすぐに、その兵隊たちが帰ってきた。私が「なんだ、もっとゆっくり遊んでくればいいのに」といったら、兵隊たちが憤慨して「慰安婦にどこの部隊ですかって聞かれて、高射砲だって答えたら、敵の飛行機を落としてから来てくださいねって追い返されたんです」と悔しがっていた。※》（『激闘ラバウル高射砲部隊』光人社NF文庫）

実は、河野談話の発表過程においても「慰安婦が強制されていたとする証拠は一切なかった」ことは認められている。とすれば、「証拠がないからと言って強制がなかったとはいえない」という結論には、「日本人の証言は採用しないが、朝鮮人の証言は採用する」という基準（人種主義）があることは明らかではないだろうか。

河野談話はもはや日本国内の問題ではなく、世界中で独り歩きしている。より簡単に言うと、私たち日本人に対して「あなたの祖父または曽祖父は性犯罪者だ」とするレッテルが今日まで三十年近く貼られたままなのである。

※この証言は慰安婦が客に対して拒否が可能であったことの証左となりうる。

「河野談話」は政治闘争である

もともと、慰安婦問題とは文玉珠という慰安婦が、売春給与を貯金していた郵便貯金口座残高およそ二万六千百四十五円（現在の貨幣価値に換算すると四千万円以上）の払い戻し請求訴訟を起こしたが、日韓請求権並びに経済協力協定を理由に棄却され、その訴訟代理人に現在の社民党の福島瑞穂氏が就任したことから始まる。

この時点で給与の支払いがあったことを前提に問題が生じており、争点となった郵便貯金も、平成二十年八月十三日付けの日経新聞によると、約千九百万もの日本国籍離脱者の口座が今も残っている。文玉珠の訴訟もその一つに過ぎない。

慰安婦の問題は、「証言」というエピソードを前提にされているのに対して、その反論は証言の曖昧さ（慰安所が存在しない場所であったのに慰安婦として働いていた等）や年齢や時期（一九三七年にインドネシアの日本軍慰安婦所で働かされていた等）の矛盾を突く「エビデンス」に基づく。つまり「証言」と「エビデンス」の争いとなっている。裁判の場であればエビデンスが重要であるが、政治闘争であるプロパガンダ戦であれば、観念的なエピソードのほうが力を持つ。

しかし、日本政府はエピソードの点において現時点では何ら反論をしていない。前述した「敵を落としていないことを理由に慰安婦からサービス提供を断られて憤慨する兵士たち」のように、慰安婦には客を拒否する裁量権があったことなどの事実を認めていない一方、「朝鮮人慰安婦限定」という偏った手法で証言を採用している。これでは公正性の担保は出来ない。よって、当時の社会に生きていた関係者全員に焦点を当てた多角的かつ総合的な証言を採用した新たな「談話」が必要である。

しかし、自民党総裁選において、こうした国益にかかわる重要な国家観を示したのは高市早苗氏のみだった。河野太郎氏は依然として「歴代内閣の歴史観を踏襲する」との立場であり、河野談話の踏襲を事実上宣言しているに等しい。党益と国益は一致させなければならない。少なくとも今のままでは、無慈悲にも性犯罪者の冤罪レッテルを張られた私たちの祖父の名誉と国益は回復しないのである。

国家の名誉を守るためユネスコ「脱退」も視野に入れよ

場当たり的な岸田・林答弁

文化審議会が世界文化遺産に推薦した「佐渡《さど》島の金山」に対して、韓国外務省が「強制連行・労働の被害現場は世界遺産に相応しくない。戦時中に佐渡金山で朝鮮人が強制連行された」などと主張して即刻撤回を求めたことにより、政府は今年度の国連教育科学文化機関（ユネスコ）への推薦（二月一日期限）を見送る方針であることが大きく報道された（令和四年一月二十日）。

これに対して、自民党の高市早苗衆議院議員は衆議院予算委員会（一月二十四日）で次のように質問した。

「日本国政府は江戸時代の貴重な産業遺産を誇りをもってユネスコに申請し、来年六月の決定までの期間を活用し、ユネスコ委員国に対して『江戸時代の伝統的手工業については韓国は当事者ではあり得ない』と積極的に説明するべき。それもできないと諦めているのであれば国家の名誉に関わる事態でございます」

これに対して、林芳正外相は「佐渡島の金山の世界文化遺産推薦に関し韓国への外交的配慮を行うことはまったくない。韓国側の独自の主張は受け入れられず、強く申し入れを行った」と述べ、岸田文雄首相も「いわれなき中傷には毅然と対応していく」と述べたものの、その「毅然」とはどのような対応なのか具体的な方向性を示すことはなかった。

自民党最大派閥「清和会」の安倍晋三会長も、「世界に対して日本には後ろめたいことがあると間違った印象を与えかねない。論戦を避けるかたちで登録を申請しないのは間違っている。しっかりとファクトベースで反論していくことが最も大事だ」と同会の会合で述べるなどして、政府の方針に苦言を呈した。

この問題は、次の二つの問題を内包している。第一に「客観的事実に基づく歴史認識」が政府内で共有されていない可能性、第二に「ユネスコが日本の国益になるのか」という疑問だ。

「我々を働かせないのは差別だ」と抗議した朝鮮人

第一の歴史認識であるが、佐渡金山とは、一六〇一年に金鉱が発見され、以後徳川家の直轄領に編入、江戸時代を通じて小判の鋳造に必要な金塊を得るための重要産業を担った場所だ。金採掘は佐渡奉行所の直轄で、天領（徳川家支配地）で罪を犯した囚人などに採掘労働をさせた歴史を持つ。つまり、朝鮮人とは何の関わり合いもない。にもかかわらず、韓国外務省が大声で叫んだだけで日本政府が及び腰になったところを見ると、「朝鮮人強制連行とは何か」という定義が政府内で正しく認識されていなかった可能性が高い。

では、「朝鮮人強制連行」とは何か。それは、小磯国昭内閣（一九四四年七月二十二日〜一九四五年四月七日）が、一九四四年八月八日に閣議決定した「半島人労務者の移入に関する件」で、「移入労務者に付き新規徴用を実施すること並びに新規被徴用者につき援護の徹底を期すること」という発令によって始まったものだ。要するに、戦争の終盤に差し掛かった頃から朝鮮人の徴用が始まり、しかも「援護」つまり徴用された朝鮮人の福利厚生を徹底しろという命令である。

この閣議決定は翌九月から実施されたが、翌年（一九四五年）四月初旬には戦艦大和を含めた連合艦隊の艦艇の多くがアメリカ軍との戦闘（菊水作戦）で撃沈され、日本海軍は制海権を喪失した。以後、輸送船を海に出しても米軍が敷設した機雷によって沈められるため、朝鮮半島と日本本土をつなぐ釜山航路が遮断され、朝鮮半島から日本本土への海路移動は不可能になった。つまり、この小磯内閣の閣議決定から日本海軍の制海権喪失までの約七カ月の間の出来事を「朝鮮人強制労働」だと考えられる。

海に米潜水艦が跋扈《ばっこ》して輸送自体が困難であったわずか七カ月間の出来事であるから、当然その人数も少ない。現在も多くの在日韓国人・朝鮮人が居住しているが、昭和三十四年に外務省が日本居住の経緯を聞き取り調査したところでは、次のような結果が発表されている。

「現在登録されている在日朝鮮人の総数は約六十一万人であるが、最近、関係者の当局において、外国人登録票について、いちいち渡航の事情を調査した結果、右のうち戦時中に徴用労働者としてきた者は**二百四十五人**にすぎないことが明らかになった」（『在日朝鮮人の渡来および引揚げに関する経緯とくに戦時中の徴用労務者について』昭和三十四年七月十一日／外務省発表集／昭和三十五年二月第十号および公表資料集第八号。太字は筆者）

「強制連行」とは、深く考えずに字面だけみると、怖い軍人が刀を振りかざして無辜《むこ》の人々を連れ去ったように思えるが、そうではない。朴春琴などの朝鮮人衆議院議員を含めた国民の代表として選出された衆議院によって可決された国家総動員法（昭和十三年法律第五十五号）第四条の委任に基づく国民徴用令（昭和十四年勅令第四百五十一号）を根拠法として、戦争の遂行を合理的に行うため、資材・船舶や労働者を適切な場所・会社・工場に割り振る権能を政府に与えたものである。これを「徴用」という（現在も、日本政府が道路拡張などをするときに、正当な対価を支払うことで国民の財産を公益のため接収する）。「強制」という言葉は後年になって用いられたもので当時は使われていなかった。

しかし、「朝鮮人の徴用」は上記法令に存在しなかった。なぜならば、日本国内だけの労働力で足りており、むしろ余っていたため「満蒙開拓義勇団」が組織され、大陸に日本人労働者を送り出していたほどだからだ。わざわざ高額の海上輸送費を払って日本本土に朝鮮人を移送すべき理由がなかった。

ところが、これに納得できなかったのは朝鮮人である。「なぜ、朝鮮人だけ徴用しないのか。差別ではないのか」という世論が半島で巻き起こり、当時の新聞を読むと「血判状の提出によって朝鮮人徴用を願い出でたる人々」が記事になっている。なぜならば、徴用されると当然給料が支払われるため、産業が日本本土ほど発達していなかった朝鮮半島在住者にとって日本本土での徴用は、まさに「経済的豊かさ」の象徴であったからだ。

当時の徴用者に支給されていた給料を見ても、日本人警察官の初任給の二倍から三倍ほど支払われており、医療保険制度も充実し、「出稼ぎ手当」も支給されていた。この「出稼ぎ手当」の支給明細書は、当の韓国人側が「強制連行の客観的証拠」として採用するなど、どうも根本的な齟齬《そご》があるのか漢字が読めないのかわからないが、いずれにしろ被徴用者に「給与支払い」があったのは客観的事実であり、そこに争いはない。

以上の歴史的事実から、前任の菅義偉内閣は「強制連行」について次の通り閣議決定している。

「朝鮮半島から内地に移入した人々の移入の経緯は様々であり、これらの人々について、『強制連行された』若しくは『強制的に連行された』又は『連行された』と一括りに表現することは適切ではない」「強制労働ニ関スル条約（昭和七年条約第十号）第二条において『徴用』による労務については、いずれも同条約上の「強制労働」には該当しないものと考えており、これらを「強制労働」と表現することは、適切ではない」（いずれも内閣衆質二百四第九十八号令和三年四月二十七日閣議決定）

そもそも、これらの徴用者が佐渡金山で戦時中に働いていたという根拠はない。岸田政権が、韓国側の荒唐無稽な主張に対して何ら反論をせず、佐渡金山の世界遺産推薦を取り下げようとした背景には、前記までの「歴史認識」を正確に共有できていなかったからではないかという疑いが強く残る。

ユネスコの存在価値はあるのか

第二の問題点として「ユネスコが日本の国益になるのか」という疑問がある。

もともと、ユネスコとは「世界の諸人民に対して人種、性、言語又は宗教の差別なく確認している正義、法の支配、人権及び基本的自由に対する普遍的な尊重を助長するため」という存在目的を掲げているが、ウイグル人ジェノサイドで世界から非難を浴びている中国が参加している時点で、その目的はすでに形骸化していると言えよう。

第二次世界大戦後、日本が国際社会に復帰する足掛かりとしてユネスコにかける期待は大きかった。日本の経済成長に伴い分担拠出金も増額され、二〇二一年度はユネスコ全予算の一一％以上を日本が負担している。しかし、当のユネスコ側にこれまで何ら問題が無かったとはいえず、一九八四年に旧共産圏の国々が加盟したことに対応して、記者を受け入れて自由な取材と報道をさせることには一定の制限がかけられるべきだという「言論の自由を制限する方針」をユネスコが採用したため、アメリカが脱退し、翌一九八五年にはイギリスも脱退している（英国は一九九七年に復帰）。

二十一世紀に入り、多くの共産国が自由化されたことを受けてアメリカは二〇〇三年にユネスコに再加入したが、今度はユネスコがパレスチナ自治政府を加盟させ、反ユダヤ主義という「政治色」に基づく基準を世界遺産の選考基準に取り入れたこと（ヘブライ語表記を認めない決定）によって、二〇一八年にアメリカは再度脱退し、イスラエルもこれに続いて脱退した。

今回の佐渡金山世界遺産推薦についても、江戸時代の産業に対して「第二次世界大戦中に朝鮮人が強制労働させられた」などという荒唐無稽な選考基準が適用されるならば、それはもうユネスコが「反日主義」を選考基準に採用したとしか言えない。それならば、アメリカやイスラエルが反ユダヤ主義を理由にユネスコを脱退したことに日本が倣っても、何ら不合理ではない。特定の民族や国家に対するアンチテーゼは人種差別そのものであるからだ。

二〇一五年に中国が「南京大虐殺文書」を世界記憶遺産に申請した際、日本政府は強く反発した。日本政府の抗議を受けて、ユネスコは関係国の異議申し立てを可能にする制度を導入したが、日本外交の努力むなしく結果的に「南京大虐殺」は世界記憶遺産に登録された。

この一件をもってしてもユネスコはすでに「政治利用」されており、文化的な存在意義は後退していると考えられる。にもかかわらず「南京大虐殺の世界遺産申請時に日本政府が抗議したから、今回の佐渡金山も韓国の抗議を受け入れるべきである」という岸田政権の発想は理解に苦しむ。すでに反日活動に利用されているユネスコに、これ以上日本が巨額の拠出金を払い続ける意義は果たしてどこにあるのだろうか。

二〇一九年には仁徳天皇陵が「世界遺産」に登録され、発掘調査を受ける事態にもなっている。しかし、「南京大虐殺資料」などというものと「仁徳天皇陵」(そもそも現在も継続する皇朝の墓所を遺産というべきなのか)を同列に論じるようなことが、本当に日本の国益に適うのだろうか。筆者には到底そうは思えない。

半島と大陸について「亜細亜東方の悪友を謝絶するものなり」という日本外交の在り方について重要な提言を残した福沢諭吉は、明治以降に近代化した日本人の姿をこのように批判している。

《譬えば今、日本にて平民に苗字・乗馬を許し、裁判所の風も改まりて、表向きはまず士族と同等のようなれども、その習慣にわかに変ぜず、平民の根性は依然として旧の平民に異ならず、言語も賤しく応接も賤しく、目上の人に逢えば一言半句の理屈を述ぶること能《あた》わず、立てと言えば立ち、舞えと言えば舞い、その柔順なること家に飼いたる痩せ犬のごとし》(『学問のすゝめ』より)

なぜ、岸田政権は、不当な誹謗中傷に対して「一言半句の理屈」さえ述べようとしないのか。それは、日本側にしてみれば配慮でも国際社会からみれば「相手方の主張を認めたこと」になる。しかし、そのような姿勢は日本国内閣総理大臣として果たして本当に相応しいのだろうか。一切反論しない「痩せ犬外交」はもう沢山だ。

岸田政権は、論戦を恐れてはならない。場合によってはユネスコ脱退を視野に入れるべきである。

「慰安婦」有害図書を法的に規制すべし

ポプラ社の日本人へイト

ポプラ社が児童向け百科事典として新たに発売した『ポプラディア』に、次のような記述があることが明らかになった。

《慰安婦：「朝鮮や中国、東南アジア各地に占領された地域の女性たちが強制連行で慰安婦にされること」》

これに対して、自民党の山田宏参議院議員は自身のツイッターで「早速確認しました。酷い『百科事典』ですね。対応策を検討します」と述べた。しかし、ポプラ社は「記述の主旨を訂正する必要がないと判断しております」と反論した。

慰安婦問題については多くの研究者がその仔細を論じているため、本稿では結論のみ記す。

米クリントン政権時代に成立した「一九九八年ナチス戦争犯罪開示法」と「二〇〇〇年日本帝国政府開示法」という法律がある。この法律は、第二次世界大戦中における日独の戦争犯罪情報の開示を徹底させるため、米政府に調査を義務付けたものだ。国防総省、国務省、中央情報局（CIA）、連邦捜査局（FBI）が総力を挙げて、未公開資料の調査を含む「戦争犯罪の捜査」を行ったものである。

クリントン政権とブッシュ政権にまたがり、約八年の歳月を費やして「日本の戦争犯罪」を調査し続けた結果、日本軍が女性を組織的に性奴隷にした「戦争犯罪」の証拠は一切存在しないことが確認され、「ナチス戦争犯罪と日本帝国政府の記録の各省庁作業班（IWG）米国議会あて最終報告」と題して、二〇〇七年四月に議会に報告された。

これを受けて、慰安婦問題を公娼制度の延長、すなわち任意の職業売春婦の集まりであった事実を分析した米ハーバード大のマーク・ラムザイヤー教授の論文が公表された。

また、日本政府も次のように「慰安婦」について閣議決定している。

《政府としては、慰安婦が御指摘の「軍より『強制連行』された」という見方が広く流布された原因は、吉田清治氏（故人）が、昭和五十八年に「日本軍の命令で、韓国の済州島において、大勢の女性狩りをした」旨の虚偽の事実を発表し、当該虚偽の事実が、大手新聞社により、事実であるかのように大きく報道されたことにあると考えているところ、その後、当該新聞社は、平成二十六年に「『従軍慰安婦』用語メモを訂正」し、「『主として朝鮮人女性を挺身隊の名で強制連行した』という表現は誤り」であって、「吉田清治氏の証言は虚偽だと判断した」こと等を発表し、当該報道に係る事実関係の誤りを認めたものと承知している。》（内閣衆質二百四第九十七号令和三年四月二十七日）

つまり、ポルノ小説が執筆され、それを朝日新聞が事実であるかのように報道したが、ついに虚偽であることを認めたということだ。

以上の経緯を鑑みれば、ポプラ社が米国政府機関以上の調査能力を有して「慰安婦は強制連行であった」という新証拠を発見した事実があるとは到底思えない。

そうなると、虚偽の流布によって人種差別の煽動を目的に出版物を刊行した事実が浮かび上がる。端的に言えば、ポプラ社の日本人に対する「ヘイト」であろう。

虚偽の流布が日本人への憎悪を駆り立てる

実は、こうした問題はこの百科事典だけではなく、多くの出版物で起きている。

その原因は、日本では「ヘイトスピーチ」を規制する法令が未整備のままであり、それどころか「日本人へのヘイトスピーチは認める」という効果を持つ法令を施行していることが考えられる。というのも、国連や欧米などのヘイトスピーチの定義と、日本のヘイトスピーチの定義は全く異なるのだ。

国連は「アイデンティティの要素に基づいて攻撃したり蔑視《べっし》や差別の言葉を使うこと」であり、欧州議会は「憎悪を広め、煽動し、促進し、正当化するあらゆる表現形式」であり、アメリカ合衆国は「あるグループまたはあるクラスの人々を誹謗、中傷、または憎悪を引き起こすような表現」がヘイトスピーチの定義である。

しかし、日本は「本邦外出身者を地域社会から排除することを煽動する不当な差別的言動」であるとして、日本人への憎悪表現や人種差別の煽動を法律が半ば認めている。

これは非常に恐ろしいことである。そして、その弊害はすでに起きている。

令和四年一月二十二日、金杉憲治駐インドネシア大使が自身のインスタグラムに地元の学生らとの昼食画像を投稿したところ、外国人とみられるアカウントから日本政府の「コロナ対策による入国制限」に関して苛烈な人種差別表現が多数寄せられた。

同様の現象は岸田文雄総理のツイッターアカウントのリプライ欄も同様であり、「日本人は人間ではなく、広島長崎の原爆で焼いたのは実に良いことであった。三発目はぜひ東京に」とか「日本人は猿であり人間ではない」という投稿が寄せられている。

これらの人種差別投稿に併せて記述されていたのが「日本人は従軍慰安婦を強制連行した性犯罪者民族である」というコメントで、つまり、「慰安婦」が日本人へのヘイト形成の大きな要因になっていることである。

慰安婦捏造報道から約四十年の歳月をかけて、憎悪は大きく膨らんだ。次は、実際に海外の日本人が被害を受ける段階に至っても不思議ではないだろう。実体験として、私はイギリス留学中に「慰安婦を強制連行したのだから、日本人のお前を俺が強姦しても文句はないよな」といった脅迫を何度も外国人から受けている。

日本人「特殊慰安婦」の悲劇を忘れるな

いままでは、「慰安婦は強制ではなく職業売春婦であった」という事実の立証が重要であったが、これからは、慰安婦が強制されていたという類の人種差別の煽動をどのように処罰していくかの議論が重要である。

「日本国憲法第二十一条第一項は表現の自由を絶対無制限に保障したものではなく、公共の福祉のため必要かつ合理的な制限を是認するものである」（最高裁判所第二小法廷・

平成二十年四月十一日判決）という判例が示すように、どのような表現行為でも常に許されるという理由はない。虚偽の流布や人種差別の煽動が、これにあたることは言うまでもない。

今後は、「強制連行」という虚偽の流布と、「慰安婦」は世界各国にいた存在であるという視点を欠き、まるで日本特有のものであるかのような記述は、悪質な人種差別煽動として、厳しく刑事的に処罰、または行政的に制限していかなければ、日本人の基本的人権を守ることはできない。

具体的には、現行ポルノ雑誌が十八歳未満購入閲覧禁止となっている措置を「慰安婦強制連行」の記述をする図書に適用する方向性や、タバコの箱の三分の二以上の面積で「健康を害する恐れがあります」という表示がされているのと同じように、「虚偽の記述がある図書です」と表紙三分の二以上のスペースで表示することを義務付けるなどの対応策も検討すべきである。

実際に、女性が海外に在留しなければわからない経験だと思うが、「慰安婦強制連行説の流布」はダイレクトに「日本人女性への性犯罪の正当化」につながっており、事態は極めて深刻であることを改めて強調したい。

付言すると、もし教科書に「慰安婦」について記載するのなら、それは本当に「強制連行」されていた慰安婦についてであるべきだ。終戦後、「特殊慰安施設協会（Recreation and Amusement Association）」なる施設でアメリカ軍への人身御供にされた日本人「特殊慰安婦」約五万五千人の存在である。

表向きは「任意で募集した」ことにされているが、そのような根拠は一切なく、主権喪失下の状況で警察も捜査権がなかったため、「事務員募集」などと欺き、銃口を突き付けられて慰安婦にされたことを証言する声はけっして少なくない。

敗戦直後、アメリカ軍による集団強姦が連日起きており、日本の警察は、捜査はできなくても必死に事件を記録していた。女子高に乱入して生徒を集団強姦してトラックで連れ去った例、病院に乱入して看護婦らをトラックで連れ去った例、女子小学生や女子幼稚園児らの肛門と膣をナイフで切り裂いて「強姦できるサイズ」に加工した例など、残虐な性犯罪の記録は今も残っている。

このような状況下で、特殊慰安婦として「強制連行」（主権がないので任意契約であることを証明する権限を持つ司法機関が存在しない）された日本人女性たちが米兵の相手をしていた一方で、女性を面白半分に銃殺して遊ぶなどの事例も記録されている。「主権が存在しない」とは、このようなものであると後世の日本人に語り継ぐべき史実である。

「慰安婦問題」の放置は、将来にわたって深刻な問題を残し、それを増幅させる。政府は、悪質な人種差別の煽動を放置することなく、対処していくべきだ。

第3章

いま、ここにある日本の危機

——憲法改正と皇室の未来

憲法改正、待ったなし！

まずは「一部改正」で前例をつくるべし

令和三年十月三十一日に執行された第四十九回衆議院議員総選挙は、定数四百六十五議席のうち自民党が単独過半数の二百六十一議席、公明党が三十二議席を占めた。野党第一党の立憲民主党は、前回の衆院選で希望の党からの合流者を得て肥大化した分を落選させ、九十六議席と選挙前から大きく勢力を減らした。

多くのメディアの予想に反して与党が「快勝」した今こそ、自由民主党の一九五五年結党以来の目的である憲法改正を果たすべき時局である。

しかし、一口に憲法改正といっても、全面改正なのか一部改正なのか、議論は幅広くある。むろん、保守本来の立場からすれば、現行憲法は敗戦後の主権喪失下で成立した歴史的背景があり、いわば「銃口によって脅迫されて成立した」という視点もあるため、改正ではなく破棄が望ましいとの考えもある。とはいえ、破棄は現実的に困難であり、不本意ながらも追認を含む改正をまずは行うべきであろう。

自民党改憲案は全面改正を前提に起草されている（平成二十四年四月決定）。しかし、憲法第九条に自衛隊を明記するという一部改正案があるのも事実だ。

そこで注目したいのは日本維新の会の動きである。令和三年十一月二日、日本維新の会代表の松井一郎氏は大阪市役所内において記者団に対し「来年の参院選までに改正案を固めて国民投票を実施すべきだ」と、憲法改正への前向きな姿勢と与党への協力を表明した。

衆院選と参院選の改憲勢力は日本維新の会（や国民民主党）を加えれば、改正に必要な三分の二を十分に確保できるから、憲法改正の方向性自体はもはや動かし難いものになっているといってよいだろう。ただ、前述した「全面改正」か「一部改正」か、という点で言えば、日本維新の会は皇室の在り方で女系天皇を支持するなど、国家観が自民党とは全く違うため、既存の全面改正案に賛成が得られる期待は低く、また、緊急事態条項を含む全面改正案に対する公明党の消極性も危惧される。

まずは「一部改正」を達成することで成功例としての「前例」をつくることが重要であ

り、憲法改正のプロセスが正常に機能することを示すため、国家観が異なる立場であったとしても、改正の同意が得られやすい「憲法第九条への自衛隊明記」を優先すべきであろう。

「禁酒」をめぐるアメリカの憲法改正

次は、憲法改正に関して諸外国はどのような様相を示しているのだろうかという視点である。日本国憲法はアメリカ憲法を模倣して起草されていることから、アメリカ合衆国の憲法改正について紹介したい。

アメリカ憲法は、今も機能している中では世界最古の成文憲法である。それまで憲法とはイギリス憲法のように、複数の重要な法律と判例を複合的に組み合わせた「体系」を国家的経験則として人民が共有することで構成されていた。しかし、アメリカ合衆国にはその建国時に国家的経験則が存在しなかった。そこで、イギリスやフランスで採用されていた国家機能にかかわる経験則を抽出して成文化することで、「憲法」としたのである。現代の感覚からすると、憲法と言えば成文化されているのが普通だと思う方もいるかもしれないが、憲法という概念の起源であるイギリスが現在も不文憲法であるように、憲法とは「成文化」を条件とするものではない。

むしろ「成文」憲法の起草は、目に見えない数多《あまた》の慣習や経験則を人間が「成文化」するということなので、そこには当然誤謬《ごびゅう》もある。そして、国家を運営していく過程でその誤謬が明らかとなったとき、「誤った経験則で国家運営を規制する」ことをしていては甚大な損害が発生し得る。そこで改めて「憲法改正」が必要になってくるのである。

アメリカ憲法の立法者の精神によれば、国家の運営と成長には、建国当初は人間の能力では全く予想できないことも当然起きうると予想していた。よって、時代の変遷に対応して憲法は変わっていくべきであると「憲法制定」の時点で理解していた。その一方で、簡単に憲法を改正できるようにしては急進的な思想が憲法に盛り込まれる危険性もあるため、憲法改正には慎重であるべきだとも考えていた。

そこで、「改正しなければならない事態」と「急進的な思想の排除」という対立する二つの概念に整合性をつけるため、「修正条項※」という概念を作り出した。「すべての人が憲法改正に同意しなければ改正できない」というシステムでは、一部の凝り固まった人々の思想によって国民全体の要望を圧殺してしまう恐れがあったためである。

これは、人間の経験則と同じ方式だ。人は、経験したことをコンピューターのように消去することはできない。しかし、似たような経験を新しく得て記憶を追加することが出来る。アメリカ憲法は人間の認知機能と同じように、もともとあった条文を削除するのではなく「追加」していく方式を採用している。

アメリカ合衆国は建国以来、現在までに十八回の憲法改正を経験している（第二次世界大戦後は六回改正）。その中では一九一九年憲法改正の「禁酒改正」（アメリカ合衆国内での酒類の製造販売、輸入の禁止）と、この禁酒改正を廃止する改正（一九三三）が唯一の例外（条文そのものを削除した例）として、改正は言論の自由や銃器保有の自由など、国家が国民の権利を規制してはならない項目を個別具体的に「追加」して定めている。

一見すると日本人にはなじみのない「禁酒」というワン・イシューであっても、アメリカでは憲法改正を発議している。ここから、憲法改正の「特性」を見出せる。

日本国憲法はアメリカ憲法の政体を模倣して起草されているという特性に鑑み、改正もアメリカ式にしていくべきではないだろうか。

※修正条項：元からあった憲法条文を削除するのではなく、新しく「修正」した条文を追加する方式。

ワン・イシュー「修正」の大きな意義

日本国憲法は、確かに「日米同盟」という安全保障条約があることで第二次世界大戦後の一定期間に限り機能した。この期間は、中華人民共和国や北朝鮮の脅威も今ほど存在しなかったため、防衛予算を経済発展に投入することが出来、日本は豊かな国になった。

しかし、対外危機が高まる中、「平和憲法」の理想的な観念だけが先行して現実の問題に対応する能力を失い、竹島や尖閣諸島という領土侵犯、拉致問題という基本的人権の侵害まで起こることとなった。つまり、現行憲法制定時には可能性の低かった「国家の危機」という点に誤謬が発生している状況だ。にもかかわらず、その現状に対して憲法を変えるハードルがあまりにも高いと言わざるを得ない。まさにアメリカ憲法起草者が懸念した「一部の凝り固まった思想の人々によって国民全体の要望が圧殺される」状況が現出しているのだ。

経験は付け足すことはあっても変えることは出来ない。筆者は、「平和憲法」という〝理想的〟観念がこの国を毒し続け、国民の基本的人権を侵害し続けた（拉致問題の三十年以上の放置）という歴史的事実を後世に伝えるためにも、アメリカ式の「修正条項」という概念を日本国でも採用すべきであると強く主張する。

具体的には、まずワン・イシューをテーマにした合意を維新・公明・国民民主から取り付け、東日本大震災の人命救助活動によっても国民に厚く信頼されている自衛隊の存在を「修正第九条」に明記することである。そうして、「憲法改正は問題なくできる」という既成事実を国民に示す必要がある。

もちろん、緊急事態条項、一票の格差、領土侵犯や環境問題など、現在の日本を取り巻く解決すべき問題は数多あることは承知している。しかし、これらは保守革新の国家観の違いによって完全な同意を取り付けることは困難と予想される。そこで、まず国家の存立自体を脅かしている憲法条文を修正し、自衛隊の明記と国家存立の防衛をさまたげる如何なる立法も不作為も認めないことを明記することを優先すべきだ。

「陸海空の戦力を保持しない」ことと「自衛隊の存在」は全く矛盾しない。そのことは、この戦後七十六年間で私たち自身がよく理解していることだ。

近年のアメリカ憲法改正（修正）は、投票年齢の十八歳引き下げ（一九七一年修正）や議員報酬の変更（一九九二年修正）など、いずれもワン・イシューである。日本もこれに習い、憲法「修正」をテーマに取り組むべきである。

現在（二〇二二年六月末日）、自民党二百六十二議席、維新四十一議席、国民十一議席で三百十四議席となり、必ずしも公明党（三十二議席）の賛成が絶対条件ではない情勢ではある。（参議院では、二〇二二年六月末日時点では、自民、維新、国民に公明を入れないと三分の二には到達しない）。ともあれ、「改正」という表現そのものにヒステリックな拒絶反応をおこす国民は少なくない。いま必要なのは「憲法修正」ではないだろうか。

自衛隊の邦人救出作戦を阻む「自衛隊法」

国民の命より「戦争放棄」が大切

二〇二一年八月、タリバン勢力に占拠されたアフガニスタンのカブール空港に、自衛隊は邦人輸送任務のため輸送機を派遣した。

しかし、実際に輸送できたのは共同通信社に所属する女性一名のみであった。というのも、カブール空港周辺においてイスラム国による自爆攻撃があり、米兵十三名の死亡を含む数百名が殺傷されて現地に大規模な混乱が生じ、カブール空港まであとわずかな地点まで来ていたＪＩＣＡ（国際協力機構）職員、および在アフガニスタン日本大使館に雇用されていたアフガニスタン人らが空港にたどり着けなかったからである。

今回の輸送任務の根拠法は、自衛隊法第八十四条の四第一項が定める「当該輸送を安全に実施することができると認めるときは、当該邦人の輸送を行うことができる」という条件であった。よって、空港の敷地内においてのみ、自衛隊は邦人輸送を行うことができた。言い換えれば、空港の外に救出部隊が向かうことは禁じられていた。

つまり、自力で空港までたどり着くことができた者のみ救出し、そのほか空港外にいる邦人の基本的人権は事実上保障してはならないという法体制であった。しかし、今回の救出案件をみると、そもそも「安全」ならば、自衛隊を呼ばなくても自分で民間航空会社を使って帰国できる可能性は十分ある。

今回のアフガニスタン動乱で、カブール空港から救出できた人数を諸外国と比較してみると、他の先進国は一万人以上もの人数を救出し、韓国も四百名以上を救出しているのに対して、上記の事情があるとはいえ自衛隊はわずか一名であった。この背景にあるものは、ご存じの通り「憲法第九条」であったと指摘せざるを得ない。

というのも、自衛隊法は平成二十七年に改正され、同法第八十四条の三が新設されて武装した自衛隊が邦人救出任務に就くことが可能にこそなったが、その発動条件が極めて厳格化されているのである。その「救出可能条件」は第一に「戦闘行為がない」、第二に「相手国の同意がある」、第三に「相手国との協力体制がある」ことである。

この条件を客観的にみると、当該地域の主権者が統治能力を有し、かつ日本国との外交関係が良好であるならば、そもそも相手国の治安維持能力によって邦人の基本的人権が保障されるため、自衛隊が派遣されるべき合理的理由がない。

例えてみれば、「消防器具が備わっており、管理人がその消防器具を使用できる情況にあって、かつ管理人の同意がなければ、当該家屋に消防車を派遣してはならない」というようなものである。

なぜ、このような不合理な条件が設定されたのか。これこそ、前述の通り憲法第九条で「武力行使」が全面的に禁止されているからである。

つまり、この議論の元となった今回のアフガニスタン邦人救出問題は、日本国憲法の存在目的である「基本的人権の保障」と「戦争放棄」という二つの法益が対立軸に置かれたケースであるといえる。そして、現在の法体制は「基本的人権の保障」よりも「戦争放棄」を上位の法益であると位置づけ、結果として海外邦人の基本的人権は憲法上保護に値しないという判断が下されているともいえよう。

邦人保護は「交戦」ではない

だが、憲法が定める権利にも例外はある。一例を挙げると、日本国憲法が第三十三条および三十五条で定めている令状主義（裁判官の発した令状がなければ、人を逮捕拘束したり、私物を押収したり、私有地や住居に国家権力は立ち入ることができないこと）には、緊急逮捕・児童保護・精神障害者保護という三つの例外がある。

その例外の根拠は、秩序の安寧という社会的利益と被疑者の個人的利益を比較衡量《こうりょう》した結果、前者が優先されたものだ。また、児童や精神障害者といったように判断能力がない、または未熟な人々の基本的人権を保護するためには、やはり裁判官の判断を必要とせず、身体拘束を含む「保護」が憲法上も肯定できるという判断でもある。

ほかにも、憲法第三十七条第二項では、刑事裁判の被告人は証人審問権を持つことを定めているが、性犯罪の刑事裁判では、被告人本人が証人に審問する権利が否定されている。性犯罪被害者が直接加害者から声をかけられて質問されることで恐怖感情があふれ、証言能力を喪失してしまう恐れがあるためだ。

つまり、いくら憲法で定められているとはいっても、憲法制定当初には想定され得なかった問題が新たに発生した際には、憲法を柔軟に解釈してきたのだ。であれば、上記に見たような「海外邦人の基本的人権」という憲法上最も重要な法益が否定されている現実に対して手を打つこともできるのではないだろうか。

すなわち、ただちに自衛隊法を審議し、「相手国が邦人の基本的人権を保障する意思および能力を有していないとき、自衛隊は邦人保護ができる」と改正すべきと考える。なぜならば、憲法第九条が禁止する「国権の発動たる戦争」すなわち武力行使は「保護」とは異なるからである。仮に、邦人救出任務にあたる自衛隊と何らかの武装勢力が銃撃戦をしても、それは「基本的人権の保護」を目的にした正当防衛であって「交戦」ではない。もし、保護が大義名分にならないというのであれば、現に行われている令状なしの児童保護措置がすべて憲法違反となるため、整合性がつかない。国民の基本的人権の保護こそ、日本国憲法の存在意義である。憲法改正の議論は勿論必要であるが、そもそも憲法の存在目的を忘却することは許されない。

「邦人救出」の目的は過去とは大きく異なる

しかし、ここで「邦人救出」を目的に海外派兵をしてきた過去との対比が問題になるだろう。一九二〇年代、中国大陸には多くの日本企業が進出し、綿花栽培や鉄鉱石、石炭採掘などの産業を興《おこ》し、鉄道旅客運送も行っていた。

これに対して、当時の中国大陸には統一政権による統治が為されておらず、各地に日本の戦国時代の大名のような「軍閥」が割拠し、各々の法体制で地域を占拠していた。そこに蔣介石率いる国民党が「北伐」といって中国全土の統一を試みると、末端の兵士による略奪暴行が多発した。現地の日本人が殺害され、死体を猟奇的にもてあそばれる残酷な殺人事件も起きた。日本領事館が襲撃され、外交官の身分を持つ日本領事の妻子が領事館内で国民党兵士らによって輪姦されるという前代未聞の事件も発生した。

これに対抗するため、日本は山東省に出兵を決めた。このとき起きたのが済南《さいなん》事件（一九二八年）であった。中国の暴行・殺戮から居留民を保護するため軍を派遣したのは日本だけではない。アメリカは駆逐艦「ノア」、イギリスは重巡洋艦「ヴィンディクティヴ」などの戦闘艦艇を南京近海に派遣、砲撃を開始して大量の中国市民を殺傷するなどの報復を行った（一九二七年の南京事件）。こうした一連の流れは、まさに「邦人救出」がその目的であったが、歴史を繰り返すことを禁じた日本国憲法の精神を潜脱するのではないかとの危惧も当然あることだろう。

しかし、過去と現代の「邦人救出」の目的には大きな違いがある。当時は、海外在留邦人の生命と共に「権益」を守る目的があった。権益とは、すでに中国大陸に多額の資本を投じた工場、採掘施設、鉄道路線などのことである。当時の日本は日露戦争によって大量の外貨を賃借した債務国であり、国内製品の海外販売によって国民の雇用を確保していた。したがって、海外に資本投下したインフラや市場を失うことは、国内の雇用を失うことに直結し、「満蒙は日本の生命線」といったフレーズが当時の日本社会で幅広く受け入れられたように、海外権益が国内経済に大きく影響を及ぼしていたのである。

一方で、現代は産業構造がまったく異なる。戦後の国際社会は、各国が国家主権において海外製品に関税をかけること（関税自主権）を禁止し、各国が協議して関税率を定める協定関税制を定めたGATTを設立した。現在、その役割はWTO（世界貿易機関）に引き継がれている。もはや、イギリスのブロック経済やアメリカのホーリー・スムート法のように「日本製品に高額関税をかけて売れないようにする」といったことができない経済体制になっているのだ。

そもそも、邦人の基本的人権の保障が懸念されているのは、アメリカやオーストラリアなどのような我が国の工業製品を大量に消費してくれる国々の話ではなく、何ら資本投下がなされず、経済的利益を得るためではなく、医療や水道インフラなどの「人道支援」を渡航目的にした地域である。つまり、大日本帝国における海外派兵の目的と、日本国の現在における海外派兵の目的は、その構造がまったく異なるのである。前者は権益保護であり、後者は人権保護である。

とすれば、大日本帝国の反省から杓子定規《しゃくしじょうぎ》に「とにかく自衛隊を使って邦人救出をしてはならない」とする姿勢は、思考停止以外の何物でもない。

現在までの自衛隊海外派兵の実績は、災害派遣、海賊対策、国連のお墨付きを得たＰＫＯ派遣、そして個別具体的に措置法が制定されたイラクとアフガニスタンの例である。しかし、これらの保護法益は「外交関係における我が国の国際的地位」を保護法益としたものであり、海外邦人の生命を救済する「基本的人権の保障」とはまったく目的が異なることに留意すべきである。したがって、これからも同じ法体制で自衛隊を運用していくことは、日本を取り巻く国際状況から許されるべきではない。

ただちに自衛隊法第八十四条の三を改正し、武装した自衛隊が海外邦人を保護する条件を「相手国が邦人の基本的人権を保障する意思および能力を有していないと総理大臣が判断したとき、自衛隊は閣議決定で直ちに邦人保護ができる」とするべきである。

自衛隊の救出作戦は「基本的人権の保障」なのだから。

共産党のいう「護憲」とは暴力革命の裏返しである

共産党と共闘する立民の無知

令和三年に行われた第四十九回衆議院総選挙では、憲政史上初の現象が起きた。それは、共産党が他の政党との協調路線を採用し、多くの小選挙区で共産党の立候補者を出さずに共闘したことだ。

この動きに対して、自民党広報紙『The Jimin NEWS』(令和三年十月十五日付・号外)は、「立民・共産の閣外協力は、共産党との連合政権への第一歩」と題する記事を掲載し、「共産党の1951年綱領は、日本の解放と民主的革命を平和の手段によって達成しうると考えるのは間違いであると暴力革命論を掲げています」と強い表現で批判している。

また、立憲民主党の支持母体である日本労働組合総連合会の芳野友子会長は、十月二十一日の記者会見で「立憲と共産の距離感が縮まっていることについて、さまざまな地域から報告が来ており非常に残念だ」との考えを明らかにした。

これほどにも共産党に対して保守・革新問わず批判的な立場があるという事実が、「日本共産党」という政党の本質を表している。

戦前の大正十四年（一九二五）、共産主義の取り締まりを目的にした「治安維持法」が施行された。施行の二年後には最高刑に死刑を含む改正が行われ、警視庁のみに設置されていた共産主義取り締まり専門部局の「特別高等課」を全国の警察署に配置するようになった。

日本では大正十四年から「普通選挙法」が立法され、それまで納税額によって参政権が制限されていた法規制を廃止し、所得に関係なく二十五歳以上の日本国民男子に参政権を認めたため、無産階級の支持を受けた共産主義の政界進出を抑制する必要があった。

なぜ、共産主義を取り締まる必要があったのか。今日の感覚からすると、単に思想信条を理由にした刑事罰には強い違和感を覚える方が多いだろう。実は、戦前の最高裁判所にあたる「大審院」の判例を読み解くと、治安維持法の適用によって処罰された数々の事件は正味「共産主義思想」を処罰しているものはなく、窃盗・強盗・強盗傷人・住居不法侵入などの一般刑法犯とセットで処罰されていたのだ。

共産主義とは、その思想の性質上、どうしても「革命」(最終的には天皇と皇室の排除)という目的を外すことはできず、革命は往々にして殺傷行為を伴う。そして、殺傷をするためには武器を購入する必要があり、その武器購入資金を得るため、窃盗や強盗などをする必要もあった。つまり、革命を目指す共産主義は「犯罪動機の根源」であり、そのため当時の日本政府は共産主義を取り締まりの対象にしたのであった。

現在もなお公安庁の監視対象

このようにして、戦前の共産主義は当局によって厳しい取り締まりを受け、活動できなくなった。しかし、第二次世界大戦が終結し、アメリカ軍の占領によって治安維持法が強制的に廃止されると、再び「暴力革命」の性質を露わにするようになった。

たとえば昭和二十七年(一九五二)、北海道警の白鳥一雄警部が拳銃で射殺された。実行犯は海外逃亡し、射殺命令を出した罪によって日本共産党軍事委員会の村上国治が逮捕され、殺人罪の共同正犯で懲役二十年が確定した。この事件に対して日本共産党は「白鳥氏殺害は官憲の弾圧に抵抗して起きた愛国者の英雄的行為」という公式声明を発表した。

この白鳥事件は全国報道されて有名になったが、その他にも大小さまざまな警察官襲撃事件があった。共産主義を直接的に取り締まりできなくなると、さっそく殺人・傷害事件が発生したのである。そもそも、このときの日本共産党には「所感派」と呼ばれる派閥があり、親中路線と暴力革命・テロ活動を推進する政策を表明していたのだ（現在も日本共産党の「親中」は変わらない。ウイグル弾圧を批判しているといっても、所詮は一片の声明である。安保法制に反対したような大衆デモを中国大使館前でやる気概もない）。

この一連の流れにおいて、第四十九代吉田茂内閣のもと、破壊活動防止法が立法され、直接的取り締まりではなく「監視対象」という制度が創設されるに至った。なお、破壊活動防止法の主務官庁である公安調査庁は現在も、「共産党が破防法に基づく調査対象団体であるとする当庁見解」との立場を公式に発表している。

以上の歴史的背景から、冒頭で紹介した自民党と連合という保守と革新の勢力が、共産党との共闘路線に対しては厳しい態度をとるという点で一致するのである。共産党はしばしば「一般国民のため」と称してさまざまな福祉政策を主張しているが、以上のような歴史的経緯からみれば、その本質と危険性は明らかだろう。

めざすは外国共産軍の日本占領

ここから、日本共産党がめざす「暴力革命」について、次のような分析ができる。

大日本帝国憲法下で招集された最後の議会、第九十回帝国議会において現在の日本国憲法は賛成多数で可決された。占領軍の武力による脅迫と主権喪失下の出来事であったとはいえ、一応の賛成決議が為されたことで知られている。しかし、このなかで一部の議員だけが日本国憲法に反対決議をしている。日本共産党である。

現在の日本共産党は「護憲」を党是としているのに、なぜ憲法制定当初は「反対」をしたのだろうか。安直な見方をすれば、「とにかく反対する」という脊髄反射で反対をしたのではないかという考え方もできるが、筆者はそうは考えない。

戦後の日本共産党には「武装闘争」の路線と「平和路線」の内部対立があった。日本共産党自身の説明によれば、現在は「武装闘争」の方針は廃止していると主張しているが、「暴力革命」の路線は前述の通り廃止していない。一見すると矛盾するようであるが、次のように考えれば矛盾しない。

平和路線、すなわち憲法第九条を守り続け、日米安全保障条約を廃止して在日米軍基地を日本国外に追放すれば、日本の防衛力は裸同然となり、容易に他国の侵略を受けることになる。この他国とは「共産国」だ。現実として、現在の日本を取り巻く国際情況は大変厳しく、ほぼ連日のように共産軍の艦隊が日本領海近くを航行している。つい先日も、共産軍艦隊が武装したまま北海道と青森県を隔てる津軽海峡と、鹿児島県の大隅海峡を航行する示威行動をしている。

「外国の共産軍によって日本が占領されてしまえば、武力闘争を日本国内でしなくても暴力革命が達成できる」という考え方は、非現実的なものではない。このまま日本が憲法第九条を保持したまま日米同盟を廃止すれば、容易に可能である。

そのため、今日では日本共産党は「護憲」に転換し、「日米安保廃止」を党是としているのではないだろうか。「平和」という聞こえのよい表現を多用しているが、その実態は日本人に対する殺人思想と変わりがない。

世界的にみて、共産主義の犠牲者数を前にすれば、ドイツのユダヤ人虐殺がかすむほどである。

スターリン、毛沢東、ポル・ポトらが大虐殺の限りを尽くしたことは、我が国の歴史教育からは隠蔽されることが多いが、教育制度が整備された諸外国では常識である。アメリカ合衆国では一九五四年に「共産主義者取締法」を制定し、共産党を非合法化している。自由と民主主義の国では共産主義は認められていないのだ。度々「海外ではこうだ、日本は見習うべきだ」論の多い大手メディアもこの点はなぜかダンマリである。

立憲民主党は「限定的閣外協力」なる言葉を使っているが、共産党にしてみれば「選挙に勝てばどうにでもなる」と考えていたことであろう。立憲民主党は、もはや共産主義の走狗《そうく》と化しているのだ。

なぜリベラルは平気で嘘をつくのか

自衛隊に責任を押し付けて涼しい顔

阪神淡路大震災（一九九五年）から二〇二二年一月で二十七年目を迎えた。死者六千四百三十四人にものぼる未曾有《みぞう》の災害をいま振り返ると、ひとつの事実が浮かび上がってくる。実は、朝五時四十六分に震災が起きるも、瓦礫《がれき》の下に埋もれている人々を助けるために自衛隊の災害派遣要請が行われたのは、その四時間十四分後の午前十時であった。

法制度上、都道府県知事は自衛隊への災害派遣要請権限を持つ。この派遣要請がなければ、自衛隊は被災地で救助活動をすることが法律で禁止されている。そこで当時、兵庫県知事をつとめていた貝原俊民氏は、二〇一四年の雑誌インタビューにて、大震災当時を振り返ってこのようなコメントを残している。

「自衛隊と交信ができなかった。連絡が取れなかった。いまだから言ってもいいと思うけど、出動要請が遅かったというのは、自衛隊の責任逃れ」

つまり、知事として自衛隊に災害派遣をする意思を地震発生当初から有していたが、自衛隊のせいで意思疎通ができなかったというのだ。しかし、公的記録として兵庫県庁側が、自衛隊に無線連絡を何度も試みたり、徒歩の連絡員を自衛隊に派遣したりするなどの「努力義務」を果たそうとした形跡はない。あくまで「電話線が切れていた」と、まるで無線が発明されていなかった十九世紀前半のような前提で当時を振り返っている。

当時は社会党委員長の村山富市政権下で、村山首相は自民と連立していたとはいえ、内心ホンネは、言わずと知れた「護憲・反自衛隊思想」の持主であり、当然、大震災による多数の死傷者が出たとしても、優先されるべきは人命ではなく「反自衛隊」(自衛隊は憲法違反)の思想であった(当時、自民党と連立政権を組んでいて、表向きは社会党は自衛隊容認の姿勢はとっていたが……)。

ここで問題なのは、事実として迅速な人命救助よりも反自衛隊思想が大切だという政治的信条に基づいて行動をしていたのであれば、その旨はっきり表明すればよいのに、前述のように「連絡できなかったのは自衛隊の責任」だとか、村山富市総理の「なんせ初めてのことじゃったしのぅ」という発言だとか、事実であると証明できない発言を平然と続ける姿勢である。これは、一体何であろうか。

メディアと官僚はサイコパスの集まりか

認知神経科学者の中野信子博士は、著書『サイコパス』（文春新書）にて、次の三つの論点から、サイコパスとは何かを説明している。

第一に、サイコパスとは精神病質であり、精神障害者と健常者の中間に位置する。精神医学で診断が下る精神障害としてのサイコパスを「反社会性パーソナリティー障害」というが、サイコパスの実際の範囲は医学的領域よりも広い。

第二に、サイコパスの研究は刑務所に収監された「負け組」サイコパスのみ研究データがあるが、知能が低くないことから未収監の「勝ち組」サイコパスは研究ができない実情がある。

第三に、サイコパスの共通点は、共感能力の欠如と、嘘をつき続けることに何の自制も働かないことであるという。つまり、「頻繁に嘘をつく」ことに良心の呵責《かしゃく》をまったく感じないのが、サイコパスと呼ばれる脳の構造を持つ人々に共通する行動原理であるという。

この視点から、リベラルの動向や発言を俯瞰して観察すると、なかなかどうして「リベラルは正直者である」と断言することは難しい。

例えば、リベラル派が必死に実現させようとしている選択的夫婦別姓の問題について、次のようなことがあった。

平成二十九年（二〇一七）十二月に内閣府が対面調査をした結果によると、選択的夫婦別姓について四二・五％の人が「賛成」し、二九・三％の人が「反対」かつ「婚前の氏を通称とする必要もない」と答え、二四・四％の人が「反対」かつ「婚前の氏を通称とすることは認めてもよい」と答えた（問10）。つまり、選択的夫婦別姓には四二・五％が賛成であり、五三・七％が反対であるとの結果であった。

しかし、この事実を報道した各社は、日本共産党機関紙『赤旗』から『産経新聞』まで、「夫婦別姓賛成四二％、反対上回る」というフェイクニュースを流したのである。

多くの人は本文の「内閣府の調査票結果」など確認せず、報道機関の見出し配信のみ流し読みするだろうから、嘘をついても露見する確率は低く、また露見したとしても既に多くの者が配信記事を見ているから後の祭りだ。見出しで「だませる」と判断したのだろうが、あまりにも悪質である。

ここに、いわゆるリベラル勢力の振る舞いが「嘘をつくことに良心の呵責がない」サイコパスとの親和性を強く感じるのである。

このように「嘘をつき続ける」傾向は、マスコミだけに限った話ではない。法務省の官僚にもみることが出来る。

例えば、法務省のホームページは「我が国における氏の制度の変遷」なるものを掲載し、明治時代の初期には太政官指令によって全国民が夫婦別氏だったなどと記述している。しかし、その太政官指令の原文を読んでみると、「婦女はすべて夫の身分に従うはずのもの故、婚家後は婿養子同一にみなし夫家の苗字を終身称し候《そうろう》や」という下級庁からの質問に対して、太政官は「夫の家を相続したる上は夫家の氏を称すべきこと」と回答している。

つまり、明治初期の夫婦の氏の在り方は、女性が夫の家に入る「嫁入り婚」と、男性が妻の家の入る「婿入り婚」で区分されており、かつ、「配偶者の死後に相続権（家督相続と遺産相続）があるかないか」という基準があった。このため、太政官指令は「女が夫の家に嫁ぐ場合は夫婦別氏でもいいが、相続権を行使する場合は夫婦別氏を認めない」

と定めたものであった。

にもかかわらず、法務省の官僚は法令文書を改竄《かいざん》して国民に公開し、嘘をつき続けているのである。「国会議員には明治期の文書を解読するスキルなどないから、嘘をついても指摘できないだろう」という算段と思われるが、ここにも良心の呵責が何ら見られない。つまり、「ばれなければ嘘をついて良い」という行動原理に基づいているのである。

他者への思いやりが一切ないサイコパスであれば、当然夫婦関係や家族関係がうまくいく保障はない。必然的に夫婦の別離を制度化する「別氏」を狂信的に支持する側になったとしても全く違和感はないだろう。

「議論」してはいけない

令和元年九月に山梨県内のキャンプ場で行方不明になった（その後死亡が確認された）小倉美咲さん（当時九歳）の母親に対して、「捜索募金詐欺」などの悪質な誹謗《ひぼう》中傷をネット上で繰り返したとして、七十歳の男性被告人が懲役一年六カ月の有罪判決を受ける事件があった。

この男性と被害者には何ら面識はなく、個人的な人間関係上のトラブルから犯行に及んだものではなかった。にもかかわらず、平然と「嘘」をつき続け、面白半分に被害者の人格を否定し続けたのである。この男性にも、良心の呵責はなかった。

平成二十三年（二〇一一）三月に起きた東日本大震災では、いわゆる「放射能デマ」が流れた。福島県内の農作物や海産物は放射能に汚染されており、食べると体内に放射能が蓄積されて身体機能を害するという悪質極まりないデマである。

例えば、山本太郎氏（当時参議院議員）が、福島産の食材が使われている弁当に対して「ベクレてる（放射能汚染されている）んやろなぁ、国会議員に出すお弁当は」と語るなどして問題になった。

このようなデマは、被害者の特定が容易であり、行為の不法性の立証も可能であることから問題がすぐに表面化し、解決に進むことが出来る。しかし、例えば従軍慰安婦問題などにみられる日本人全体に対する誹謗中傷など、攻撃される対象がすでに存在しない組織や存命の個人ではない場合などでは、根本的解決が困難となっている。

しかし、デマに共通する点は、「加害者が嘘をつき続けることに良心の呵責を感じない」ということだ。ありもしない冤罪《えんざい》を作り上げることによって侵害される「人格」があることについて全く無関心なのである。

その一方で、健常人は必死に騒ぎ立てる相手をみると「何か事情があるのではないだろうか」と共感能力を前提とした解釈や推認をしてしまう。そこに加害者は付け込むのである。

前掲の『サイコパス』を著した中野信子博士はこのように論点を締めくくる。

「サイコパスは男性百人中三人、女性百人中一人いることが疫学的に確認されている」

この数字は、リベラル政党の支持率とほぼ合致するのではないか。

良心と共感能力を持つ健常人こそ、彼ら彼女らの特徴を正確に把握する必要がある。彼らに対して何も知識が無ければ「議論」や「説得」という方向性に関心が向いてしまう。そうなれば向こうの思うツボだ。問答無用のデマと中傷の攻撃を浴びる。サイコパスに必要なのは対話ではないのだ。この価値基準をいわゆる「リベラル」と呼ばれる人々に対してあてはめるべきではないだろうか。嘘をつき続けることは政治的思想ではなく、彼らの性質の一様態なのだから。

眞子様の「複雑性PTSD」が反皇室に利用される

海外メディアの関心

令和三年十月、秋篠宮眞子内親王殿下と小室圭さんの結婚と渡米が発表された。日本国内メディアに負けず劣らず、海外メディアもこの御結婚について報道している。

たとえば米ワシントンポスト（九月二十六日付）は「ハリー王子とメーガン妃についてご存じですか？　今回は、日本をお騒がせ中の眞子さまと圭さまをご紹介します」と題する記事を配信し、英デイリーメール（九月二十五日付）は「天皇の姪が反逆者となって結婚発表。百三十万ドルの結婚費用を辞退。日本国の伝統に照らして前例のない脱却に成功」などと、英国王室の騒動に比定する形でゴシップ扱いしている。このように日本の皇室がゴシップとして海外大衆の嘲笑と耳目を集めたのは建国以来、初めてのことではないだろうか。

その論調は「伝統に照らして結婚に反対された二人が自由の国で愛を育む」というものである。米ニューヨークタイムズ（十月一日付）が発信した記事では、「昭和天皇の末娘、島津貴子氏は銀行員の夫に随行してワシントンD・Cで生活された時期を振り返り『日本に住んでいたより幸せでした』と語っている」と六十年近く前の朝日新聞記事を引用して報道した。

これらの状況を俯瞰すると、海外メディアは「ゴシップ」として扱い、結婚して皇籍を離れた眞子様の米国生活を何らかの形でジャパンバッシングに利用できないか探っているように感じる。前者だけであればそれほどの反日効果はないが、後者の場合は、これまでのどの反日キャンペーンより峻烈《しゅんれつ》なものとなることが予想される。なぜならば、眞子様は「天皇の姪」であり、「皇位継承権者の娘」であり、「皇室の内部事情」をよくご承知でいらっしゃるからだ。

あらかじめ読者諸氏に申し上げたいことは、本稿は眞子様が「そうされる」と断定するものではない。ただ、「悪意ある者に利用された場合どうするのか」という警告として読んでいただきたく思う。

まず問題視すべきは、十月一日に精神科医の秋山剛氏が眞子内親王殿下を「複雑性P

TSD」[※]と診断した旨を発表し、かつその発症原因が「言葉の暴力」にあると述べ、暗に今般のご結婚に反対したマスコミや国民世論を批判したことである。

筆者には、これに対して率直に「そうなのか」と納得できない理由がある。なぜなら、この「複雑性PTSD」および「PTSD」はこれまで何度も政治的利用されてきたからだ。その経緯や事例を三点紹介し、今後の対策の一助になればと願う。

※PTSD＝post-traumatic stress disorder（心的外傷後ストレス障害）

医師の診断に対する疑問

第一に、「精神障害」の定義だが、現在、精神障害の定義は二種類ある。最新の世界の精神医療は、我が国を含めて、WHOの策定した「ICD-11」とアメリカ精神医学会が発行する「DSM5」の二種類の診断基準書を併用するか、どちらか片方を使っている。

そこで、この二つの基準書に照らして「複雑性PTSD」を見てみると、アメリカの精神医学の方では「誹謗中傷で複雑性PTSDを発症」するなどということは絶対に認めていないが、一方、WHOでは「逃れることが不可能な状況下での脅迫または恐怖を経験し続けること」と定義しており、恐怖の具体例として「奴隷化、性奴隷化、実父などによる近親相姦」などを挙げている。よって、アメリカの基準では絶対的に認められなくても、ＷＨＯの基準に照らせば、「誹謗中傷」も「逃れることができない脅迫または恐怖」に該当する可能性がある、というのが今回の診断理由であると思われる。

しかし、精神科医の和田秀樹氏は雑誌『ＡＥＲＡ』（令和三年十月一日号）で次のように説明する。

「直前まで公務をされていたことを踏まえると、『適応障害』のほうが近いと思います。複雑性ＰＴＳＤは虐待を受けてきたような人が、仕事にも就けず、性格も安定しないなどの症状が出るほど深刻なものです。皇室にいることで一般人では言われないようなことを多く言われる状況に適応できていないということのほうが、症状として近いのではないでしょうか。複雑性ＰＴＳＤは虐待レベルのひどいときに起こるものです。**悪口を言われた程度でそう診断されるのには疑問です。診断した医師の〝勇み足〟のようにも見えます。**（誹謗中傷がなくなることで）症状が良くなるのであれば、やはり適応障害というのがより適切な診断と思います。複雑性ＰＴＳＤは本当に気の毒なほど虐待を受けてきた人が多い。簡単に治るものではないです」（一部要約　太字は筆者）

たとえば、医師は貫通銃創を診断できるが、どの種類の銃から発射された弾丸による受傷なのかを診断することはできない。にもかかわらず、今回「発症を起こした事情」を医師が特定して発表し、他の精神科医からも疑義が述べられているということだ。

「複雑性PTSD」という重い病《やまい》

二つ目は、「複雑性PTSD」が持つその重篤性だ。そのことを知るため、一つの裁判例を紹介したい。

原告女性（提訴時二十三歳）は、小学校六年生から、十九歳で婚約して原家族から解放されるまでのおよそ七年間、産婦人科の医師である祖父によって自宅の浴室などで継続的に強姦されたことによってPTSDを発症したとして損害賠償を請求した。これに対して、東京地裁は請求を認容して約六千万円の損害賠償請求（内容は今後二十年間の労働能力喪失に対する損害など）を認めた事案がある（東京地裁平成十七年十月十四日判決。判例時報千九百二十九号六十二頁）。

この事案の女性が発症したPTSDとは、眞子内親王殿下が診断された複雑性PTSDよりも「軽い症状」だと医学的に定義される（ただし、複雑性PTSDが診断基準としてWHOが認めたのは二〇一八年）。

もともと、ＰＴＳＤとは一九八〇年にアメリカ精神医学会が認めたことから世界的に知られるようになった。それは、ベトナム戦争に従軍した兵士が、帰国後、精神障害を発症するケースが多く見られたため、脳の画像診断を含めた医学研究が進んだからである。ベトナム戦争は、それまでの戦争とは異なり「ゲリラ戦」が戦闘の主体であった。敵が軍服を着ていないため戦闘員と非戦闘員の区別がつかず、民間人だと思っていたら背後から撃たれるなど、米兵のあいだに「絶え間ない恐怖」が生じていたのが発症の原因とされる。

ＰＴＳＤと複雑性ＰＴＳＤの違いは、骨折と全身骨折に似ている。小指の骨を折っても大腿骨を負っても「骨折」であるが、全身を反復的に骨折すると回復が不可能に近くなり、またリハビリ期間も大幅に伸びる。

つまり、「死の認識（致死的恐怖）」が一過性であればＰＴＳＤとなり、死の恐怖が連続し、かつ「逃れられない状況」であれば、複雑性ＰＴＳＤとなる。

具体的には、ひとつの戦闘行為や事故であれば「一過性」であるが、捕虜となって収容所に送られ、そこで反復的に拷問や強姦を受けた場合であれば、恐怖の頻度が多くなるという話である。

戦争に限らず、「家庭内」でもこの病気は起こる。成人女性であれば家庭内で暴力を受けても逃亡することができるが、幼児であれば物理的に逃亡が不可能である。また、成人であっても地下室に手鎖をつけられて監禁されれば逃亡できない。そうした状況下で起きるのが「複雑性ＰＴＳＤ」であると一般に理解されている。

ここでいう「死の恐怖」も、客観的であって主観的なものではない。たとえば、ゴキブリが台所に出た時に多くの女性は悲鳴を上げると思うが、それは「死の恐怖」ではない。ゴキブリ一匹の存在は人間に対して致死的な経験をさせることが物理的に不可能だからだ。したがって、もしこれで「致死的認識」をしたのならば、それは別の病の範疇《はんちゅう》である。

もちろん、「皇族」という立場を踏まえれば、一九五二年に起きたいわゆる皇居前メーデー事件のように「天皇と皇族の全員処刑」を主張する群衆が怒声をあげ続けていた光景を目にすれば「致死的恐怖」を覚えられても当然であると思われるが、少なくとも眞子内親王殿下に対する誹謗中傷を俯瞰しても、そこに「死の恐怖」が含まれていたとは思えない。

スタンフォード大学医学部精神科のメリレーヌ・クロアトル氏（米退役軍人省ＰＴＳ

D治療センター）は、複雑性PTSDを次のように説明している。

「継続した自己像の否定、自分はまったくの無価値であるという認識の永続化、人間関係そのものの忌避などの特徴がある。ただし、これらの症状は境界性パーソナリティー障害の患者も示す。しかし、境界性パーソナリティー障害はこの自己否定の認識が永続化せず、浮き沈みがある。つまり、ある時は元気で、ある時は具合が悪い。よって、この二つは似た症状を出すが鑑別できる」

以上の点から、複雑性PTSDとは世論が考えているよりも極めて重篤な疾病であり、多くの場合において患者は意思能力を喪失しているということだ。

つまり、複雑性PTSDなのであれば、眞子様が現在示されている「一時金の辞退の意思」や「婚姻の意思」が、真正のご本人のご意思なのか、そもそもキチンとご判断できたのかについて疑義を挟む余地が大いに生じる。そもそも、客観的に見て、そのような状態の女性を親元から離れさせて外国に送り出してよいのだろうか、といった疑問を持つのが常識というものであろう。

眞子様が催眠療法や薬物治療を受けたら

第三に説明したいことは、「複雑性ＰＴＳＤ」を理由に、思わぬ診断や鑑定がなされる危険性がある、という点だ。それについて、現在米国で行われている複雑性ＰＴＳＤの治療法から説明したい。

複雑性ＰＴＳＤの概念を創設したのは精神科医でありフェミニストのジュディス・ハーマン氏である。彼女は一九九二年に『心的外傷と回復』という論文において、複雑性ＰＴＳＤとＰＴＳＤは同列視できないことを、次のように論じた。

「心的外傷（トラウマ）とは、受傷したときの様子を健忘してしまう。つまり、監禁された状態で近親相姦の被害を女性が受けても、加害者の犯罪行為が『軽微』であれば被害者がその記憶に基づいて刑事告訴することができるが、重度であればあるほど被害者は記憶を失ってしまうため、犯罪を法廷で証言する能力も喪失する。こうした視点が従来のＰＴＳＤ治療には欠けているのである」

この理屈に基づきハーマン氏らはＰＴＳＤの治療法として「催眠療法」を開発した。女性を催眠状態にすることで「隠された記憶」を掘り起こすというものである。その結果、何が起きたか。多くの女性が「近親相姦被害」を主張し、自分を育ててくれた実父や叔父や祖父を全米各地で続々と提訴し始めたのである。

もちろん、被害が実際にあった事案もあったが、「まったく身に覚えのない近親相姦」でかつて娘だった女性から提訴される男性たちがあふれる結果となった。このような結果に対して「記憶は新しく捏造できる」という批判をエリザベス・ロフタス博士（カルフォルニア大学アーバイン）が展開し、「虚偽記憶」が司法の場で数多く証拠とされたことを批判しているが、今でも「性被害者たちの証言」の捏造は止めることはできないでいる。

つまり何を心配しているかというと、一般人となられ、米国に暮らす眞子様が、「複雑性ＰＴＳＤ」の治療を受けた場合、上記のような「催眠療法」や、その治療に伴って精神に強く影響する薬物の投与等を受ける可能性があるのではないか、ということだ。

その場合、もし治療にあたる精神医学の専門家が反日の意思をもっていれば、皇室を貶《おとし》めるような思わぬ鑑定書が作成されないとも限らないであろう。皇族だからといって薬物や催眠に対する耐性があるとは言えないのである。

いくら何でも心配しすぎだ、と考える方もいらっしゃるかもしれないが、「複雑性ＰＴＳＤ」が社会的にそのように運用・利用されてきた事実自体は否定できない。筆者は国を思う気持ちに杞憂という楽観は許されないと考えるので、あえてこのような事案を引き合いに出させていただいた。

したがって、日本政府はこの「複雑性ＰＴＳＤ」という疑義の余地ある診断が、「アメリカ」という日本政府の施政権の及ばない地域でどのように今後運用されるのか、あらかじめ備えなければならないことを本稿は強く主張する。

また、強い違和感を覚えさせる「複雑性ＰＴＳＤ」認定自体に、隠された意図や反皇室プロパガンダの「準備」の危険性はないのだろうか。特に、皇族の「職業選択の自由」や「参政権の自由」を絶対的に否定してきた人々が、「結婚の自由」だけは認めろと叫ぶ様子には強い違和感を覚える。その狙いは何なのか。

この国を愛する人々こそが、お二人とその周辺の動静に注視しなければならない理由はそこにある。

皇室を「ジェンダー指数」という反日宣伝に利用する者

佳子内親王のビデオメッセージ

令和三年十月十日、秋篠宮佳子内親王殿下は国際ガールズスカウト百周年記念式典にビデオメッセージを寄せられた。その中で、「世界経済フォーラム」が発表した「ジェンダーギャップ指数」で、日本が百二十位という下位にランクインしたことに言及され、「とても残念なこと」であるとのお言葉を述べられた。

この「ジェンダーギャップ指数」は、出資者情報が秘匿されている「秘密組織」であり、中国共産党の習近平主席が本部を訪問したことでも知られる世界経済フォーラムが、独自の解釈で男女格差を定義したものである。佳子様だけではなく、例えば自由民主党女性局の局長、吉川ゆうみ参議院議員も同党のパブリックコメントで言及し、「世界経済フォーラムが掲げるジェンダーギャップの順位をあげていきたい」旨を発表している。

しかし、この指数の算定には多くの疑義がある。一般的な女性の感覚からみて、「本当に女性の福祉を考えているのか」という疑問を持たざるを得ない女性虐待の惨状を呈している国々が、「日本より女性を尊重している」ことになっているからだ。ジェンダー問題について多くの発信をしているネットアイドルの《ゆづか姫》こと新藤加菜氏も、「ジェンダー指数のランキングの算出方法に疑問をもっていただければ幸いです」と佳子様にご諫言《かんげん》している。(『東京スポーツ』令和三年十月十二日付記事)

では、肝心の「ジェンダーギャップ指数」で日本より上位の国は、本当に日本以上に女性を尊重しているのだろうか。文化の違いはあるのかもしれないが、我々日本人の感覚では到底そうは思えない上位国の「女性虐待の実態」について、以下に紹介したく思う。

まず、ジェンダーギャップ指数第五位のスウェーデンは、女性十万人あたりの強姦被害者が六十七名という世界最大の性犯罪大国である。これは、移民社会であるため、移民がスウェーデン人女性を強姦しても、その性犯罪を取り締まることは「人種差別」にあたるというよくわからない社会通念が要因と考えられる。移民に対する人種差別の禁止が、事実上スウェーデン人女性の基本的人権を制限しているのである。なお、日本では十万人あたりの強姦被害件数は一人未満である。

また、日本より上位の百一位にランクインしたインドネシアのアチェ州では、イスラム法のシャリーア※が施行されており、婚前交渉をした女性、あるいは未婚にもかかわらず宿泊施設に泊まるなど性行為の外観を作出した女性は、宗教警察によって広場など公衆の面前で鞭打ちの刑に処せられ、皮膚が破れ筋肉と血管が露出するまで暴力を受ける身体刑が現在も法定されている。

このような女性虐待は百八位のキルギスにもみられる。同国では「アラ・カチュー」と呼ばれる伝統的な「拉致結婚」が未だ行われており、女性が嫌がっても複数の男性が女性を拉致監禁して強姦し、結婚の既成事実をつくるということをしている。これは二〇一八年に国連人権委員会が是正勧告を出したことで世界に知られるようになった。

次に、五十二位のエスワティニでは、十八歳未満の女子児童を数万人集めて上半身裸にして踊らせ、その中から国王の妾を選出するという儀式を毎年行っている。これは、同国の伝統祭事であるため、私たちの価値観で評価すべき事柄ではないとは思うが、それでも今日の人権感覚から言えば許容し難いものに感じる。なお、同国の性犯罪被害は著しく、正確な統計が為されていないものの、強姦被害によるＨＩＶ蔓延を防止するため、国王が「性行為禁止令」を出したことでも知られている。

かように日本より「ジェンダーギャップ指数」上位の国々が、明らかに女性に対する虐待を行っているケースは多い。何より、ウイグル人女性への強制堕胎手術や強制労働などの悪行でいま世界的に非難されている中華人民共和国が日本より上位の百七位という時点で、信用に値しない統計であることは明白であると思われる。

ほか、女性器強制切除（女子割礼）を行う風習のある国や、ルワンダのように内戦で就労年齢の男性の多くが虐殺されているため女性が社会進出せざるを得ない国などがある中、そうした事情は一切度外視されて、ジェンダー指数が産出されている。

※「人間として踏み行なうべき道」を意味する。

「ジェンダーギャップ指数」は「女性虐待国ランキング」である

一方で、社会学者らによる国際的統計、「世界価値観調査」におけるジェンダー指数はどうであろうか。この統計は、国連加盟国の国民に対して、自らの性であることに幸福を覚えるか、といった「心理的質問」を設定していることで知られる。

この質問に対して、日本人女性は統計が開始された一九八一年以来、今日まで毎回連続で「男性より幸福である」と回答している。そして、日本人女性の幸福度は二〇一七年の最新調査では堂々の世界第二位であり、前回の調査でも世界第一位という不動の地位を築いている。

ところが、男女格差が皆無であるとされるジェンダーギャップ指数第一位のアイスランドは、この「世界価値観調査」における「女性の幸福度」では世界最下位から二番目に位置している。アイスランドの経済状態は決して悪くないが、それでも女性の幸福度は、飢餓と貧困と伝染病に苦しむプエルトリコ（最下位）の女性よりは「幸せ」だという驚愕の事実があるのだ。だとすれば、女性自身の主観において「幸福か否か」を調査していないジェンダーギャップ指数は、むしろ「女性虐待ランキング」と呼ぶのが相応しいのではないだろうか。

日本では女性の平均寿命が男性より六年以上長く、出生前検診で女児とわかっただけで中絶され、また生まれた瞬間に女児というだけで殺処分されることもない。当たり前ではないかとおっしゃるかもしれない。しかし、日本人の一般的感覚では信じられないかもしれないが、世界では「女性」と「家畜」の区別がついていない地域が、まだまだ沢山あるのだ。

雄のひよこを殺処分するように、人間の女児が生まれても「労働力にならない」と判断する地域と比べてすら「日本は女性の地位が低い」と評価するジェンダーギャップ指数。そんな指数に対して筆者は筆舌に尽くし難い気持ちがあり、そこには何らかの「反日思想」が含まれているのではないかと思わざるを得ない。

ジェンダーギャップ指数がどのように算出されているかというと、女性国会議員の割合や、女性専門職、女性管理職の割合など「社会的地位」をカウントしているのみなのである。そこには、肝心の女性が主観的にどう思っているかという調査項目は欠如しており、例えば「世界価値観調査」が調査項目に入れている「安全な出産が出来ると思うか」という質問もない。つまり、女性が病院や産院で出産できず、不衛生な道ばたでの出産を強制されていても、「女性の社会進出」さえなされていれば何ら問題はない、というのがジェンダーギャップ指数の採る立場である。

宮内庁は「君側の奸」の集まりか

何よりも問題なのは、世界経済フォーラムという、組織運営の主体も出資者も不明な「よくわからない団体」の統計は毎年大きく日本国内で報道されるが、身元が明らかな社会学者たちによる「世界価値観調査」は全くと言ってよいほど報道されないことだ。

このため、我が国の皇族や、女性の福祉向上をめざす女性国会議員まで、すっかりプロパガンダに利用されてしまっている現実がある。

自分で調査しなければならない義務のある議員が騙されるのは論外としても、皇族をお守りするはずの宮内庁が前記のような事実も知らず、今回の佳子様のご発言につながったとすれば、「君側《くんそく》の奸《かん》」と言えるのではないだろうか。

今回、佳子さまが「皇族」の立場で、極めて政治色の強いジェンダーギャップ指数を肯定的に言及された事件は、ひとつの可能性を危惧させる。それは、古代から日本社会に影響を及ぼし続けた「皇族の政治利用」である。時の権力者が自らの政治思想に「皇族」という装いをつけて公表し、それに疑義や反対意見を述べた者を攻撃するやり方である。

戦前は特にその傾向が顕著で、有名なものとしては、海軍の「艦隊派」がロンドン海軍軍縮条約の締結に際して「統帥権干犯《とうすいけんかんぱん》」として反対した事例がある。そのような「皇室の政治利用」は、万機公論で決するとして始まった明治維新の方向性を硬直させ、正常な議論を封殺してきた歴史がある。

現代にあっても、皇族の政治利用を目論む者が、自身の政治思想を皇族に代弁させせ、反論者の意見を封殺することは十分に考えられる。今回、「ジェンダーギャップ指数」という反日色の強い政治思想を佳子さまのお言葉に含ませたことも、そのような勢力の暗躍の結果と考えることは、決して過剰な心配ではあるまい。

日本人の皇族に対する尊崇の念は非常に強く、現行法に「不敬罪」はないとしても、皇族のご発言に対して異を唱えることは許されない空気があることもまた事実である。しかし、今回の「ジェンダー問題」は未だに多くの意見がある分野だ。そのような議論に対して「ご諫言」が制限されるようなことがあってはならない。

「皇族の政治利用」は、今回の「ジェンダーギャップ指数」を肯定する「お言葉」によって、杞憂ではなく現実の問題となったと言える。眞子内親王のご結婚の件、今回の佳子内親王のご発言といい、日本人の一般感覚に馴染まない事象が続くのはなぜなのか。政治家だけでなく私たちもその背景を見極め、今後の対策につなげることが急務であろう。

第4章

人権と救国の思想

――バークの保守主義に学べ

「中国」の国名を外した〝非難決議〟は国家百年の恥

日本の「ウイグル人虐殺支持派」たち

令和四年二月一日、衆議院で、ある「非難決議」が可決された。名称は「新疆ウイグル等における深刻な人権状況に対する決議」という。だが、この非難決議には対象がない。原案にはあった「中国」という加害者の具体的な国名が削除されたからだ。

このことは、「ウイグル人の基本的人権を尊重することは許されない」と考えているレイシスト的な人々が政権内にいて、その勢力によって「中国」という加害者の具体的な国名が削除されたことを示している。

また、「人権侵害」という言葉をウイグル人に対して使うことも許されないという強い差別思想によって、「侵害」という文言も削除された。この非難決議は、あくまで「弾圧を受けていると訴える人々」がいるという趣旨であり、弾圧が事実であるとは明言していない。

これは極めて深刻な状況である。何しろ、日本国の総意として、特定の民族の基本的人権の尊重に制限を加えてしまったのと同じだからだ。はたして、国際社会と我が国の同盟国は今後、この「人権意識がないアジアの未開社会」をどう評価するだろうか。

対中非難決議は、これまで二度廃案にされた。一回目は令和三年四月に米バイデン政権に呼応して作成されたもの、二回目は令和三年末に米国で「ウイグル人強制労働禁止法」が施行されたことに呼応して作成されたものだ。いずれも、「ウイグル人虐殺は確認していない」（外務省が自民党外交部に説明した文言）ということで、いわゆる「親中派（本稿では虐殺支持派と呼ぶ）」の強固な反対にあった。

親中派（虐殺支持派）は、実は日本にも米国にもいる。しかし、米国ではトランプ政権下で「ウイグル人権擁護法」が可決され、バイデン政権下では「ウイグル人強制労働禁止法」が可決されるなど、政治的信条の異なる党派を超えて対中外交問題をクリアしている。これは、日本政府とは違って「基本的人権」という価値観が共有されていたからということだけではない。重要な法案や決議案を審議する前に、その基礎となる「証拠」を提示しているからだ。

漫画家の清水ともみ氏の著作で紹介されているウイグル人女性のミフリグル・トゥルソン氏（一九八九年生まれ）は、中国共産党の強制収容所に入れられて、その間に生まれたばかりの息子を死亡させられた過酷な経験を、米国議会の執行委員会（上院下院から各九名の議員が委員を務める）で証言している。

なぜ、政府機関における被害証言が重要なのか。それは結局のところ、民主主義である以上、有権者がその証言の真実性をどのように担保するかの判断基準になるからだ。では、具体的にそれは何を意味しているのか。

若く美しい被害者の涙を見せよ

ウイグル人被害者として米国議会で証言したミフリグル・トゥルソン氏は、まだ三十代前半の若さで、容姿も美しい。そのことと、証言内容は無関係のようでいて、そうではない。一般大衆が視覚的な美醜で物事を判断するのは、アリストテレスが『弁論術』で指摘していることでもあり、現代でも、〝Voters prefer attractive politicians〟というヘルシンキ大学の有名な調査結果では、有権者の多くは政治家の政策や信条ではなく、容姿の善し悪しで投票者を決定するとある。

つまり、美人被害者が嗚咽《おえつ》しながら涙ながらに証言する様子が公的に記録され、有権者でもある一般大衆がその様子を幅広く認識した「下準備」があると、もはや政治家は有権者に逆らうことはできない。「美しいとはいえない老婆」の証言であっても、捏造《ねつぞう》された従軍慰安婦問題の悪意を打破するのに三十年近くの莫大な労力を要したことを考えれば、この政治的効果の大きさが想像できるだろう。大衆は誰しも「泣いている老婆の味方をすること」を名誉であり、美しい行為だと感じるからである。そこに証言事実を検証するという論理的思考はない。

つまり、米政府が「対中非難決議」に成功した土壌には「美人被害者の証言に共感した一般有権者」があったと分析できる。今回、日本ではその前提を欠いていたため、「一部の親中派」の人種差別政策が罷《まか》り通ってしまったのである。では、どうすればいいのだろうか。

日本国憲法第六十二条には両院の国政調査権が定められている。これを受けて衆議院規則第五十三条では証人喚問（偽証には刑事罰があり、その結果、強い証明力が期待できる）が、そして同規則第八十五条の二で参考人招致（任意証言）が可能である。一般的には「疑惑の人物を呼ぶ」という印象があるが、この制度の目的はそうではない。政策決定に必要な情報を国会が得るための制度である。よって、過去にはジャーナリストが取材で得た情報を国会で証言するなどしている。

この証言者への出頭要請は各委員会が権限を持ち、委員会は各党の議席獲得率に応じて委員が配分されるから自民党議員が各委員会で圧倒的多数である。昨今は「委員全員一致」で出頭要請をしているが、過去には委員の多数決で証言者の出頭要請をしている。つまり、呼ぼうと思えばミフリグル・トゥルソン氏を呼べないことはないのである。

非難決議の前に、まずトゥルソン氏の大きな瞳から流れる涙を国会の場で有権者に見せる必要があった。これは、今後の日本版マグニツキー法（人権侵害者制裁法）の制定の際にも必要不可欠である。ただ単に「マグニツキー法」といっても、多くの有権者はまったく理解してくれない。「泣いていたあの若く美しい女性を守るための法律なのだ」というアプローチが政治的に必要なのである。

公明党の「親中」という腐敗

次に、対中非難決議を妨害した悪意について、今後どのように対処していくべきかを論じたい。

内閣府が昭和五十三年（一九七八）から毎年実施している「外交に関する世論調査」では、主要各国に対して一般国民がどのような感情を抱いているか統計が取られている。

それによると、中国に対して「親近感を持つ」と回答した日本人は、昭和五十三年の統計開始時では六二・八％いたが、その後年々低下して平成二十八年（二〇一六）にはわずか二・三％。令和三年（二〇二一）に実施された最新の調査結果でも三・四％に過ぎない。逆に、六十代の日本人男性は五二・一が「親しみを全く感じない」、言い換えれば「二人に一人以上が中国に反感」を持っていることになる。

ちなみに「アメリカに対して親近感を持つか」という調査では、最も数値が高い年で四五％、おおむね四〇％前後で推移しており、日本人は概してアメリカに対して好感を持っている。これと比べてみても、中国に対する「親中派の少なさ」が客観的にみても明らかではないか。

つまり、中国への配慮からウイグル人の人権を尊重しないという強固な悪意を持つ人々は、有権者の中では極めて少数派である。だから、政治家は少数意見である「親中」によって議席が左右されることは本質的にないはずだ。

にもかかわらず、少数意見が通されてしまった政治的敗北には、強い警戒感を持たなければならない。このことは、選挙以外の要素で出処の進退を意識している議員がいることを示唆しているからだ。中共に「弱み」を握られている、もしくは「利益供与がある」等、選挙ではない条件で政策を決定している議員の存在に対する警戒が必要ということだ。

令和四年一月二十八日、公明党の支持母体である創価学会は、同年七月に行われる参院選での候補者支援について、政治姿勢や実績など「人物本位」で評価し、「党派を問わず見極める」とした基本方針を発表した。これは、事実上「反中は認めない」という方針であると解釈できるだろう。実際に、令和四年の参院選では岡山県の小野田紀美氏に対して選挙協力しないことを表明した。

しかし、もはや対中非難は国内に限った話ではない。「日本国」という国家が、世界に対して基本的人権の擁護という価値観を共有できるか否か、いわば人類社会の一員なのか、外様《とざま》かという次元の問題なのである。

一宗教団体の票田利用はこれまでは重要な関心事であったことは確かであるが、今後の世界でも同じ選択を続ければ、未来に対して深刻な問題を残すことは間違いない。もはや、時代が違うのである。

私は今まで、公明党が何度も外国人参政権法案を提出するなどしている様子を「行き過ぎた人権意識」ゆえのことと錯誤していた。過保護ともいえる深い慈しみの念が強すぎる人々であるからこそ、マイノリティーの権利拡大政策に勤《いそ》しんでいる「向こう見ずな善人」であると思い違いをしていた。しかし、今回の「ウイグル人の人権保護は必要ない」という明確な人種差別思想を目の当たりにして、これまでの政策も善意ではなく、憎悪に基づく悪意であったことが明確な事実になったのではないか。

この期に及んでもなお、人種差別主義者集団、公明党の支援で座った椅子が心地よいのかと、いますべての自民党議員へ真摯に問いたい。

「非難対象」のないポエムのような「非難決議」を国会が採決した日の朝、我が国を代表する保守政治家である石原慎太郎先生が逝去された。享年八十九歳だった。

私は、次の石原慎太郎先生の言葉を「遺言」だと感じている。

「新しい政治家の諸君というのは敗戦後の占領軍による屈辱的な戦後史というものの詳細をみんな知らないと思いますし、その象徴の憲法というものを私たちこれから参議院でも議題にしようと思いますけれども、自民党の友党の公明党の党首は、これはいまだにこれを国民的なイシューとは思わないという発言をされているようですが、昨日の新聞にも非常にこの問題についてはリラクタントな発言をされていましたが、私は、この問題を乗り越えない限りはこの国は本当に再生しないと思いますよ。自民党も再生しないと思いますすよ。私、あえて忠告しますけど、必ず公明党はあなた方の足手まといになりますな。いや、本当のことを言っているんだ。君ら反省しろよ」（平成二十五年四月十七日第百八十三回国会国家基本政策委員会合同審査会第一号より）

繰り返すが「親中という腐敗」は、国内問題ではない。将来にわたって日本人の名誉と尊厳を決定づける重要な要素である。日本は「基本的人権の擁護」という価値観を共有できる「文明国」であるべきだ。それを否定する悪意をもはや許してはならない。「国家百年の恥」となる。いまこそ、これまでとはまったく違う決断をするための勇気が必要な時だ。

自称フェミニストの抗議活動に中国共産党の影

美少女のイラストは性差別にあたるか

東日本大震災の後、東北復興を目的にした地域創生プロジェクトとして「温泉むすめ」という企画が考案された。これは、温泉をモチーフにした美少女キャラクターとその声を担当する声優たちが、温泉地を盛り上げるべく、歌と踊りで人々に「笑顔と癒し」を与える〝アイドル活動〟を行うプロジェクトだ。

企画は成功し、やがて全国の温泉観光地にもこの美少女キャラクターが「観光大使」として起用され、観光産業のＰＲ戦略の基幹となった。政府もこの動きに注目し、企画・運営を手がけるエンバウンド社を内閣府が表彰し、「温泉むすめ」に観光庁の後援が付き、読売新聞やキヤノンなどの大手企業もスポンサーとなる盛り上がりを見せた。

ところが、令和三年（二〇二一）十一月、突如として自称フェミニストらが、このプロジェクトに対して「美少女キャラクターのイラストは性犯罪と地続きだ」という抗議活動を展開し始めた。この「温泉むすめ」プロジェクトが開始されたのは二〇一六年のことである。五年も経ってからの突然の抗議に、関係者は困惑した。

フェミニストらの主張は、美少女の絵は性的搾取にあたり、女性の基本的人権を侵害するというものだが、これには違和感を覚えざるを得ない。というのも、ジェンダー平等やフェミニズムとは「実在の女性の権利」を保護する概念であって、非実在・架空の描画は法律上「権利の主体」とはなり得ないため、フェミニズムやジェンダー平等の対象に含まれないことは自明の理だからだ。「ジェンダー平等を守れ」と言いつつ、日照権侵害を訴えたら、誰だって強い違和感を覚えるだろう。それと同じことである。

実は、こうした「フェミニズムを自称した活動家が抗議する」のは「温泉むすめ」だけではない。さかのぼれば、多種多様な抗議活動があった。例えば、カネボウ、セゾンカード、サンヨー食品、JR東日本、日本赤十字社、アツギ（繊維メーカー）、千葉県警などが標的になっている。

ただし、これらの抗議活動には、それぞれ違いがある。

フェミニズムの立場から、広告表現が「ジェンダー平等に反する」と見なされるには、いくつかの要件がある。それは、性による役割の固定化、過度の性的表現、女性の容姿の美醜を固定概念化するものである。順番にみていこう。

第一の「性による役割の固定化」では、サンヨー食品の「サッポロ一番」の広告で、母親がインスタントラーメンをつくる描写があり、これが抗議対象となった。インスタントラーメンの作り手は男女どちらの場合もあり得るのだから、あえて母親に限定すべき理由は無いというものであった。

第二の「過度の性的表現」では、一九九一年に、当時のトップアイドル、十八歳の宮沢りえ氏のヌード写真集『サンタフェ』の広告が槍玉に挙がった。朝日・読売など一般紙の朝刊に掲載された同書の広告写真に、上半身の半裸と「乳首」が写っていたのだが、こうした不特定多数が閲覧する新聞広告における性的表現は制限されるべきであるというのだ。

第三の「女性の容姿の美醜」は、カネボウ化粧品の広告フレーズ「生きるために化粧をする」という表現が、容姿の美醜を過度に強調するものとして抗議の対象になった。

賛否両論はあるにしろ、これらの抗議活動は実在する女性の権利を保護しようとする目的があり、伝統的価値観とは真っ向に対立するものの、ジェンダー論の筋としては一応通っている。

しかし、問題となるのは前述した「描画に対する抗議」である。そこで、次に描画を広告表現として採用した日本赤十字社、千葉県警、ＪＲ東日本、アツギの例を挙げてみたく思う。

赤十字社は献血募集広告で、非実在の女性描画を起用したところ、フェミニストらは「献血反対運動」まで始めた。また、千葉県警が交通安全ＰＲに非実在描画を起用したことに対して全国フェミニスト議連が「性犯罪誘発の懸念」と抗議した。次に、ＪＲ東日本の案内画面に女性描画が採用されたことや、アツギについても同趣旨の抗議が行われた。これらの事例には、実は大きな闇が潜んでいるように思えるのだ。

フランス国防省が指摘する「沖縄の危機」

「温泉むすめ」プロジェクトが、開始から五年もたって突然、抗議の標的とされたのは、日本国内の温泉ＰＲ活動に限定されていた「温泉むすめ」が、新たに「中華民国（台湾）新竹県」の政庁から、公式に観光大使に任命されたことが引き金となった。

実は、「台湾を国とは認めない」という国家からすれば、これを重大な政治的事件であるとみなす理由がある。このような立場からみると、先の例にあげた「描画」に対する抗議活動の対象は、献血・治安維持・運輸・繊維である。すなわち、防衛政策上、極めて重要な分野に限定されていることがわかる。

戦時下においては負傷者の増加から血液が不足することが考えられる。そこで、仮想敵国に対して事前に「献血を止めよう」というプロパガンダをしておけば、国民精神に影響を与え、敵国の治療能力の低下が期待できる。また、警察などの治安組織に対するイメージダウンは、治安維持能力に影響しないとはいえない。旅客運送や繊維も、戦時に於いては兵員・物資輸送や軍服・被服などに重要な役割を果たす。

「考えすぎではないか」という意見も当然あるだろう。しかし、直接的な戦争の前に、現代戦では相手国に対して政治的な浸透作戦を実行することは既に周知の事実だ。

令和三年十月、フランス国防省傘下のフランス軍事学校戦略研究所は、『中国の影響力作戦』と題する特別調査報告書を一般公開した。その内容は、仏領ニューカレドニアと日本国沖縄県において中華人民共和国人民解放軍が既に「軍服を着ていない将兵」を派兵し、現地の反政府活動をあらゆる面で支援しているという驚愕すべきものであった。具体的には、沖縄在日米軍に対するテロ活動や、憲法第九条の護憲運動に対する支援作戦である。

これらの活動は、いまに始まったものではない。十数年前から少しずつ盛り上がりをみせている。つまり、浸透作戦が可視化されるのに十数年の歳月を要したということであり、作戦が開始された直後はそれこそ軍事機密として公には明らかにされなかったと言えよう。

こうした観点から、「描画」という本来的にフェミニズムの対象とはなり得ないものに対して執拗に抗議をし、かつ五年間も問題視されなかった「温泉むすめ」がいまになって突如として抗議対象とされた背景がうっすらと見えてくる。それは「台湾の観光大使に任命された」という政治的事実である。当の日本人にしてみれば、「ただの観光大使」と思うかもしれないが、中国共産党の政治方針にしてみれば重大な「国土侵犯の政治工作」と受け取られても不思議はない。そこで、中華人民共和国の軍事作戦として「抗議宣伝活動」が始まったと考えれば、合理的な説明がつく。

現代における戦争とは、必ずしも銃や大砲を使うとは限らない。情報とプロパガンダの応酬から既に始まっているのだ。形而下の侵略のみに気を取られて、形而上の侵略を放置する不作為は許されない。敵国の兵士は軍服を着ておらず、場合によっては国籍すらないのである。私たちは毅然とした姿勢で侵略に対して立ち向かわなければならないであろう。

刑法は「有害な存在を隔離して社会秩序を守る」ためにある

「哲学的ゾンビ」の妄想

神戸地方裁判所は、祖父母と近所の女性計三名を殺害し、他二名に対する殺人未遂などの罪に問われた三十歳の男性被告人に対し、無罪判決を下した（令和三年十一月四日）。理由は、精神障害（統合失調症）による刑法第三十九条第一項（心神喪失）であった。

これまで、統合失調症の症状を原因にした大量殺人事件の場合、「心神喪失」で免罪されるケースよりも、心神耗弱《こうじゃく》によって無期懲役に減罪されることが多かった。そのため、検察は無期懲役を求刑したものと思われるが、このケースは他と少し違った。

他の統合失調症の症状による殺人事件では、あくまで被害者を「人間」と認識した上で、その「人間」を殺害しなければならないという妄想によるものとされた。しかし、今回は被告人に被害者を「哲学的ゾンビ」と認識する妄想症状があり、殺害時に被害者を人間であると認識していなかったという弁護側主張が採用され、完全な無罪となったのである。つまり、「統合失調症の中でもより症状が重い」と考えられたわけである。

それではそもそも「精神障害者の免罪・減罪規定（刑法第三十九条※）」はどのような目的で設けられたのか。そしてこの条項は現代の状況や私たちの一般感覚に沿ったものなのだろうか。

精神障害者の免罪規定は、一九〇七年に施行された現行刑法が採用している。刑法には第三十五条から第三十九条まで「違法性阻却《そきゃく》事由」といって、罪にならないケースを定めている。この中の第三十九条に精神障害者の免罪規定がある。これは、大日本帝国がドイツの刑法を輸入した際、そのまま準用された規定である。

一般的に、世界の刑法には四つの目的がある。応報、抑止、隔離、矯正《きょうせい》である。ドイツ刑法は応報と抑止を目的にしており、イギリス刑法は隔離と矯正を目的にしている。日本も、戦前から戦後まで、一貫してその運用は応報と抑止を主目的にしているが、最近では矯正を主眼に置いている。全国の刑務所を統括する部局の名称が「法務省矯正局」となったのも、このためである。

※刑法第三十九条　1心神喪失者の行為は、罰しない。2心神耗弱者の行為は、その刑を減軽

する。

諸外国における「精神障害者」犯罪への対応

ドイツ刑法は、犯罪の原因を「犯罪の故意」に求め、これを処罰するという目的がある。よって、犯罪者に対して正義の執行をせしめ、被害者に代わって国家権力が報復するという考え方が「応報」である。また、社会に潜在する犯罪予備群に対して、刑罰が確実に執行されることを示して威嚇《いかく》し、犯罪を抑止する目的を併せ持つ。

精神障害免罪論はドイツ観念論の考え方だ。精神障害者は「犯罪の故意」がないと考えるため、応報の対象にはならず、また損得勘定もできないため抑止効果もない。だから、「心神喪失」で罪に問えないという理屈である。

加えて、この刑法が立法された当時は現代のような福祉対応がないため、精神障害者の寿命は短かった。予防接種も清潔な生活環境も公的医療も抗生物質も存在せず、精神障害者には自力で十分な栄養を確保する能力がないため、裁判を行い経費のかかる刑罰を執行する以前に、細菌やウイルスによる自然淘汰を免れることが難しかったのだ。こうした社会事情を考慮すれば、精神障害者免罪規定には合理性があった。だが、現代では全く事情が異なる。

一方、イギリス刑法は、犯罪の故意ではなく「犯罪の結果」を重視する。何故ならば、健常者に殺されても精神障害者に殺されても、被害者と遺族の苦痛は変わらないからだ。刑法の目的も、社会に有害な存在を社会から隔離して「社会」を防衛することにある。よって、その有害性が消滅するまで隔離するか矯正を試みるということになる。このため、精神障害者が重大犯罪をした場合、ドイツや日本と同じような免罪規定はない。

イギリスで精神障害者が凶悪犯罪をした場合に注目されるのは、「公判能力があるかないか」ということである。よって、公判に参加して弁論する能力の有無が審査される。この審査の結果、被告人に公判能力がないと判断された場合、訴訟能力が回復するまで特別な精神病院で強制的に治療を受けさせられる。この治療は制度上更新制となっているが、目的は「公判能力を回復させる」ことであるから、回復するまで治療に専念する義務がある。また、裁判を受ける能力はあるものの精神障害が顕著な場合も、同じく特別な精神病院での治療に専念することになる。この治療目的は「裁判を受ける能力または刑罰の執行を受ける能力を回復させること」であり「社会復帰」ではない。

アメリカは各州によって違いがあるが、刑事被告人が精神障害者であると陪審員が判断した場合、イギリスと同じく「訴訟能力を回復させるため」に特別な精神病院で治療を受けることになる。有罪が確定した後に精神病によって刑罰の執行が困難になった場合も、刑罰の執行を認識できるようになるための治療を受ける。英米法では「隔離」という刑法の目的が強く意識されているのである。

万引きだって病気のせい

日本では、「心神喪失等の状態で重大な他害行為を行った者の医療及び観察等に関する法律」（平成十五年法律第百十号）により、重罪を犯した精神障害者が検察官の不起訴処分を受けた場合であっても、強制的に治療を受けなければならない。しかし、その目的は「隔離」ではなく「社会復帰の促進」（同法第一条）であり、英米とは立法目的が全く異なっている。

ここで疑問が生じる。現在の医学水準では、統合失調症を根治する治療法は確立されていない。にもかかわらず、統合失調症を原因として重大犯罪をした者に対して「社会復帰を促進する」という法律を適用しているのが日本である。これは無責任ではないだろうか。

確かに、精神障害者の基本的人権と社会で生活する人々の基本的人権を比較衡量《こうりょう》すべきだとは思うが、なぜ、治療法が確立されていない病気が原因で罪を犯した人間の社会復帰を促せるのだろうか。「矯正」という刑法の目的を十分に達成することができないのであれば、英米型のように治療はあくまで「裁判や刑罰を理解できるまで」とすべきではないだろうか。

ところで、統合失調症による殺人事件のように社会から大きく注目される事件以外に、全刑法犯の約四〇%を占める「窃盗罪」にも、最近は刑法第三十九条が頻繁に適用されているのが実情だ。それは「クレプトマニア」という「泥棒をする精神障害」が新しく定義されたためである。

量販店での万引きに深くかかわるというこの病気が医学的に定義されると、窃盗犯の弁護士はこぞって「精神障害だから免罪・減罪とすべし」と主張するようになった。裁判所も、執行猶予期間中に再び窃盗を犯した被告人に再度の執行猶予を付けるなどして対応したが、それでは窃盗常習犯を再び世に解き放つだけであり、商品を盗まれる側はたまったものではない。

ただし、最近になってようやく、「原因に於いて自由な行為」という論理で処罰されるようになった。盗んでしまうのは病気だから仕方ないが、家から出て商店に入ったのは自分の意志であり、商店に入店したら窃盗を犯すと自分でわかっているなら家から出なければいい。よって、万引きは家から出たという自由意思の結果である、という理屈である。

刑法とは、「社会に有害な存在を隔離する」という考えが重要だ。その者が永遠に有害ならば永遠に隔離し、有害性が消滅したときに隔離も終了するという刑事政策が必要である。今の日本に足りないのは『社会秩序を守る』という精神ではないのか。

時代と一般感覚に合わせて、刑法第三十九条は、「刑罰の執行を受ける能力を回復するまで、または被告人が公判能力を回復するまで治療する」と改正すべきであろう。

法整備なき移民解禁は「国家の自殺」である

英国が失敗した政策を導入する岸田政権

岸田内閣の古川禎久法務大臣が、初登庁時の記者会見で驚くべき思想を表明した（令和三年十月五日）。「日本は日本人だけで生きるものではありません」「日本人と外国人ということに境界線を引くということは（中略）解消されていくべきもの、緩和されていくべきもの」というのである。

これに呼応するかのように、松野博一官房長官は同年十一月十八日の記者会見で、家族帯同や永住もできる入国資格「特定技能二号」の対象となる業種を拡大すべく、「現在、出入国在留管理庁が関係省庁とともに検討を進めている」と公表した。現在の運用では、知的労働を含まない「特定技能一号」は、最大でも在留期間は五年であり、家族同伴は認められていない。さらに、建設や造船など高度な専門技術を要する職域に限られていた「特定技能二号」を、特段の専門技術を必要としない労働にも適用拡大していくという。

日本において諸外国に見られるような苛烈な「外国人差別」がなかったのは、移民資格が知的労働者に限定されていたことが背景にある。具体的には、外交官の家族、弁護士や医師、日本国内で営業している外資系会社の役員など、専門的な知識・技能を有する教育水準の高い人々の移民のみを認めた。これらの人々は地位と財産を投げうってまで残虐な犯罪をする理由がないからだ。〈参考：ナザレンコ・アンドリー『日本を滅ぼす「移民政策」の推進』（ウイルオンライン）〉。

それが、「慢性的な人手不足」を表向きの理由にした移民政策が行われようとしているのである。安倍政権が改正した入管法は、あくまで在留期間五年を限度に家族同伴を認めないため「移民政策ではない」との理由があったが、岸田政権はすでにイギリスが失政だったと認めて二〇一六年に廃止した「移民政策」を、それから五年後になって、導入しようとしているのだ。

では、移民政策の何が問題なのか。それは、移民労働によって得られる経済的利益と、価値観の異なる人々が流入することによって起こる犯罪や、紛争で失われる経済的利益をいっさい比較衡量《こうりょう》していないことにある。

仮に、特定の企業が移民一人あたり年間数百万円の利益をあげたとしても、ひとたび犯罪が起きれば逸失《いっしつ》利益（その犯罪がなかったならば失われなかった利益。たとえば殺人被害者の生涯年収など）や遺族への慰謝料、捜査費用や裁判費用、収監費用、移民居住による不動産価格の低下幅などを差し引き計算している形跡が一切ないのである。目先の利益にとらわれて、国家百年の計がないのだ。

日本人と「価値観を共有できない」人々

移民政策によって「犯罪や紛争が起きる」と考えることに、異論を持つ方もいるであろう。そこで、「価値観を共有できない人々」が、現在まで私たちの社会に悪影響を与えた例として、次の三つの裁判を紹介したいと思う。

【1】東京地裁は平成二十九年七月二十七日、三十代の日本人女性に対する準強姦罪で起訴されたトルコ人男性に対して、無罪判決を下した。同被告は、東京都北区JR赤羽駅近くの多目的トイレ内において、日本人女性を姦淫し、被害女性の生殖器付近にトルコ人被告の体液（DNA型一致）が付着していたとして起訴されていた。しかし、石井俊和裁判官は「（体液付着は）犯罪の裏付けにはならない」として無罪判決を下した。

【２】名古屋地裁は平成二十九年九月五日、電車内にいた二十三歳の日本人女性に対する強制わいせつの罪で起訴されたブラジル人男性に対して、無罪判決を下した。同被告は、電車内の座席にたまたま座っていた被害女性の頭部を摑んで性的行為を強要し、性器を触らせるなどしたとして起訴されていたが、田辺三保子裁判官は「被告は外国人であり、拒絶の態度を理解できず、女性がただはにかんでいると受け止めた」として無罪判決を下した。

【３】静岡地裁浜松支部は平成三十一年三月十九日、自宅付近のコンビニを利用中だった十六歳の日本人女性に対する強制性交等致傷の罪で起訴されたメキシコ人男性に対して、無罪判決を下した。同被告は、被害女性を人のいない場所に連行して身体を触り、被害女性の口腔内に自己の性器を押し込み、口唇外傷を負わせるなどして起訴されていたが、山田直之裁判官は「（外国人の）被告からみて明らかにそれとわかる形での抵抗はなかった」として、無罪判決を下した。

こうした性犯罪において、日本人男性が加害者の場合、「被害者女性に同意があると錯誤した」と主張したとしても、被告人の弁識能力に精神障害や知的障害など病理的問題（またはその可能性）があった場合を除いて「誤信には理由がない」と裁判所は一蹴している（東京高裁・昭和三十四年十月三十日判決など）。

結局のところ、「日本人の場合は明確に同意の外観を示さない限り性行為を強制したら犯罪が成立するが、外国人は価値観を共有できないため、強く明確に拒絶の外観を示さない限り電車内や公衆トイレや野外などで性行為を強制しても合法である」という基準があると思料される。まさに、「価値観が共有できない」のである。

ここに移民政策の大きな誤りがある。移民を受け入れたとしても、移民が契約通りに労働して社会規範を守るという根拠がそもそも存在しないのだ。上記の性被害が無罪になった理由からわかるように、私たち日本人が常識と思っている社会通念を共有できていない。

つまり、性行為という原始的な領域においても価値観が共有できないのであるから、「働いてお金を得る」とか「貸したものは返す」とか「自分の所有物でないものを自分のものにしない」といったさらに高次な経済的領域において価値観を共有できる保証はなく、またその価値観の存在確認ないし教育予算を政府は一切捻出していないのである。

警察官の銃器使用の権限拡大を

しかしながら、アメリカのように移民によって成立した国があるのも確かだ。では、そうした国と我が国とは何が違うのだろうか。

実は、アメリカ建国時の移民たちは、人種や国籍が違っていたとしても「プロテスタンティズム」という宗教的価値観を共有する人々によって構成されていた。プロテスタンティズムには、契約の遵守、隣人愛、勤勉など経済発展に極めて有利な宗教倫理が含まれており、さまざまな地域からの移民であったとしても、結局は統一された価値観を持つ人々の集まりであった。言い換えれば、カトリック圏など価値観の異なる人々に対しては、苛烈な魔女狩りを行って火刑に処していた（一六九二年のセイラム魔女裁判など、アメリカは最も長く魔女裁判によって価値観の異なる人々を女性や子どもでも殺害していた）。

また、言うまでもなく日本や中国からの移民は厳しく制限され、時には日本にルーツがあるというだけで全財産を没収して強制収容所に送っている。また、黒人は当時権利主体ではないから、そもそも移民ではなかった。

このように極めて限定された条件下においてアメリカの移民は成功したのであり、日本のように、旧共産圏など「労働」の意味も正しく理解しているか定かではない国々の無資産の移民を受け入れていない。

もし日本に移民したい人々が、二宮尊徳の報徳仕法などの労働倫理を学習し続け、かつ神社神道を崇敬しているのならば歓迎されるべきであるが、そうではない。実際は、「お金は騙したり奪ったりして得るもの」という価値観を持ち「神社は燃やせ」という宗教観を持っている可能性も否定できない。こうした問題を何ら解決していない現時点では、移民政策はまったく受け入れることはできない。

少なくとも、当該移民が不法行為を犯した際の連帯債務を無限責任で負う「保証人」の存在や、また警察官職務執行法の改正による警察官の権限拡大と、諸外国のようにMP5などの短機関銃を標準装備にするなどの武装強化・銃器使用基準の見直しが必要である。過激と思われる方もいるかもしれないが、それが移民を受け入れる際の国際社会の標準である。普段から「グローバルスタンダードに従え」と唱えるのであれば、捕縛が目的であり裁きは奉行所が行う江戸時代からの警察基準のままでは法制度上、治安を守ることはできない旨もしっかりと明らかにすべきであろう。

現に埼玉県熊谷市では、平成二十七年九月、警察署内で職務質問中に警察官の制止を腕力で振り切って逃亡したペルー人男性が、逃亡中に日本人女子小学生二名とその母親を強姦して殺害している。警察官の武器使用基準が法整備されている欧米では、警察官の制止を暴力で振り切って逃亡した時点で発砲されるため、逃亡中に母親と女児二名（他四名の殺害）が強姦殺害されるなどありえない話だ。何ら移民対応の法整備が為されていない現状での移民政策は国家の自殺でしかない。

一方で、望ましい移民とは何であろうか。たとえば、サッカー選手のラモス・瑠偉《るい》氏や研究者のドナルド・キーン氏のように、日本人の血が一滴もない身体に生まれるも、日本を愛するがゆえに日本に移民して日本人となった人々を一体誰が批判するであろうか。日本を深く愛するために日本に住み、やがて日本人になりたいと願う世界の人々を拒絶する理由はない。しかし、現状の移民はそれとはかけ離れている。だからこそ、安易な移民受け入れは亡国の端緒であり、許されるはずがない。私は移民政策に強く反対する。

「門戸開放」の損得計算ができない政権は滅びる

岸田総理の誤った歴史観

岸田政権が推進しようとしている移民解禁問題が世論を騒がせている。令和三年十月十九日に刊行された岸田総理の著作『岸田ビジョン　分断から協調へ』（講談社＋α新書）には、次の一説がある。

「日本は奈良、平安の昔から多くの渡来人を受け入れ、その技術や文化を受容することによって発展してきました」

　確かに、日本書記には高句麗から渡来した僧の曇徴《どんちょう》が塗料や墨などの文具を日本に伝えたとの記録があり、また百済からきた段楊爾《だんように》や漢高安茂《あやのこうあんも》が儒教を日本に伝えたことも記載されている。しかし、これらの渡来人は高等技術を持った社会的エリートに限定されており、日本史のどの時代をみても労働者を大量に受け入れた歴史はない。例えば第五十代桓武《かんむ》天皇の生母高野新笠《たかののにいがさ》は渡来人であると記録されているが、高野新笠の祖先にあたる王族が日本に渡来してから約二百年後の話である。

このように歴史を振り返ると、岸田総理の「渡来人を受け入れて技術や文化を受容した」ことと、技術や文化を持たない人々を大量に受け入れることには、全く以て関係がなく、岸田総理の歴史観に疑いを容《い》れざるを得ない。為政者には正しい歴史観が必要である。

無思慮な通貨の「開放」で経済破綻

むしろ、我が国の近世・近代において、時の政権担当者が無意味な「門戸開放」を行うことで、その権力を失ったことすらある。つまり、効果のない「門戸開放」がマイナスに働き、政権が崩壊したということだ。

その例として、江戸幕府のメキシコ銀貨解禁政策と、昭和初期の民政党政権による金解禁政策をみてみよう。

時は幕末、ペリー来航の後、大老・井伊直弼は天皇の許可を得ない違勅条約を欧米列強と締結した。安政五カ国条約である。このうちアメリカと結んだ日米修好通商条約により幕府は本格的にアメリカと取引をするようになった。このとき、幕府は「外国通貨と日本国通貨の交換比率」を現状のまま解禁するという愚挙を犯した。

当時、江戸では金貨を使い、大坂は銀貨を使っていた。そこで、江戸と大坂で商取引をする際は金貨と銀貨を交換していたが、交換比率は変動相場制であり、今日でいうFXと同じ原理の為替相場があった。現代でも株やFXのテクニカル指標として全世界で使われている「ローソク足」は、江戸時代の相場師、本間宗久が開発したものだ（諸説あり）。

さて、日米修好通商条約が締結された年の金銀交換率は、相場でおよそ金一対銀五であった。しかし、安価なメキシコ銀が流入したことで銀価格が低下していたアメリカ国内での金銀交換率は金一対銀十五であった。江戸幕府はなんと恐るべきことに、この比率で市場を開放したのである。

当然、アメリカ人は銀貨を十五枚日本に持ってきて金貨三枚と交換する。それをアメリカに持ち帰ると銀貨四十五枚になる。この銀貨四十五枚を再び日本に持ち込むと金貨九枚になる。つまり、アメリカ人は日米を往復するだけで莫大な金貨を〝タダ〟同然で手に入れられたのだ。

こうして、日米修好通商条約が締結された二年後には、日本国内に流通する金貨（小判）がほぼゼロになり、通貨危機が発生した。これに対して、幕府は従来の小判から金含有率を大幅に低下させ、かつサイズ自体を縮小した「万延小判」を鋳造したが、このような粗悪な貨幣の信用性は低く、経済破綻を引き起こした。

一昔前、「徳川埋蔵金を探す」というテレビ番組シリーズがあったが、そんなものは絶対に存在しない。なぜならば、幕府が「開けてはいけない扉を能天気にも開けた」ため、日本国内の金はほぼすべて海外に流出したからである。

こうして経済危機を迎えた幕府は、その財政基盤を失うと共に統治能力を失い、明治維新を迎える。明治政府は貨幣経済を立て直す必要性があったが、明治初期の日本国内には金貨がほとんどなくなっていたため、通貨を取り扱う機関ＢＡＮＫを「銀行」と訳したのである。

この後、日本は「金貨と交換できるチケット制度」である兌換《だかん》券制度（金本位制）の導入を目指すが、金貨がなかった。金本位制が成立したのは一八九五年に日清戦争に勝利して、下関条約で大量の金塊を賠償金として得た後である。こうして一八九七年に貨幣法を制定して「一円金貨には金〇・七五グラムを含む」と法定し、ようやく金本位制が始まったのである。
これが「門戸開放の失敗」の第一回目である。

産業界におもねった「開放」で政権崩壊

次の失敗は、昭和五年（一九三〇）に民政党政権が行った「金解禁」だ。昭和初期、世界各国は貿易の際に金貨での直接取引を禁止していた。この当時、一円金貨には〇・七五グラムの金が含まれており、一ドル金貨には一・五グラムの金が含まれていたため、単純計算して「一ドル二円」の固定相場制であった。ところが、第一次世界大戦がはじまるとドイツ帝国のUボート艦隊による無差別攻撃が始まり、決済用金貨を積載した輸送船が撃沈されるようになった。これに対応するため、世界各国は自国の金貨を国外に持ち出す貿易を禁止した。その代わりに「持参すれば自国の金貨と交換できるチケット」を発行した。外国為替である。外国為替であれば、輸送船が撃沈されても、紙であるから、国庫に負担はない。

こうして、外国為替市場が発達し、市場価格で一ドル二・三円程度の円安相場となっていた。これに対して、民政党政権の大蔵大臣井上準之助は、「日本製品の低価格化で国際市場の競争に勝ちたい」とする産業界の要請を受け、突如として「金貨での直接取引許可」を出したのである。

つまり、金貨を使って貿易の決済をすれば、為替相場より〇・三円安いため、誰もがこぞって金貨で取引をした。結果、再び日本国内の金貨は海外に流出し、大規模なデフレが起きたのである。企業家はデフレによって日本製品が安くなり、国際市場で販売しやすくなって大喜びしたが、デフレ圧力で賃金が低下したため賃金労働者である国民の生活は苦しくなり、猛反発を受けた。

そこで民政党から政権交代した政友会政権は今日と同じ「管理通貨制度」（銀行券制度）を創設して対応したが、国民生活の苦しさは増す一方であった。大正十四年（一九二五）に普通選挙が立法されてからわずか七年で政党政治は崩壊、昭和七年（一九三二）年に海軍大将・斎藤実《まこと》内閣が誕生した。企業家は「製品の低価格化」で国際市場に打って出ようとしたが、石原莞爾《かんじ》ら関東軍将校が満洲事変を起こして「日本製品が販売独占できる市場」そのものを創出したため、デフレの必要がなくなったからである。しかも、デフレによって日本製品を低価格化しても、英米は日本製品排斥法を成立させて高額関税をかけたので全く意味がなかった。

「政党に政治を任せているから経済危機が生じて生活が苦しくなった。しかし、軍人さんは日本製品輸出先の満洲を獲得して日本人の雇用を創出した。軍人さんに経済を任せておけば安心だ」という世論が喚起され、戦前における我が国の政党政治は終了したのである。

小学校の算数ができないエリート

さて、この二つの失政に共通するものは何か。それは、単純に「掛け算・割り算が出来なかった」ことである。まさか、江戸幕府の血統的エリートや、大蔵大臣とそれを支える大蔵官僚が「掛け算・割り算が出来なかった」とは、にわかに信じ難い話であろう。しかし、まぎれもなくこれは日本史上の事実なのだ。

現に、江戸幕府がメキシコ銀を受け入れるときも、江戸商人らが強く反対したのに幕府は聞き入れず、また民政党政権が金解禁をするときも、石橋湛山ら経済人の批判に全く耳を傾けなかった。冗談のような本当の話であるが、「掛け算・割り算が出来ない為政者」というものは我が国に確かに存在した。

そこで今回の移民解禁政策を見てみよう。そもそも移民が特定の労働をしてくれるという前提からして怪しいものだ。現行のように「在留期限五年」という縛りがあるならまだしも、永住権を与えてしまっては憲法上の職業選択の自由があるため、労働力を必要とする業種で移民労働者を働かせる強制力がない。すると、移民は都市部に移動してより賃金の高い業種を求めるから、結局は日本人の雇用を脅かすことになる。

また、医療費や社会保障費、そして最悪、生活保護受給となった場合、移民労働がもたらす経済的利益以上の支出を政府は引き受けざるを得ない。つまり、移民労働によって発生する利益と、移民によって発生する経費の「引き算」をして、果たして本当に利益が残るのかといった計算さえ一切なされた様子がないのである。

政府は、移民労働による利益と、移民によって発生する経費（医療・福祉・生活保護・日本語教育・犯罪被害・捜査費用・裁判費用・収監費用・移民居住地区の不動産価格の変動）の計算表をまず公《おおやけ》にしてから議論すべきである。政策に自信があるのであれば、掛け算・割り算が出来なかった過去の政権担当者とは違い、「足し算・引き算」がまず出来ることを国民に示すべきであろう。

強姦犯まで受け入れなければならない「難民法」

ＧＨＱが定めた日本の出入国管理及び難民認定法

令和三年十二月六日、東京地検は、二十代の日本人女性に対する強制性交等の罪で逮捕されながら、「女性から過去二回、街中で会釈をされたから公園内の公衆トイレで性行為をする合意を得ていた」と無罪を主張し、被疑事実を否認していたパキスタン人男性（性犯罪など複数の前科があるものの入管が釈放）の不起訴処分を決定。不起訴の理由は秘密事項とされた。

この事件は、複数の深刻な問題を内包している。第一に、なぜ性犯罪者の外国人が釈放（仮放免）され、再度女性に性的暴行を加えることが出来たのかという点、第二に昨今頻発する「外国人性犯罪に対する無罪判決」と関連し、「女性から会釈をされたら性行為の許可であると認識した」等、日本人の社会通念とは全く異なる認識を外国人が持っている点である。

今回、性犯罪前科のあるパキスタン人男性が再度、日本人女性を強姦することが出来たのは、出入国管理及び難民認定法（昭和二十六年政令第三百十九号）によって法務大臣が在留許可を出し、そして有罪判決によって国外退去処分が決定したにもかかわらず、法務大臣が釈放許可をだしたことにある。

そもそも、性犯罪前科者の外国人をなぜ釈放したのか。一つの可能性としては、世論への配慮が考えられる。近年大きく報道された訪日スリランカ人女性の体調不良による入館施設収容中の病死事案について本邦のリベラル勢力が騒ぎ立てており、この世論の圧力に屈して犯罪者を解き放ったということだ。しかし、実は問題の本質はそのことではない。

出入国管理及び難民認定法には「強姦」や「強制わいせつ」をした外国人であっても、難民申請をされたならば法務大臣は在留許可（仮滞在許可）を出さなければならない。「性犯罪」であっても問題視しないことが定められているのだ（同令第六十一条の二の四第一項第七号）。「仮滞在」とはいえ、外国人の在留資格にこうした「強姦しても問題にしない」というような規定を持つ国は、地球上で我が国だけである。なぜ、このような「強姦認容」とも言える定めがあるのだろうか。

そもそも、出入国管理及び難民認定法の起源は、第二次世界大戦後、連合国総司令が日本政府に下した「命令」なのである。つまり、我が国の主権喪失下において制定されたものである。連合国は、日本を占領すると、日本国民に対して直接命令をするのではなく、帝国憲法第八条第一項の規定による「緊急勅令」（天皇の命令）として、自らの命令を発令した。いわゆる、ポツダム勅令である（ポツダム宣言ノ受諾ニ伴ヒ発スル命令ニ関スル件。昭和二十年勅令第五百四十二号）。

しかし、日本国憲法が施行されると「勅令」の効力が主権在民の憲法の精神と矛盾するため廃止されることとなったが、法的効力を継続させたい「命令」については、個別的に法律を立法し、「法律と同じ効力を持つ」と定めた（ポツダム宣言の受諾に伴い発する命令に関する件に基く外務省関係諸命令の措置に関する法律。昭和二十七年法律第百二十六号）。

つまり、選挙で選出された議員によって可決するという民主的プロセスを経ることなく、外国人の在留資格という統治の基幹に関わる事項をかつてGHQが定め、それが現在まで踏襲されているのだ。

成立過程の問題とともに、「強姦認容主義」が生まれた理由もまた問題だ。難民の受け入れに関する規定は、昭和五十七年に我が国が「難民の地位に関する条約」に加盟したため、この条約に対応して改正されたが、その立法過程の議論に、恐るべき答弁があったので、次に引用したい。

《難民の方などでも、中には犯罪に走るとかあるいは社会の秩序を乱すというような、いわゆる在留外国人として好ましくないような行動をするような方があった場合、その方に対して直ちに一年を三年に延ばすとかあるいは永住許可にするとかいうことを一時差し控えるというようなことはあるかもしれませんけれども、一般的にこれこれこういうものは将来永住の可能性はないといって区別するということは考えておりません。》（第九十一回国会衆議院法務委員会第十四号、昭和五十五年四月九日。小杉照夫外交官政府答弁）

少々わかりにくい答弁だが、つまるところ「難民を受け入れるという国際的メンツ」の前には、日本国内の治安混乱は度外視して然るべきと言っているに等しく、非人道的とも言える思想が垣間見える。こうして、前述の通り「日本人女性を何人強姦しても難民申請には一切差し支えない」というルールが制定されたものであると思料される。

こうしたザル法ともいえる我が国の入管体制に対して、当の外国人側もこれを見透かした態度を明らかにしている。例えば、最近難民申請がなされた事案を次に紹介したい。《申請者は、本国において、地元の貸金業者から借金をしたが、返済できていないため、同貸金業者から脅迫を受けたことから、帰国した場合、同貸金業者から迫害を受けるおそれがあるとして難民認定申請を行ったものである。》（入管発表より）

当然この申請は却下されているが、このようなふざけた申請内容であっても、またこの申請者である外国人が仮に日本人女性を何度も強姦していたとしても、法務大臣は「仮滞在許可」を出さなければならないと決められているのである。

近い将来、政府は入管法改正を行い、難民申請は三回までしかできないようにすることが検討されているが、申請回数が問題ではない。まず、強姦をした性犯罪者に対して一切の滞在許可を与えてはならず、また入管施設から裁量釈放をしてはならないことを明文化する必要がある。私たち日本人が侮蔑されていることになぜ気づかないのか。

「多文化共生」が安全に与える脅威

次に、冒頭で紹介したパキスタン人が無罪の理由として「女性から過去二回も会釈されたため公園内のトイレで姦淫する合意を得たと認識した」と主張していた点である。

これは、このパキスタン人が特異な認知をしているのではなく、他の外国人性犯罪事件の被告人が数多く同種同様の主張をし、かつ裁判所が「外国人だから女性が合意していると錯誤したことに無理はない」として、犯意を否定しているのである。

これを進化心理学という学問の立場からみると、次のことが言える。通常、類人猿の社会では集団内の下位グループに属する雄が、上位グループと配偶関係(交尾相手)となっている雌と目を合わせるだけで、最悪の場合、上位グループの雄に殺害される危険性があることが知られている。したがって下位グループの雄は雌といっさい目を合わせないし、雌も仮に一瞬目があったとしても、トラブル防止のためすぐに目をそらす。

これは人間社会でも観察できる現象だ。例えばいわゆるスクールカースト下位の男子が学年で一番かわいい女子と会話しようとすると、妙に臆してしまい上手く会話ができなくなる心理状態がある。これも、健康で出産能力の高い女性は支配的地位にいる男性の生殖相手である可能性が高く、そのような女性に話しかけること自体がタブーであり、最悪、支配階級の男性から殺害される可能性があることを「本能」が警告しているからだ。

日本人の常識からすれば「そんなバカな」と思われるだろうが、よく言われる「束縛男性」が、交際相手の女性に対して「ほかの男と目を合わせるな、話をするな」と女性の行動に制限をかける動機も、まさに進化心理学からみると「太古の生活様式の踏襲」と言える。

そして、こうした太古の記憶を踏襲したまま現代世界を生きる人々は決して少なくない。「何を以て女性が性行為の許可を出したのか」という認知は、国籍や人種や民族で全く異なるという認識を日本人は持つべきである。確定的なことでは婚姻契約が性行為の許諾であるともいえるが、少なくとも「過去に女性から会釈されたから＝目と目があって笑顔をみせてくれたから」ということで性行為の許可だと認知する男性は我が国にはいないが、他国には数十億人もそうした人々がいる可能性に留意しなければならない。

このように、「多文化共生社会」とは、私たちの文明的な生活を維持するのに不都合なものを多く含むことを多くの日本人が知るべきである。首狩り、生贄、奴隷、誘拐結婚、そして今回の「女性と目と目があったら性行為許可という認知法」（欧米で女性のサングラス着用率が高い理由はけっして直射日光に弱いからだけではない）など、文明国が過去淘汰してきた蛮習が、「多様性」の中には含まれているのだから。

出産多様化時代の「日本国籍」は誰に与えるべきか

〝精子提供詐欺〟という落とし穴

令和三年末、不妊治療をしていた三十代の日本人女性が〝精子提供詐欺〟にあったというニュースが巷を騒がせた。この女性は、夫とのあいだに第一子を出産したあと十年以上妊娠できず、ツイッターで知り合った「京都大学卒で生命保険会社に勤務する三十代男性」の精子提供を受けて無事妊娠したものの、実は精子提供者は中国人でかつ学歴詐称をしており、しかも既婚者であったというのである。

女性は精神を病んでしまい、育児能力を喪失したとして、生まれた子を児童相談所に引き渡して事実上の棄児とした一方、中国人男性に損害賠償請求を申し立てることと、報道各社の取材を受ける能力は有していた。

女性は「精子提供の法整備が必要」と訴えるが、報道内容をよく読むと、女性は精子提供の事実を夫には内緒にしており（朝日新聞報道）、また提供方法も病院など医療施設ではなくホテルでの通常の性行為であったという（週刊女性記事）。精子提供とは配偶者の同意を要件とするから、この女性は不倫を精子提供と呼んでいるだけであり、不妊治療とはまったく関係がない。

しかし、この事案の道徳的な是非はともかくとして、「生まれた子供の帰属（する国）」という視点から見たとき、大変重要な問題が含まれていることがわかる。

というのも、現在の国籍法は「精子提供出産」といったことを全く想定しないまま、法制化されているのである。つまり、このまま国籍法を放置すると、「どこの誰のものかわからない精子でつくられた子ども」を日本人女性に産ませ、子どもに日本国籍を取得させた後、精子提供者が親として名乗り出れば「日本人の児童を養育する」という在留資格が生じて、永続的に日本国内で生活することが法制上認められてしまうことになる。

現在、精子提供で出産した児童は毎年一万人以上にのぼるという。それも集計できた数であり、「ツイッター経由で中国人から精子提供された分」など、政府が把握する手段などあるはずがない。果たしてこのままで良いのだろうか。

日本国籍を有する条件

「何が日本人か」という定義は、大日本帝国時代も現在の日本国でも、法律によって定められる（日本国憲法第十条：日本国民たる要件は、法律でこれを定める。大日本帝国憲法第十八條：日本臣民タルノ要件ハ法律ノ定ムル所ニ依ル）。よって、「国民」という重要な定義を変更するのは、憲法ではなく議会の裁量によるのである。

日本は、一九八四年まで「父親が日本人である者が日本人である」という定義を明治以来一貫して採用していた。これを国籍血統主義という。しかし、他国では国籍出生地主義といって、その国で生まれた場合のみ国籍が付与されるという国籍法を持つ国も少なくない。

このため、一九八〇年代になって国際結婚が活発化し、アメリカ人の父親と日本人の母親が日本国内で出産すると子供が無国籍になってしまうケースが生じた。こうした事態を解決しようとして、一九八四年、「父親が日本人の場合は日本人」から「父または母が日本人の場合は日本人」へ、日本人の定義を変更したのである。

ちなみに、二重国籍を指摘された立憲民主党の某議員が「私は生まれた時から日本人」

と主張していたが、明確な虚偽である。一九八四年以前に生まれた者は父親が日本人でなければ生まれた時には日本国籍は絶対に持っていない。

では、これで一件落着かと思えば、そうではない。「日本人の定義」を拡大した目的は、父親が出生地主義国の国民である児童が無国籍となってしまうことを救済することであったが、この目的以外でも制度は当然適用され、父親が血統主義国（中韓など）の国民の子どもが日本人女性から生まれることで、自動的に日本国籍を追加取得し、議員や公務員に任官できる「二重国籍問題」が発生したのである。

さらに言えば、「中国人男性と日本人女性がアメリカで出産」した場合、その子供は日中米の三重国籍となり、「中国人男性がフランス人女性の卵子で日本人女性に代理母をさせてアメリカで出産」をすれば、子供は四重国籍になるなど、もはや「国籍」の定義が極めて不安定になっているのである。これらも全て、国籍法が「精子提供」や「受精卵移植の代理母」や「内密出産」など、近年の医学的進歩による新しい形での出産に対応していない「立法権の不作為」によって生じていると考えられる。

現行の国籍法のように、「父または母が日本人なら子は日本人」という「日本人の定義」をこのまま続けると、実は名乗り出ていないだけで（届け出をしていないだけで）、明治時代に相当数の日本人がボリビアやコロンビアなど南米に移民しているから、一人でも日本人の祖先を持つ南米人は日本国籍の取得条件を満たしていることになる（例え死亡していたとしても日本人としての事実・実体があるならば法の遡及《そきゅう》がなされるため）。すると「日本人」の人口は既に三億人を超えていても不思議ではない。現状、自らの祖先に日本人がいると知らないため届け出をしていない数多の人々が、ある日突然その事実に気づいた場合、何が起きるか想像されたい。実際、そうした理屈で相当数の「日系人」が日本に来ている。しかし、それでいいのだろうか。私は反対だ。

では、どうすればよいだろうか。現行の国籍法を改正して「日本人の父母から生まれた時、日本国籍を取得する」に変更すべきである。例外的な事例は「父母いずれかが出生地主義を採用する国民であり、やむを得ない事情で外国人の父または母の国で出産できず、子がいずれの国籍も得られない無国籍となるとき、日本人の父または母の国籍を継承する」とすることで解決すべきだ。

現在の国籍法が「父または母が日本人なら日本人になる」と改正されたのは、あくまで「無国籍児童」を救済するのが目的であり、父または母が中韓国籍であるためすでに自動的に中韓国籍を取得している児童に、あえて日本国籍を追加して与えるべき合理的理由はないのである。

「自然権」と「市民権」

ここで、何故「国籍」の定義を限定しなければならないのかを説明したい。

保守主義の父、エドマンド・バークは主著『フランス革命の省察』において、次のような理由で自然権（人が生まれながらに持つ権利）と市民権（社会的に獲得する権利）は両立し得ないことを説明した。

それは、人が自然権を持つこと自体は否定しないが、社会契約を取り交わして国家を設立した後も、なお自然権を主張することの矛盾である。つまり、自然権には、人が他人から侵害されない基本的人権を有すると同時に、自己を守るために他人の生命財産を侵害する権利も同時に含まれる。原始時代、人はそうして生活をしてきた。

しかし、社会契約によって国家が成立した以上、国家によって人は権利を保障されると同時に、任意に他人を殺傷する自然権も消滅したのである（仇討ちの禁止など）。にもかかわらず、基本的人権だけは神聖不可侵とされ、さまざまな慣習を伴う社会契約の成立後も存在するのは、理屈が合わないというのだ。以下にバークの言葉を引用したい。

《もしも、市民社会が人間の利益のために作られるのであれば、このとき作られた目的である諸利益のすべてが人間の権利となる。人間はこの規則に基づき生きる権利を有し、正義に基づく裁判を受ける権利を持つ。働いたならば利益を得る権利を持ち、両親から得る相続財産の権利を持ち、自らの子どもを養育して教育する権利を持つ。そして、教育を受ける権利や、死亡時には慰藉《いしゃ》される権利を持つ。人は、他人を害さない範囲で行い得る権利を持ち、社会がその技と力を結託させて提供し得るすべての事柄を公正に受け取る権利を持つ。（中略）もし、市民社会が契約の産物ならば、この契約が法となる。この契約は憲法を限定的なものにして補完する。立法、司法、行政の各権力はすべてこの契約から生まれているため、契約以外の事由によっては存在する理由がない。このため、市民社会が契約していないものがどうして認められるのだろうか。人間は、契約によって、契約以前の基本的な権利の一切を手放した。人は自己を唯一の統治者とする権利を手放した。当然、自然法で得る権利の多くを手放した。人は市民社会によって得た権利と、それ以前の自然権による権利を同時に得ることは出来ない。》（エドマンド・バーク『フランス革命の省察』拙訳）

つまり、バークは「自然権」と「市民権」は両立し得ないと述べ、ただ生まれたからという理由のみで人が権利を獲得して、国家の運営や指揮に参画することは許されず、あくまで人は獲得した慣習に基づく社会的な貢献度などに応じて社会的な権利を獲得すべきだと説明する。「可哀想だから」という理由でみだりに国籍を付与することはまさに自然権と市民権の混同にあたる。

こうした視点から現在の国籍法における「日本人の定義」をみたとき、どうなるだろうか。先人たちが積み上げてきた社会契約上の利益（たとえば、国家の信用、パスポートの信用など）に対して、外国人の親は何か貢献したというのだろうか。生まれた子は、父母から慣習を引き継ぎ、それに基づいて社会発展に寄与できるのか。ただ、「基本的人権」という大義名分によって私たちの築き上げた社会に参入して利益配分を受ける資格が当然あるという理屈には納得できない。

「日本人」とは日本の価値観や慣習を継承する者

両親ともに日本人であれば、日本人としての価値観や慣習は当然父と母から継承する。そのほかの慣習は継承しない。しかし、父母の一方が他国の者であった場合、当然他国の慣習や倫理が教育によってその者の慣習となるわけである。祖先の一人に日本人がいたということで、他国の親から得た慣習に染まっていながら（特に家庭内で支配的な地位となりやすい父親が他国の慣習を持つ場合など）、当然のように日本社会に参加する資格を得る。私たちの日本社会に何ら貢献せず、また日本社会についての知見や受け入れられてきた慣習も身に着けず、他国の慣習に染まりながら日本人としての権利を行使するのである。

これでは、一見すると日本社会に貢献しているようでも、その実体は既存の慣習を体得できる術がないのであるから、異なる倫理・慣習を日本社会に注入して、内部より破壊しかねない事態も起きうる。それは実際に起きている。例えば、国家運営をする国会議員は全員「日本国」に骨の髄までその忠誠が向けられていると誰が断言できるだろうか。「父母のうち一名でも日本人ならば日本人だ」という理屈は、「女性皇族から生まれた子ならば皇族だ」という理屈にも似る。父母からの正当な慣習の継承を経ることなく、かつ他国への参加権を二重国籍として持ったまま、私たちの社会に参加する当然の権利を生まれながらに持つという厚かましさを、これ以上尊重すべき理由がどこにあるのだろうか。そのような者が果たして私たちの社会に寄生するのではなく貢献するのだと、どうして断言できるのだろうか。それこそ差別である。

冒頭で述べたように、ツイッターで中国人から精子提供を得て出産したものの棄児として孤児院送りにされた中国籍を有する者が、自然権である基本的人権を大義名分としてさらに日本国籍も取得し、「日本人としての慣習」を身に着けて「日本社会に貢献できる」とは筆者にはどうしても思えない。このような事例は氷山の一角ではなく、今後大規模に増加するものと予想される。そのとき、私たちが現在の社会を維持できる保障がどこにあるというのだろうか。

以上の理由から、日本人とは、「契約である認知もしくは婚姻した日本人の父母から生まれた者」であるべきだ。父母の一方のみが日本人であることは帰化の理由にすべきである。なぜならば、出生自体が契約に由来しないのに、契約によって成立した国家に参画する利益を得る理由がなく、生まれながらにして二重国籍となる場合は、その外国の国籍（慣習の体得）を尊重すべきであり、これに日本国籍を追加すべき理由はないからである。

例外的な救済措置として、子が外国人の父または母いずれの国籍も継承できないやむを得ない理由が父母の意思とは無関係に生じたときに限り、日本人の父または母の日本国籍を子が継承するように国籍法を改正すべきである。

日本よ、今こそ伝統に回帰せよ

「神々の国」、明治の日本

リチャード・ゴードン・スミスをご存じだろうか。

おそらく、この名を知る者は滅多にいないだろう。なぜなら、彼は思想家でもなく実務家でもなく研究者でもない。ただ、イギリスで十八年間連れ添った妻との結婚生活に嫌気がさして、当時流行していた「世界一周旅行」のパックツアーに申し込んで明治時代の日本を訪れた、ただの旅行者だからだ。

彼は、大英博物館から収蔵物の収集依頼を受けてはいたが、日本に来た理由は傷心旅行であった。しかし、几帳面な性格から、詳細な絵日記をつけていた。これを彼の死後七十年以上たって子孫が発見して"Travels in the Land of the Gods：The Japan Diaries of Richard Gordon Smith"（神の国への旅行。リチャード・ゴードン・スミスの日本日記）として出版した。

この日記には、雌のキリギリスが夫を食べてしまう様子をみて「なんということだ。また夫を食べた」と嘆く様子などが記録され、彼のナイーブな心の様子が書かれているが、注目すべきは明治時代の「多民族国家になる前の日本」が記録されていることである。

スミスは、一八九七年のクリスマスイブに長崎へ到着した。その「神秘の国」で、彼はことあるたびに感動している。たとえば、「高貴な日本のウェイトレスはお金を直接手渡されることを好まない。あくまで給仕に対する感謝のしるしとして、紙片を接着させた小さい袋にお金を入れて渡さなければ決して受け取らない」と、祖国イギリスと比較して日本人の民度の高さを称賛する。

中でも最大の驚愕が客室に「金庫がないこと」である。ある日、趣味の狩猟に出かけるため、財布などの貴重品を旅館の金庫に預けたいと申し出た。旅館の女給が持ってきたのは、木製のお盆であった。女給はそこにスミスの財布をポンとのせて、誰でも通れる場所に置いたまますたすたとどこかに行ってしまった。

スミスはこの「ふざけた対応」に不快感を示して「狩猟から帰ってきたとき財布がなくなっていたらどうしてくれようか」と思いながら出かけて帰ってくると、彼の財布はそのままそこにあった。日本人の「所有していることを証明できなければ領得しない」という倫理的慣習のすばらしさに彼は驚愕し、感銘を受け、その後も日本に通い詰めるのであった。

スミスが体験した「古き良き日本」は、多くの人々が慣習的に「倫理」を共有しているため、防犯意識の必要もなく、情動を動機にした一部の殺人事件を除いて、治安はよく守られていた。それは、強大な警察権力によるものではなく、人々が経験的に倫理観を幅広く共有していたからであった。

ある「異民族」の日本への大量移入

ところで、私たちは今、多文化共生と多様性を強く意識している。日本は単一民族ではなく、在日外国人を含めて「日本国」だとする意識が世を覆い尽くそうとしている。

しかし、実は多文化共生の端緒は、今に始まったことではない。実は、大日本帝国は一九一〇年以降に大量の移民を受け入れた。それがどれほどの数であったか正確な統計は残っていない。ただ、女性皇族と異民族の婚姻を奨励するなど、移民たちは単なる労働者ではなく、同胞としての地位を得た。

具体的には、有権者として国政に参加して異民族の衆議院議員を当選させ、異民族の裁判官、異民族の伯爵や侯爵などの貴族、異民族の将軍を迎える社会となっていた。ただし、現代のように「日本語教育推進法」なる法律も存在せず、異なる文化を持つ人々との一体化を手探りしていた。明治の終わりに、日本は多民族国家になったのだ。

私がイギリスに留学していたのは、ちょうど移民受け入れ制限とEUからの離脱をどうするかという議論が活発な時期だった。多くのEU離脱派を支持するイギリス人が日本を称賛していたのを覚えている。それは、日本は移民を受け入れていないから治安が良く、素晴らしい国だ……というのだ。

そのたびに私は、このとんでもない誤解を解いて回った。日本は一九一〇年から三十五年ものあいだにとてつもない数の移民を受け入れ、かつ参政権や爵位や官位を与えて一体化する努力を続け、一九五〇年に近隣で大戦争が始まった後は、問答無用に押し寄せる難民を快く受け入れたことを説明した。そのおかげで、今も大量の移民の子孫が「日本人とは全く異なる利用率」で福祉にぶら下がっていることを説明すると、イギリス人たちは目を丸くして驚き、そして、誰もが判で押したように次のように言った。

「移民の将軍がいた？　じゃあ、日本の軍隊は相当弱体化しただろう。イギリス軍にも異民族の兵士はいたが、あくまで兵士であって、しかも異民族だけの部隊で固めていた。日本は混成部隊だったのか」

この言葉に、ある記録映像が私の脳裏をよぎった。それは、一九四五年二月に始まった硫黄島での戦いで、日本陸軍の地下要塞の建設に動員されていた「異民族の軍属」が、戦闘開始後すぐアメリカ軍に投降し、要塞の出入り口を指差してアメリカ兵に教えている「裏切りの映像記録」であった。

多くの方が誤解しているが、日本人もよその地域に行けば異民族である。異民族の遺伝的・血統的定義はとくになく、それは、単に「文化や習慣や帰属意識を共有できない人々」の総称である。

本来、文化や帰属意識や慣習というものは長い年月をかけて数世代、数十世代にわたる歴史の蓄積によって完成する。それを合理的思弁による「思い付き」で無理やり一体化しようとすると、どうしても反発や「ひずみ」が生じる。その「小さな紛争」は必ずしも歴史的に記録されるものではないが、解消するには大きな手間を要したであろう。

令和元年に施行された「日本語教育の推進に関する法律」は、外国人が日本社会で普通に生活するために必要な「学習時間」と、それをサポートする日本語教師の資格と役割について定めている。現代のようなシステム化された社会であっても、外国人が日常生活でトラブルを起こさない程度に日本語を習得するには、莫大な時間とコストがかかる。

大日本帝国の時代に比べて日本語教育を必要とする人々の数は極端に少ない現代でも、これほど手間がかかるのである。では、一九一〇年以降、異民族との円滑な協力関係を構築するまで、私たちはどれほどの経費を要したのだろうか。ダム建設などのインフラ整備の経費は記録されているが、こうした細部の「日本語教育」の記録は一切ない。

そして、これらの「日本語教育」に費やした投資は、大東亜戦争という建国以来の大事業を合理的に遂行するにあたって、果たして有利に働いたのであろうか。不利に働いたのであろうか。その歴史的検証もいまだになされていない。

少なくとも言えることは、多民族国家となった大日本帝国には、もはやゴードン・スミスが感銘を受けたような「泥棒のいない世界」は消滅し、秩序を守る立場の軍隊の内部でさえ軍靴などの備品窃盗が多発して、もうどうしようもなくなっていたのである。

多様性の社会に求められる倫理観の共有

「多文化共生社会」とは、大局の視点を明らかに欠いた考えだ。目先の賃金格差による薄利のみを目当てにし、治安の安定という本来ならば莫大な維持コストのかかるものを放棄しようとしている。この悪影響は、単に刑事事件だけの問題にとどまらない。やがて、秩序そのものに影響してくることだろう。

十九世紀フランスで裁判官、国会議員、外務大臣を務めたアレクシ・ド・トクヴィルは、アメリカ合衆国の建国から成長の様子を分析した"De la démocratie en Amérique"（アメリカの民主政治）において、次のように重要な指摘をしている。

《人民主権の原理は隠されているものでもなく内容自体に空虚さがあるものではない。それは、習俗によって確認され、法律によって宣言されたものだ。》（井伊玄太郎訳『アメリカの民主政治』講談社学術文庫）

民主化した社会では、それまでの封建的な権威をまとった勢力が一掃されて平等な社会となり、人々は一切の権威を拒絶するようになるが、個々人の能力は違うわけだから貧富の格差が拡大し、お互いを信じられない社会が生まれる。この「不信」を動機にした「民主主義の暴走」が強く懸念されるようになり、狂気の政策も多数派の合意によって執行されてしまう恐れがある。この暴走を阻止する最大の要素が「幅広く受け入れられた習俗・慣習」であるとトクヴィルは言う。

つまり、貴族の権威によって人民の自由が抑圧される社会でもなく、また人民が民主主義の大義名分によって狂気の暴走をほしいままにする社会でもなく、安定した自由な社会を維持するために必要な要素が、「慣習」を幅広く共有する人々の存在なのである。

この意味で、異なる習俗・慣習の人々を受け入れることは、治安の問題以前に、この異民族が結婚して子どもを産み、「旧来の日本人とは異なる価値観」で徒党を組んで日本社会に流入してきた場合、どうなるかということである。

いや、その弊害はもうすでに現れている。異常な政策を主張するだけの特定の野党だけでなく、普段は基本的人権の尊重を声高らかに主張している者が、中国共産党による深刻な人権侵害に対して見て見ぬふりをし、大切な同盟国との外交関係に亀裂を入れつつある。トクヴィルが指摘した「民主主義の暴走」すなわち多数派の合意があればどのような狂気も肯定されるという悪夢である。

しかし、まだ完全にダメになったわけではない。多数派ではないが、決して少数派ではない「生粋の日本人」の勢力は、衰えていない。そして、この生粋の日本人と価値観を共有できる「外国人」も少なからず存在する。

多様性の社会とは、肌の色や目の色といった、精神とは無関係の、あくまで外見的かつ表層的な要素で一切を判断する排他性を許さない社会であり、倫理観の共有まで否定するものではない。

なればこそ、この残された「慣習の芽」を絶やすことなく今以上に大切にし、日本を愛するすべての人々がその出自に関わらず日本の伝統に回帰しなければならない。それが、日本を救うのである。「財布をお盆に置いたままでも盗まれない社会」を取り戻すのが、私たち日本の保守主義者の責務である。

橋本琴絵（はしもと ことえ）
昭和63年（1988）、広島県尾道市生まれ。平成23年（2011）、九州大学卒業。英バッキンガムシャー・ニュー大学院修了。広島県呉市竹原市豊田郡（江田島市東広島市三原市尾道市の一部）衆議院議員選出第5区より立候補。著書に『暴走するジェンダーフリー』（ワック）、ほかに『中等修身女子用』（解説／ハート出版）がある。

被爆三世《ひばくさんせい》だから言《い》う
日本《にほん》は核武装《かくぶそう》せよ！

2022年８月６日　初版発行
2024年２月14日　第２刷

著　者　橋本 琴絵

発行者　鈴木 隆一

発行所　ワック株式会社
東京都千代田区五番町 4-5　五番町コスモビル　〒 102-0076
電話　03-5226-7622
http://web-wac.co.jp/

印刷製本　大日本印刷株式会社

ISBN978-4-89831-868-3

WAC BUNKO

女が男を誘いたいとき

動物行動学で語る〝男と女〟

竹内久美子

WAC

はじめに

この1年間というもの、世間を騒がせる話題がそう日を置かずに次々と登場した。私はなるべく独自の、できれば動物行動学を絡めた解釈を下すこと、問題解決のための糸口をさぐる努力をしてきた。そうして一冊にまとめたのが本書である。

奔放女優の不倫問題、ペットかわいさのあまり、飛行機にいっしょに搭乗し、緊急時さえもいっしょに脱出したいと考えてしまう有名人、なぜブサイクほどイケメンが好きなのかという私自身にもかかわる問題、大谷翔平選手と奥様がお似合いすぎるほどのカップルである理由、せっかくのおめでたい話に水を差した水原一平元通訳の違法賭博の借金返済問題……と、いつもながらの話題が続く。

しかし、この1年、日本を特に騒がせたのは、日本と日本文化を貶《おとし》めるため、反日外国勢力が推し進めたと思われる問題、そしてグローバリストたちが個々の国家を解体し、世界を一つにしようとする目的のため、もはや正体を隠すことなく、なりふり構わず行動するようになった事例だ。

前者と後者のどちらにもかかわるケースも多いが、前者の例としてはジャニーズ叩き、歌舞伎の猿之助さん叩き、宝塚歌劇のパワハラ問題、DJ SODAのセクハラ問題、日本国籍を取得しているとはいえ、ミス日本に純粋なウクライナ人女性が選ばれたことなどだろう。

たとえばジャニーズ（現SMILE-UP.）については、BBCが製作した番組によってこの問題が表面化するや、すぐさまPENLIGHT（ペンライト）なる「旧ジャニーズの性加害を明らかにする会」が立ち上がった。しかしこの会、実は韓国の慰安婦団体正義連の日本支部である「キボタネ」（希望のたね基金）や、ひところ騒がれた「コラボ」（若年女性支援団体）とつながっていることがわかった。

しかもジャニーズが叩かれた結果どうなったか。如実に表れたのが2023年の「NHK紅白歌合戦」だ。ジャニーズタレントが一掃され、代わりに聞いたこともないようなK-POPグループが多数登場した。つまりPENLIGHTなどの目的はジャニーズを叩くことで、まずはジャニーズが築いた、芸能界におけるニッチ（生態学的地位）を韓国勢によって横取りすることだったのだ。

韓国の女性、ＤＪ ＳＯＤＡは２０２３年８月、大阪府泉南市で開かれた音楽イベントで、胸を触られるなどしたとし、自身のＸ（旧ツイッター）やインスタグラムで観客３人の顔を晒《さら》した。

驚いたことにＳＯＤＡのＸの投稿からたった６時間で国連が反応。女性の性被害の根絶や、性被害は服装とは関係なく起きることなどをやはりＸに投稿している。

音楽イベントの主催者（実は中韓系の会社である）はこの日、氏名などを特定しないまま３人を刑事告発した。

さらにＸ上では「＃痴漢大国」「＃日本の恥」をハッシュタグとしたデモが行われ、それはＳＯＤＡの投稿から７時間しかたっていない時点でヤフーニュースによって伝えられている。デモが行われるのも、ヤフーがニュースとして取り上げるのも、異常なほどに速い。

この一連の流れからすると、ＳＯＤＡの一件も反日外国勢力による日本貶めの一環としか思えないのである。

このように毎度毎度繰り返される日本貶めにどう対処するか。それは日本人がすぐさま反省するとか、日本人として恥ずかしいと思ってしまい、謝罪などをする前に一呼吸おくことだろう。そのような余裕を持つためには、自分や自分たちに卑屈にならず、自信を持つことだ。日本人は誠実さ、礼儀正しさ、優しさにおいて本当に世界でも抜きん出ているのだから。

では後者の、グローバリストたちによる世界支配のための行いだが、個人的なことではなく2023年あなたが一番頭に来たことは何ですかと問われたなら、おそらくダントツで1位に輝くと思われるのは、LGBT理解増進法——そのあまりにも理不尽な通り方だろう。

周知のことなので詳しい説明は省略するが、法案を通すため、直に圧力をかけたのはラーム・エマニュエル駐日アメリカ大使である。その背後には当然、バイデン大統領、さらにはアメリカ民主党、ネオコン、グローバリストが控えている。

LGBT理解増進法は世界支配のための布石の一つだが、これを突破口に選択的夫婦別姓、同性婚などへと進み、我が国の場合、皇室の解体まで視野に入れられていることは確かだ。いったい我々はグローバリスト勢力にいいように扱われ、なすすべもなく滅びの道をたどることになるのだろうか？

そう思っていたところ、一つの光明が見えてきた。さる4月13日、パンデミック条約反対を訴え、反グローバリズムのもと、党派を超えて人々が東京・池袋に集合。主催者発表で1万数千人という前代未聞の規模で展開されたデモだ。

パンデミック条約とは、WHO（世界保健機関）がパンデミックを口実に国家を超えた強制力、権力を持とうとする企み。2024年5月にWHOの総会で採択される予定だ。その第一段階がワクチンの強制接種などである。言うまでもなくWHOはグローバリスト勢力である。

正直なところ私は、大人しい日本人は何だかんだと最後まで動かないのではないかと思っていた。SNSであんなに盛り上がったはずなのに、実際に行動に移すのはほんのひと握りの人に限られるという現象を幾度となく見てきたからだ。

今回は違った。おそらく新型コロナで体験した、政府のおかしな強制の数々、自身や身近な人のワクチン接種後の異変などによって目覚めた人たちが、もはや動くよりほかはないと判断するに至ったからではないだろうか。

反日外国勢力による日本貶めやグローバリストたちの横暴に、何度も日本を諦《あきら》めかけようとしていた自分を恥じ、生き返ったような感覚を味わった。本書がこれからみなで日本を取り戻そうとする際に、そういえば以前ああいうことがあった、次はどう振る舞うべきかと考える、その一つのヒントとなれば幸いだ。

なお本書は有料メルマガ「動物にタブーはない！　動物行動学から語る男と女」の、ここ最近の1年分を改編・改題・加筆し、まとめたものです。本書の読者限定で、メルマガ無料サービス（1カ月分）をプレゼントします。詳細は本書224頁をご覧ください。

本書の刊行にあたり、ワック株式会社出版編集部のお力添えをいただきました。この場を借りてお礼申し上げます。

2024年4月

竹内久美子

女が男を誘いたいとき

◉目次

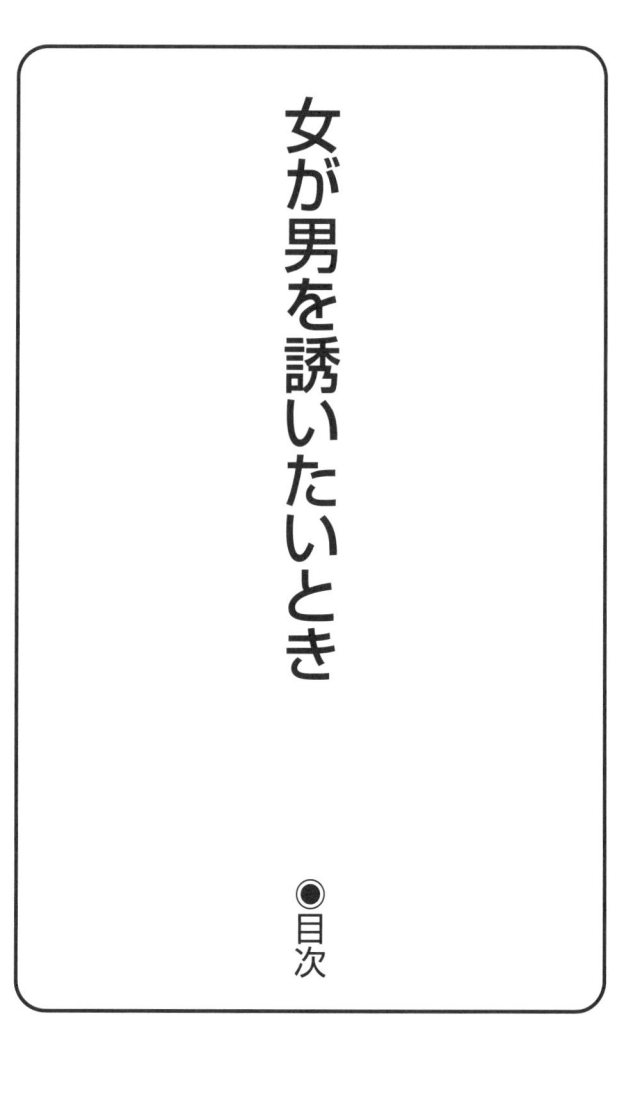

6章

装幀/須川貴弘(WAC装幀室)

1章

大谷翔平、松本人志、ドナルド・トランプ……

お金持ちで実力がある人のこんな〝落とし穴〟

よけいなお世話？　〝超セクシー〟な大谷翔平選手にひと言

文句なしの世界一の野球選手、どこへ出しても恥ずかしくない立派な人格。日本が誇るスーパースター、大谷翔平選手が結婚を発表した。

人気者が結婚しようものなら、嫉妬に狂ったアンチが騒ぐのがお決まりだが、彼の場合にはつけ入る隙《すき》がない。日頃の行いもそうだが、結婚宣言を受けてのインタビューも実に隙がなかった。

そんな誰もが祝福する大谷選手の結婚に、よけいなお世話であることを承知で申し上げたいことがある。

今後、彼のテストステロンレベルが低下するかもしれないということだ。テストステロンとは男性ホルモンの代表格であり、男性の魅力を演出するホルモンである。顔のよさはもちろんだが、筋肉の発達、骨格の発達、空間認識力など、スポーツの能力に直接かかわるホルモンである。

ついでに言えば女はなぜスポーツマンが好きかというと、スポーツの能力全般に男のテストステロンレベルが反映されているからだ。そのテストステロンレベルが、男は結婚すると下がるのである。

結婚とは、女を手に入れたので、もはや女を巡ってほかの男と争わなくてもすむという状況である。そういう意味で高いレベルのテストステロンは必要なくなる。それよりも奥さんのガードに専念すべきなのだ。よってテストステロンレベルは下がる。

よく、結婚して太ってしまった、嫁さんが3食きっちり食べさせるせいだ、という人がいるが、それは一番大きな理由ではない。

テストステロンには脂肪を燃焼させる働きがある。結婚してそのレベルが下がったので、結果として太ったのである。

10代後半の頃、たいていの男は、いくら食べても太らなかったはずである。その理由はテストステロンレベルが人生で最高潮にあり、脂肪をがんがん燃やしていたからなのだ。

ともあれ、大谷選手も結婚してテストステロンレベルが下がるはずだ。それによって筋肉を失い、脂肪が増えるとか、空間認識力が衰えるとか、スポーツの能力が低下しないかと私は心配なのである。

もう一つ心配なのは、子ができることでもテストステロンレベルが下がるということだ。これもまた、女を巡って男どうしで争うことがなくなり、子をかわいがるとか、子に注意を払うとか、何らかの投資を引き出すための、おそらく子の側からの戦略であろうから仕方ないのだが、スポーツ選手にとってはやっかいな問題なのだ。

ちなみに、このようなテストステロンレベルの低下は、離婚すればもとに戻ることがわかっている。女を巡って争う状況に舞い戻ったからだ。

天下の大谷選手が結婚や子ができたくらいで実力が揺らぐとは思えないし、また日頃のトレーニングも今まで以上に行うだろう。しかし、このような動物学的背景があることを大谷選手自身も、我々も知っておいたほうがよいように思う。

ちなみにペットは癒《いや》しになるが、子ができたときと同様、テストステロンにとっては大敵になるのではないだろうか。

2023年、大谷選手が愛犬のデコピンを報道陣に初披露したときに、ケガのリハビリ後ということもあってか、ふっくらした様子にやや驚いた私だが、あれはデコピンと婚約者の存在という二重の効果ではなかったかと思う。

ともあれ大谷選手、超一流選手はテストステロンの効果など関係ないということを示してくだされ！　そしてご結婚、おめでとうございます。

水原一平スキャンダル　その背後に米国の悪意が

大谷翔平選手の結婚報道でにぎわったのに、元通訳、水原一平氏の違法賭博問題が世間を騒がせることになった。好事魔多《こうじまおお》しとはこのことだが、水原氏は賭博の借金の穴埋めに大谷選手の口座から多額（当初は450万ドル＝約6億8000万円だったが、のちに1600万ドル＝約24億5000万円と判明）の送金を行っていた。

この事件を最初に報道したアメリカのスポーツ紙『ESPN』が水原氏にインタビューしたとき（日本時間3月20日）、彼はこう言った。

「二度と私がこのようなことをしないよう、（大谷選手は）私を助けると言った」

「私のために返済すると決めた」

と、かなり具体的な内容だった。

ところが翌日、発言を撤回。今度は大谷選手は関与していないという。

この事件で鍵となるのは、何回にも分けたにせよ、そんなに多額の送金があったなら、本人のもとに「アラート」が届くはずだ。それなのに大谷選手本人は知らなかったという。大谷選手はウソをついているのではないか。もしそうなら大谷選手も罪に問われることになる。そういうことだった。

実際、3月25日に大谷選手の出した声明にはこうある。

「僕自身は何かに賭けたりとか誰かに代わってスポーツイベントに賭けたりとか、それをまた頼んだりしたことはないです。僕の口座からブックメーカーの誰かに送金を依頼したことはありません。結論からいうと、彼（水原氏）が僕の口座からお金を盗んで、みんなにうそをついていた」

正直なところ私は、大谷選手が知らないなどということがあり得るのかと疑い、かくなるうえは、どうか大谷選手に罪が及ばないようにと祈るしかなかった。

ところが、大谷選手はまったくウソを言っていない、彼が言うことは徹頭徹尾正しいことがついに判明した。

4月10日、『ニューヨーク・タイムズ』が報じたところによれば、水原氏は罪を軽くするための交渉（つまり司法取引）を始め、窃盗の罪を認める方向で話を進めている。具体的には彼は、大谷選手の銀行口座の設定を変更し、アラートなどが本人に届かないようにしたというのである。

なるほど、そんなことができるのか。水原氏は悪質だ。それなら大谷選手が何も知らなかったのも当然。大谷選手の関与が否定されてよかった。

そして水原氏に最初にインタビューした『ＥＳＰＮ』紙も「大谷の主張は正確である」と認めるに至った。

この件に関する中日スポーツの記事をヤフーニュースが転載しているが、そのコメント欄には以下のような意見がある。

「大谷さんがいくら優しいジェントルマンとしても、水原氏から告白された時に代理人にも秘密にして得体の知れない相手にこんなにも多額を何度も何度も送金する必要がどこにあるのかわからない。それは長く付き合ってきた相棒を救うことにはならないと賢明な大谷さんは判断するでしょうからね」

と、仮に水原氏から送金をお願いされても大谷選手なら賢明な判断を下しただろうという。

「大谷が会見で話したことを裏付けてくれることになって捜査関係者には感謝　大谷が今までにも増してプレーに集中できることを願うばかり」

まったくその通りだ。今回の事件について、日本では私も含め、大谷氏に罪が及ばないことを願う意見が多かった。しかし3月22日の「文春オンライン」のジャーナリスト、飯塚真紀子さんの記事によると、アメリカのSNSでは「オータニを逮捕しろ」「イッペイはスケープゴートにされた」という声すらあがったという。

アメリカMLBで二度のMVPに輝き、年間100億円を稼ぐだけでなく、人間性にも優れた非の打ちどころのない日本人選手に対する、何とか化けの皮がはがれてほしいという願望であるように思われた。

ギャンブルにのめり込む男がモテるワケ

続けて水原一平氏ギャンブル問題に関する話題だが、『週刊文春』(4月4日号)によると、そもそもの発端はＦＢＩ（米連邦捜査局）が、南カリフォルニアに拠点を置く違法賭博業者、マシュー・ボウヤーなる人物を捜査したことによる。

カリフォルニア州ではスポーツ賭博が禁止されている。

ボウヤー氏はもともと、ただのギャンブル好きであり、全米のあちこちで巨額の負債を抱えていたが、違法賭博の世界に進出。やがてスポーツ選手や富豪を顧客とする胴元となり、自身も富豪の仲間入りをした。

このボウヤー氏を捜査する過程でオオタニ・ショウヘイの名が浮上し、先述したように、多額の送金が大谷選手の銀行口座からこの業者になされたのだ。

一方、水原氏がボウヤー氏とのつながりを得たのは、ロサンゼルス・エンゼルス時代の大谷選手のチーム・メイト、デビッド・フレッチャー氏による。

水原氏とフレッチャー氏はポーカー仲間。クラブハウスでよく賭けをしていた。実はフレッチャー氏とボウヤー氏とは旧知の仲であり、エンゼルスの遠征先で行われたポーカーゲームの席になぜかボウヤー氏が参加することになるのである。

これが水原氏の転落のきっかけであり、ボウヤー氏の魔の手にかかった彼は泥沼式に借金がかさんでいく。

ボウヤー氏が水原氏に目をつけたのは、むろん背後に大谷選手がいるからだ。普通のサラリーマンを借金漬けにしても回収できる金額は知れている。しかし背後に大谷選手がいて、彼の財産を何らかの方法で引き出すことができるのなら、たとえ数億円の借金でも回収できるだろう、と。

それにしても一度はまったギャンブルから、容易には抜け出せないのはなぜだろう。件《くだん》の『週刊文春』ではギャンブル依存症の先達《せんだつ》、最終的に130億円も負けた、井川《いかわ》意高《もとたか》氏（大王製紙創業家出身で元会長）が興味深い体験談を語っている。

おおよそ次のような内容だ。

博打の感情には2種類あると思っている。

ひとつは勝って嬉しいという素朴な感情。もうひとつが、負けから大勝ちまで持っていけたときにアドレナリンが出てくる感情。どちらがより〝シビれる〟かと聞かれたら、当然後者だ。賭博で増やした金で何かを買おうとするタイプは、欲しいものを買った時点でやめてしまう。しかしそうではないタイプは、たとえ23億円勝ったときでも、次の230億円を期待し、博打を続ける。

おそらくギャンブルの本質は井川氏の言う2つ目の高揚感にあるのだろう。ということは、この高揚感を求め続ける限り、博打を打つ者が最終的に勝つ見込みはなく、大負けして破産するしかない。

ならば、それにもかかわらず、博打にのめり込む性質が、人間に、特に男に広く存在するのはなぜだろう。最後は破産するのだから、子を残すうえで不利なはずである。

ちなみに、よく言われるのは「女は博打で勝つと、おいしいものを食べたり、服を買ったりするが、男はそのお金を軍資金として次の博打につぎ込む」ということで、この言い伝えからしても、博打の本質は男にあり、男が破産するほどにのめり込むということなのだ。

男が破産するほど博打にのめり込むとどうなるか。

それは、妻子があるなら、離婚に至るということだ。つまり、借金で首が回らない男を妻が見捨て、子を連れて実家に帰る。そうして女手一つかもしれないし、もしかして実家のサポートもあるかもしれないが、どうにかこうにか子を育ててあげてくれるだろう。

独り身になった男はどうなるかだが、このような男は得てして男としての魅力に溢《あふ》れていることが多い。

借金まみれかもしれないが、新たな女が見つかり、子を産む。彼女は前妻と同じ道をたどることになるだろうが、子は何とか育つ。そしてまた新しい女が現れ……と、このような経過をたどることにより、博打にのめり込む男は実は自分の遺伝子をよく残すのである。

よって、いつの世にも博打にのめり込む性質を持った男は存在するのではないだろうか。

そしてまた、博打によって得られる高揚感が、特に負けからの大勝ちの際に、それが将来的には確実に破滅につながるにもかかわらず、ほかと比較にならないほど大きく、シビれるというのは、ほかでもない、このように自分の遺伝子を増やすことにつながるからなのだ。

人間が何かをすることで楽しい、シビれる、幸せ、満足といった正の感情が得られるとしたら、それは必ずどこかで自分の遺伝子を残すことにつながっている。

というか、そうであるからこそ逆に、なるべく本人にその行為をさせるよう、その行為をすれば正の感情が得られるという遺伝的プログラムが我々には用意されているのである。

このような博打で破産しつつもよく繁殖する、あるいはその可能性があった男の例として、２０２３年に亡くなった作家の伊集院静氏をあげたい。しかも結婚相手とか噂になった女性は、夏目雅子さん、篠ひろ子さん、桃井かおりさんと見事に資産家の令嬢である。

その資産は、実際にはそうはならなかったが、伊集院氏の博打癖によって食い尽くされるためのものだったかもしれない。あるいは離婚しても実家の資産によって子が育つという意味があるのかもしれない。そして忘れてはいけないのは、伊集院氏本人が女性にめちゃモテであったことだ。

水原氏と夫人（お子さんはいないようだ）が、この先どうなるかはわからないが、離婚が一つの選択肢になることは間違いないだろう。

ともあれ水原氏、将来は何らかの分野で再起をかけられよ！

松本人志よ、芸の力で若い女の子を口説け

『週刊文春』が、２０２３年末に発売された新年特大号（1月4・11日号）を皮切りに

連続8回にもわたり、お笑いコンビ「ダウンタウン」の松本人志氏のスキャンダルを報じた。

なぜ松本氏なのか、という疑問はさておき、松本氏の行いの何が最も問題なのかを考えることにしたい。ちなみに、あくまで『週刊文春』に書かれている内容が事実だということを前提にする。

一連の暴露記事を受けて、2024年1月8日、松本氏は「名誉棄損による訴訟提起を予定している。裁判に注力するため、芸能活動を中止する」と発表した。続けて、松本氏の事務所である吉本興業が1月22日、松本氏は5億5000万円の損害賠償を求めて文藝春秋社と『週刊文春』編集長を告訴したと発表。代理人の弁護士によれば「記事に記載されているような性的行為やそれらを強要した事実はなく、およそ『性加害』に該当するような事実はないことを立証していきたい」とのこと。

ここで「記事にされているような性的行為」というのは、最初に新年特大号で報じられた2015年に起きたとされる性的行為強要疑惑を指している。『週刊文春』の一連の記事には第1回目に登場したA子さん、B子さんから始まり、J子さんまで10人の「被害者」が登場する。場所は東京、大阪、福岡である。

Ｉ子さんという人気サロンのセラピスト（断じて性的なサービスを行う店ではない）以外は、事件当時は芸能人の卵のような存在だった。

被害女性の証言から松本氏の行動には、４つほどの特徴があることがわかる。

・後輩芸人を使い、飲み会に出てくれそうな女の子を集め、直前になってから高級ホテルの特別豪華なスイートルームを会場に指定する
・飲み会にはＶＩＰが来ると知らせるが、それが松本氏であるとは最後まで言わない（言うと女の子が来ない可能性がある）
・飲み会中は携帯を没収する（逃げたり、助けを求めたりできないようにするためと、後輩芸人がアリバイづくりのために女の子の携帯にＬＩＮＥなどを送るため）
・飲み会がある程度盛り上がったところでゲームをして松本氏とベッドをともにする女性を選び、ほかの者たちは退散する

このように非常にシステム化された方法、文春によれば「性上納システム」は約20年前から行われていた模様だ。

松本氏に逆らえない後輩芸人、断ると芸能界で生きていけなくなるかもと不安を抱える芸能人の卵のような女性など、人の弱みにつけこんで己の欲望を満たそうとする卑怯《ひきょう》な態度を文春は最も問題視する。それが〝本当〟なら私も同感だ。

同誌2024年2月22日号では、生い立ちやブレイクするまでの「ダウンタウン」について詳しく書かれているが、それによると、上京する前の1984〜1986年、大阪で人気に火がついた頃のモテ方はすごかった。「心斎橋筋2丁目劇場」で出待ちしている女の子を松本氏と相方の浜田雅功氏の両人がナンパすると、女の子も舞い上がり、誘われるがままカラオケとホテルへ。ある女子大生は松本氏と一夜を過ごしたものの、別の日にはいっしょに出待ちをしていた女友達に彼をとられてしまう。

1988年頃からは東京に進出し、「ダウンタウンのガキの使いやあらへんで！」や「ダウンタウンのごっつええ感じ」などの冠番組を持ち、松本氏は天才と称せられるようになる。

そして1990年頃から例の「性上納システム」が始まったというが、松本氏が来ることを隠すようになったのはこの20年ちょっとのことだそうだ。

このような変遷を見ると、あくまで若い子を求める松本氏と、年とともに若い子が松本氏を敬遠するようになるという構図が浮かび上がる。若い子が、どんなに才能や財力があっても、20歳とか30歳以上年上の男性を敬遠するのにはわけがある。

それは精子の劣化である。卵（卵子）の劣化はよく言われる。卵は、なんと女性がお母さんのお腹の中にいたときに原型ができ、以後はつくりおきされる。だから劣化は大いなる問題だ。

一方、精子は日々新しくつくられるものだが、年とともにつくるための原本となる細胞（精母細胞）の遺伝情報に傷がつくとか、情報のコピーミスが多発するようになる。

たとえば、世界的に自閉症児が増えているが、その一番の原因として晩婚化、特に父親となる男性の高齢化があげられており、まさに〝精子の劣化〟が原因とされているのだ。

「心斎橋筋2丁目劇場」で出待ちをする女性は松本氏の才能を高く評価し、将来天下をとるだろうと確信していた。そして無意識のうちに、まだ劣化していない精子をも評価していたはずなのである。

「日本の法律は間違ってると思うねん。日本は俺みたいに金も名誉もある男が女をたくさん作れるようにならんとあかん。この国は狂ってる。なんで嫁を何人も持てない

んや」（週刊文春1月4・11日新年特大号）

と、松本氏は言う。

その通り！　でも、女のほうにも選ぶ権利がある。

松本さん、どうか後輩芸人を使うとか、芸能人の卵みたいな女の子を相手にするという禁じ手を使うのではなく、実力で女の子を口説いてみてください。それなら文句はありません。むしろ、そのための芸なのではありませんか？

トランプのゴージャスな女性遍歴にはこんな理由が

「もしトラ」なる言葉が流行した。「もしトランプが大統領に返り咲いたなら、世界はこんなによくなる」という意味だと思ったら、「もしトランプが大統領に返り咲いたなら、こんなにひどいことになる」の意味で使われていた。

3月5日のいわゆるスーパーチューズデー以降には「ほぼトラ」という言い方に変わった。これもまた私の期待である「アメリカの次期大統領はほぼトランプで決まり」ではなく、「アメリカ大統領選の共和党候補者はほぼトランプで決まり」。

当たり前ではないか。そんなこと、わざわざ言うな！「もしトラ」も、「ほぼトラ」も、トランプ氏を何とか引きずり降ろそうとする勢力による印象操作なのだろう。

さて前置きが長くなってしまったが、トランプ氏がいかなる繁殖戦略の持ち主なのかについて取り上げてみたい。

繁殖戦略？

それがどうしたと思われるかもしれないが、これほど人間の行動パターンや性格に影響を及ぼすものはないのだ。

トランプ氏の結婚歴をみると、3人の女性との結婚、離婚を繰り返している。

1977年、31歳のとき、チェコスロバキア（現・チェコ）出身のモデル、イヴァナさんと結婚。ドナルド・トランプ・ジュニア、イヴァンカ・トランプ、エリック・トランプの3人の子を得ている。

しかしモデルのマーラ・メイプルズさんとの浮気が発覚し、子もできたため、1992年、イヴァナさんと離婚。

1993年、マーラさんと結婚。子はティファニー・トランプである。そして1999年、トランプ氏とイタリア人モデルとの浮気が発覚し、マーラさんと離婚。

２００５年、スロベニア出身のモデル、メラニアさんと結婚し、翌年にはバロン君が誕生した。

こうしてみると、ただの浮気相手も含め、お相手はすべてモデルというゴージャスさだ。唯一知っているメラニアさんについて述べるなら、私は初めこの方をただの「トロフィーワイフ」だと思っていた。つまり、男が実業の世界など、社会的経済的に大成功した結果、その地位や名声、富などを誇示するためにモデルや女優など、とびきり見た目のよい女と結婚するが、その際、中身はほとんど関係ない、というか、むしろ中身はないという意味である。

ところが、少なくともメラニアさんについての情報を得るうちに、ただの見かけだけの人ではないことがわかってきた。それはそうかもしれない。

夫婦は基本的に似た者同士でつがい、似ているほど長続きする傾向がある。これを「アソータティヴ・メイティング」という。似ているのは外見もそうだが、ものの考え方、学力なども含まれる。

そういう意味でメラニアさんもトランプ氏の妻として長く続いている以上、ものの考え方や知性、学力などについても遜色《そんしょく》のない人なのだろう。

ともあれ、トランプ氏は3人の妻の間に5人の子を得た。3人、1人、1人という内訳である。

これは繁殖戦略として、これ以上のものはないというくらいに大成功である。

もしただ1人の妻との間に5人の子をつくったら、どうだろう。それは遺伝的に似たり寄ったりの子が5人という意味である。もし何らかの伝染病が流行ったら、全員が助かるか、逆に最悪全員が犠牲になるかもしれない。

しかし、3人の妻の間にそれぞれ3人、1人、1人という遺伝的にばらけた子のつくり方をしていれば、誰かが犠牲になっても、誰かが助かるという可能性が大。全員が犠牲になることが避けられるのだ。これが異なる女性との間に子をつくることの意味だ。

トランプ氏のような大富豪は、かつての社会ならば一夫多妻を実行して異なる女性の間に子を得ていただろう。しかし現在ではたいていの国で一夫一妻制が法律で定められている。

その状況で異なる女性との間に子を得、しかも私生児としないためには、結婚・離婚を繰り返すしかない。

これを「シリアルモノガミー」という。連続的一夫一妻だ。トランプ氏はどこまで意識していたのかわからないが、浮気をときどきすることで結果的にシリアルモノガミーを実行することになった。そういう意味でも人生に成功した人なのだ。

とはいえ、ポルノ女優などから訴えられるなど、少々やりすぎた面もあるようだが。

市川猿之助　〝正気〟と〝狂気〟の橋を渡れ

いまだ謎だらけの、市川猿之助さんとご両親の心中事件。警察がかなり情報統制をしている感があるこの事件を、歌舞伎の一ファンとしてもう一度考えてみたい。

事件のあらましはこうである（最も詳細な『週刊文春』2023年6月1日号と同日付「文春オンライン」を参考にした）。

事の発端となったスキャンダル記事を報じる週刊誌『女性セブン』発売前日の5月17日、早刷りで記事の内容を知った猿之助さんは一門の弟子たちを集め、「記事に対し、強く対応していこう」と結束を呼び掛けた。その場にいた若手役者によれば、「事実と違う内容に対しては抗議したい」ということだった。実際、「記事にあったようなセクハラを（我々が）経験したことは一度ありません。聞いたこともありません」と、その若手役者は言う。

地方興行の際に猿之助さんが共演の役者たちにキスするなど過剰な性的スキンシップをしていたこと、コロナ禍にもかかわらずホテルでパーティーを開き、役者たちにいっしょに入浴することを強いたなど、セクハラ・パワハラ行為を日常的に行ってきたと『女性セブン』は報じている。性的指向については一言も触れられていないが、猿之助さんがゲイであることがすぐにわかる内容だ。

ゲイであることを暴露されたせいかどうかはわからないが、その日の夜8時、猿之助さんと両親はリビングで家族会議を開き、

「週刊誌にあることとないことを書かれ、もうだめだ。すべてが虚《むな》しくなった。全員で死のう。生きる意味がない。寝ている間に死ぬのが一番楽だろう」

ということになった。ちなみに父の四代目段四郎さんは、先代の猿之助さん（三代目、二代目猿翁《えんおう》）の弟である。

そして零時、両親が睡眠導入剤を服用（猿之助さんが病院で処方されたものをため込

んでいた)。警察の発表では両親の死は薬物中毒死であると報じられたが、私は首を捻《ひね》った。現在、病院で処方される睡眠導入剤はたいていベンゾジアゼピン系と呼ばれるものであり、大量に服用しても死ぬことはできないからである。

かつて睡眠薬を大量に飲むというのは自殺の定番のようなものだった。その時の薬はバルビツール酸系。しかし事故、事件が多発したため、病院で処方される睡眠導入剤はリスクの少ないベンゾジアゼピン系に変えられたのだ。よって、なぜ? と思った次第だ。

その後、「文春オンライン版」(5月29日)の記事によって、使用された睡眠導入剤の名前が判明した。服用したのは商品名「サイレース」。成分名はフルニトラゼパムである。やはりベンゾジアゼピン系の導入剤だ。実は私は20年以上にわたり、この薬を服用していた。2021年に医師と相談してやめたが、それは長期間の服用により、あまり効かなくなったためだ。

当然のことながら飲み始めの頃は効きすぎるくらいに効き、有効成分2ミリグラムのものを1錠飲むと、次の日は1日中起き上がれないほどだった。そこで4分の1とか2分の1に割って使用していた。それが長年の服用で耐性ができてしまったのだ。

猿之助さんのご両親はサイレースを10錠ずつ飲んだという。1錠の有効成分がどれほどのものかはわからないが、初めての服用なら、これですっかり意識を失ったに違いない。

しかし死には至らない。致死量は6グラムだから、死ぬためには数百錠、いや千錠というくらいに飲まなくてはならず、そんなことは物理的に無理であり、だからこそベンゾジアゼピン系睡眠薬では死ねないと言われているのである。

そこで猿之助さんはビニールの袋を両親の顔にかけたのである。そして早朝7時に歌舞伎の興行元である松竹に電話し、その日休むことを告げ、自分も死のうと睡眠導入剤を飲んだが、ビニール袋をかぶるのが難しくて死にきれなかったのだという。

この事件に対し、歌舞伎ファンの一人として言うなら、ゲイであることがわかったとしても、そんなことでなぜ死を選ぶのか、ファンは、いやファンでなくとも全然気にしないのに、ということである。セクハラ、パワハラだってどれほど信憑性《しんぴょうせい》のある話なのかわからない。

猿之助さんの性的指向については、歌舞伎ファンならみな薄々わかっている。47歳（事件当時）にして一向に結婚する気配も、熱愛の噂もないこともそうだが、そもそも四代目猿之助を襲名するにあたり、ある約束がかわされたという。猿之助さん（当時は亀治郎）としてはゲイゆえに結婚もしないし、子もつくらない。よって四代目猿之助は自分が継がせてもらうが、五代目は九代目中車《ちゅうしゃ》（香川照之）さんの子、團子《だんこ》くんに継がせるという中車さんとの約束である。

中車さんは三代目猿之助さんの長男でありながら、両親の離婚により、母方に引き取られて歌舞伎とは無縁の人生を送ってきた。しかし子どもだけは歌舞伎役者、それも主役をはれるような役者にしたい。そこで亀治郎さんを始めとする一門などと相談した結果、先の約束とともに香川照之さんの中車襲名、当時7歳だった香川さんの長男・政明君の團子襲名を同時に行う運びとなったのである。

ゲイであったとしても、ほとんど誰も気にしない。けれど、本人にしてみれば事情はまるで違ってくる。今回の場合、カミングアウト（自分から打ち明ける）ではなく、アウンティング（本人の了解なしに第三者に暴露する）だったのだから。この事件の最大のポイントはここにあるのだろう。

役者など芸術にかかわる者は普通の人ではない、とにかく普通の人には絶対にできないことをしていると、私は常々思っている（これは性的指向の問題とはまったく別である）。

特に舞台俳優を見ていて思うのだが、舞台に立つときにはどの俳優も一種の〝魔界〟に入っている。その世界に入るにはよほど特殊な才能を持っているか、訓練が必要だろう。

動物行動学の研究によれば、独創性を発揮するためには、直線的ではなく、ゆるやかにカーブを描くように体を動かすのがポイントであることがわかっている。つまり周囲の安全がまず身体的に確認でき、さまざまな制約が取り払われた状態にあることが必要なのだ。

もちろん、だからといって役者なら、なんでもありではない。迷惑行為、人の道に反することが許されるわけではない。ただ魔界に入るには、普通でいることや日常を引きずっていることは妨《さまた》げとなる。

『週刊文春』の当該の記事に『スーパー歌舞伎　ヤマトタケル』などの脚本を提供し、三代目猿之助さんと一体となって歌舞伎を盛り上げ、当代の猿之助さんが師と崇《あが》める故・梅原猛氏の言葉が紹介されている。

「芸術とは正気と狂気の間の狭い橋を大胆に、そして慎重に渡るものである」

いつかまた正気と狂気の間を渡るさまを見せてほしい。

ハーフ役者の登場で歌舞伎界に変化の波が

2023年10月、東京・東銀座の歌舞伎座で「文七元結物語」が上演された。元結は「もっとい」と読む。髷《まげ》を束ねる紐のことである。

本来は三遊亭円朝作の「人情噺文七元結」として上演されるが、山田洋次監督が演出し、脚本も少し変えているため、このタイトルになった。

注目すべきは女優の寺島しのぶさんが、主人公の左官長兵衛の妻、お兼を演じていることだ。

寺島さんは七代目尾上菊五郎さんの娘で、歌舞伎の家に生まれたが、女であるために歌舞伎役者の道に進むことを断念し、舞台や映画で活躍する女優になった。しかし今回、長兵衛役の中村獅童さんが寺島さんをお兼役に推薦したこと、山田監督の演出という、いささか歌舞伎のハードルが下がったためであろう、出演が決まったようだ。

実は歌舞伎に女性が出演するとしたら、それはまだ女の子である間である。歌舞伎の世界では、男の子と同じ部屋で着替えても気にならない年齢までと言われている。

過去に十八代目中村勘三郎さんの姉である波乃久里子《なみのくりこ》さんが13歳のとき、やはり「文七元結」で長兵衛の娘、お久を演じたが、それはぎりぎり女の子であったからだろう。

しかし波乃さんは22歳のときにもお久を演じ、初代藤間紫《むらさき》さんも1968年にお兼を演じたが、これらは例外中の例外となる。今回の寺島さんのケースも同様である。

それでも寺島さんが、なぜあえて出演に踏み切ったかというと、2023年5月より尾上真秀《まほろ》の芸名を名乗ることになった息子・寺嶋真秀さんの将来のためであるかもしれない。

寺島さんの御主人はフランス人のローラン・グナシアさんというアート・ディレクターである。よって真秀君は日仏ハーフだ。そうなるとハーフの歌舞伎役者がはたして成り立つのかどうかだが、過去に一例だけ存在する。

十五代目市村羽左衛門（1874〜1945年）である。父はフランス系アメリカ人で、南北戦争時は北軍の軍人だった。明治の初め、外交顧問として日本に招聘《しょうへい》されたが、その手腕を買い、帰国させたくなかった日本政府は芸者の池田いとをあてがった。

こうして、のちの十五代目羽左衛門が生まれたのだが、外国人との間の子が大変珍しかった当時だけに、おもに母親の意向により出生後まもなく養子に出された（このあたりの事情は竹田真砂子『花は橘』〈集英社〉による）。そして十四代目羽左衛門がその美貌に注目して養子とし、芸を仕込んだ。

このように二度も養子に出されたことで出自があいまいとなり、十五代目羽左衛門はあくまで日本人なのに日本人離れした美貌と声や姿の美しさの持ち主として大人気歌舞伎役者となるのである。十五代目羽左衛門がハーフであることは長らく歌舞伎界のタブーだった（ちなみに羽左衛門に実子はない）。

こうしてみると尾上真秀君は初めからハーフとわかっている初の歌舞伎役者なのである。真秀君は2023年2月にフランス大使館公邸において「初代尾上真秀」を名乗ることを発表し、フランス語、日本語の両方で挨拶している。また、同年5月のインタビューでは、真秀の名を子孫に受け継がせたいとも語った。

この2つの事柄は一見何でもないこと、微笑ましいことのようだが、結構深い意味があると思う。前者は日仏両方に軸足を置くこと、後者はその2カ国に軸足を置いた真秀の名を後世に伝えたいということではないだろうか。

歌舞伎は日本に固有の文化だが、さまざまな分野の人々とのコラボレーションや外国の文化の良い面を取り入れることはもちろんありだ。

ほんの一例だが、下駄で踊る「高坏《たかつき》」はタップダンスの影響を受け、しかも日本流に昇華させている。こういうことはまったく問題ない。しかし、もし異国の文化と融合してしまったとしたら、日本固有の文化という意味がなくなってしまう。

寺島しのぶさんを批判するわけではないし、よけいな心配事かもしれないが、例外とはいえ女性が歌舞伎に出演すること、ハーフのご子息が歌舞伎役者となり、日仏の架け橋になりたいとか子や孫にも継がせたいと願うなど、一つひとつは小さくても、なしくずしにそれらが既成事実化してしまうこと――そのことが日本固有の文化を平板化させ、日本人しかわからない、日本人の琴線に触れるような部分が失われることにつながるとしたら、それは避けなければならないはずだ。

アカデミー賞授賞式　露骨なアジア人差別が行われた？

第96回米アカデミー賞（2024）授賞式での出来事が話題になった。

助演男優賞に選ばれたロバート・ダウニー・ジュニア氏が壇上に上がり、前年度の受賞者であるキー・ホイ・クァン氏がオスカー像を手渡そうとしたときのことだ。ダウニー氏はクァン氏と目を合わせることもなく、オスカー像を片手で奪い、壇上にいた別の俳優とハグし、また別の俳優とグータッチしたあとでスピーチを始めた。クァン氏はベトナム出身である。

さらに主演女優賞を受賞したエマ・ストーンさんは壇上に上がったのち、前年度受賞者のミシェル・ヨーさんと目をあわせたが、オスカー像を摑むと、それごとヨーさんを引きずるようにして隣の女優ジェニファー・ローレンスさんに近寄り、まるで彼女から手渡されたかのようにして見せた。

ヨーさんは中国系マレーシア人である。

私はこれらの動画を見て自分の過去の体験が蘇《よみがえ》ってしまった。

これは弱い者、毅然《きぜん》として抗議をすることのできない、気も弱ければ、腕っぷしにも自信のない者に対するいじめだ。まるでそこに存在していないかのように扱うという古典的ないじめ方……。

この2人の態度はたちまちSNS上などで話題となり、人種差別だと指摘された。

するとアカデミー賞の運営側は、ステージ裏でダウニー氏とクァン氏が握手する写真を発表。クァン氏も同じ写真をＳＮＳで発表した。ストーンさんも、ヨーさんがジェニファーさんにオスカー像を持たせるアイデアを出したのだと述べ、ヨーさん自身もまたストーンさんを擁護した。

しかしながら、これらは単なる火消しのための弁明だろうというのが大方の見方である。これによってアジア人は人種差別を訴えるのではなく、白人社会に貸しをつくっているのではないかという意見さえもある。

この事件について、海外でのアジア人差別の実態をよく知る人々が動画をあげたり、コメント欄で多くの実体験を語ったりしているので紹介したい。

まず、ハリウッドで20年間、俳優として活躍している松崎悠希《まつざきゆうき》氏によると、ハリウッドは昔から差別の温床《おんしょう》であり、彼には典型的なアジア人の役ばかりで、特別なキャラクターを持った人物の役が与えられることはないという。

ほかにも、スーパーのレジでアジア系は店員に声さえかけてもらえないとか、レストランでは決まってひどい席に案内されるとか、とにかく舐《な》められているとしか思えない体験談ばかりだ。欧州のプロサッカーチームで活躍する日本人選手が優勝トロフィーを掲げると、そのときだけカメラが客席とか、関係ない場面を映し出し、存在しない人物として扱われるという。

バイリンガール・ちかさん（Bilingirl Chika）というユーチューバーがいる。彼女は父親の仕事の都合で小学1年生の頃、米国シアトルに移住し、そのためバイリンガルになったのだが、動画にしばしば登場する、ワシントン大学時代からの数人の親友が全員アジア系なのだ。学生時代ならいろいろな人種と友だちになっても不思議はないし、ちかさんの気さくな性格なら当然そうなるはずなのだが、そんなところにも人種の壁があるようだと前々から思っていた。

なぜアジア系が差別されるかという点について、多くの人が述べているのは、黒人差別はただちに報じられるが、アジア人差別はニュースにならないことだ。それは、黒人は差別された歴史があるうえに、差別されたらすぐに反論するからだという。

確かに黒人は奴隷として扱われた長い歴史があるし、公民権運動など差別反対の運動の歴史もある。黒人が白人の警官によって逮捕される際に、不当な扱いを受けたり、ましてや亡くなったりすれば、大規模な抗議運動が起こり、場合によっては暴動になりかねない。

一方、アジア系の場合、奴隷にされたというようなはっきりとした差別の歴史があるわけではなく、多くはその存在さえ無視される。よって反論もしにくいし、大人しいアジア人は反論することをためらってしまう。そんなところに同じ人種差別でも違いが生まれるのだろう。

ここでひとつ、知っておいたほうがよいと思うのは、三大人種（ニグロイド、モンゴロイド、コーカソイド）の攻撃性の違いである。

三大人種はさまざまな要素において、ニグロイド（黒人）とモンゴロイド（アジア人）が両極端に位置し、コーカソイド（欧米人）が中間に位置する。性的に成熟するまでの年数、性的経験の数、子の数、寿命（モンゴロイドが最も長い）、二卵性双生児など一度に生まれる子の数、生殖器のサイズ、セックスの頻度などである。攻撃性についても同様で、ニグロイドが最も高く、モンゴロイドが最も低い傾向がある。

それは三大人種が過去に受けてきた淘汰《とうた》の歴史によるもので、それぞれが環境などに適応した結果である。攻撃性が高いからよい、低いからよくない、というものでもない。

人種差別の問題において、アジア人は大人しいから舐められる、もっと毅然として反論すればよいという意見があるが、本来持っている性質としてなかなかそうはいかないのである。

少なくとも言えるのは、このような淘汰の歴史があることを理解することが差別解消のための一助となるのではないかということだ。

今回のアカデミー賞受賞式では、これまでと違い、前年度の受賞者に加え、数名の歴代受賞者を登壇させる演出がなされた。前年度の受賞者だけだと、助演男優賞と主演女優賞の受賞の際、壇上にいるのはアジア系俳優だけということになる。今年度の受賞者がいつものように彼らを無視したら、それはあまりにも露骨なものになってしまっただろう。

そのような事態は十分予想できた。だから、主催者側は非アジア系の数名を壇上に上がらせることにしたのではないか——そんな疑いさえ抱いてしまった次第だ。

2章

松川るい、三浦瑠麗、グローバリスト……

世の中はおかしな〝高学歴バカ〟であふれている

学力と無関係の「前頭葉バカ」はマスクを決してはずさない

精神科医の和田秀樹先生にいただいた新刊『前頭葉バカ社会　自分がバカだと気づかない人たち』（アチーブメント出版）が実に痛快だった。

そもそも前頭葉のおもな働きは、

・思考する
・創造性を発揮する
・やる気を出す
・行動や感情をコントロールする
・コミュニケーションをとる
・集中力を高める
・応用力を高める
・変化に対応する

といったものであり、ＩＱとは別ものである。

実際、1940年代には、統合失調症などの精神疾患を持つ患者に対し、前頭葉の一部を切り取って治療するというロボトミー手術が盛んに行われていたが、手術の前後でIQにまったく違いは出なかった。前頭葉はIQ、つまり普通の知能には関係しないのである。

そして前頭葉を正しく使えていない状態を「前頭葉バカ」と呼ぶことにした。具体的な状態としては「自分の頭で考えない」「変化を嫌う」「前例を踏襲する」「創造性を発揮できない」「意欲が湧かない」「新しいチャレンジをしたがらない」などがある。

どれもこれも学力などとは無関係であり、いかに偏差値の高い大学の出身者であろうが、前頭葉バカは前頭葉バカなのである。

そして恐ろしいことに前頭葉は、脳の中で最初に老化する。「ああ、あの人、名前なんだったっけ」と、我々は記憶の衰えにより、脳の老化を実感するが、実は記憶をつかさどる海馬《かいば》よりも前頭葉のほうが老化は早いというわけなのだ。

前頭葉バカから脱するにはまず、自分がバカであることに気づくこと、気づいたら認めること、認めたらバカを治そうとすることだろう。

治す方法としては、先にあげた前頭葉バカの状態の逆、つまり「自分の頭で考える」

「変化を好む」「前例を踏襲しない」「創造性を発揮する」「意欲を燃やす」「チャレンジする」などを実行することだ。

この本には前頭葉を駆使したものの考え方の素晴らしい例がいくつも登場するが、特に感動したのは高血圧、糖尿病などの基礎疾患に対する考えだ。

実は和田先生は高血圧も糖尿病も抱えており、なおかつコロナ禍においてPCR検査で陽性反応が3度も出た。にもかかわらずコロナは発症しなかった。それはなぜかと考えたとき、前頭葉が出した答えは、基礎疾患自体がコロナ罹患時に危険なのではないということ。基礎疾患に対する薬の出しすぎで血圧や血糖値を下げすぎる。その結果、免疫力を落とし、コロナを重症化させているのではないかということだった。

和田先生が持病の薬をどれほど服用されているかは書かれていないが、先生のかかわっている高齢者施設では高血圧も糖尿病もあまり積極的には治療していないとのこと。ご自身もその方針に従っているのだろう。

2023年4月、私はいつものスーパーMに連れと出かけた。その帰り道、和田先生の本を読んだ影響から、この期に及んでもまだマスクを着用している、前頭葉バカの連れに本気でいらだってしまった。すると、

「だってMに『マスク着用お願いします』って張り紙があるじゃない」

「あんたはあほか。その張り紙は去年、いや2021年からずっと貼られたまま。ただ惰性で貼られているかもしれないのに従うバカがいる？」

「いや、でもMが『マスク着用お願いします』と張り紙をしていたら従うべきだ。実際、お客の大半はマスクを着用してたじゃないか。してないのはお前くらいだ」

「あのね、なんでMに従わなきゃならないの？　厚労省でさえ、3月13日に『マスクは個人の判断』『本人の意思に反して着脱を強いることはないよう』と通達を出しているのに」

「いや、それでもMがマスクをお願いする以上は従うべきだ」

同じ答えを繰り返すだけ。

「今日は何年何月何日ですか？」という問いに、「令和5年6月7日です」と答えたとする。

「あなたの生年月日は？」

「令和5年6月7日です」

「次の大事な予定はいつですか？」

「令和5年6月7日です」

このように違う質問に対してさえ、まったく同じ答えを繰り返す現象を「保続《ほぞく》」という。それは前頭葉の機能が落ちた時に現れるとのことだ。

〝悪魔のコロナワクチン〟にお墨付きを与えたノーベル賞

ノーベル生理学・医学賞が2023年10月2日に発表された。受賞したのは米国ペンシルベニア大のカタリン・カリコ氏と同大のドリュー・ワイスマン氏である。受賞理由は新型コロナウイルスのmRNA（メッセンジャーRNA）ワクチンの実用化を可能にしたことだ。この知らせに怒髪天《どはつてん》をつくほどの怒りを覚えた。

2022年の同賞は、わが意を得たものだった。受賞者はわれわれ現代人の祖先がはるか昔にネアンデルタール人と交配し、ヨーロッパ系・アジア系の人間なら、ネアンデルタール人の遺伝子を2〜3%くらい持っていることを証明したスヴァンテ・ペーボ氏。10年以上前から氏の受賞を確信していた私は「やったー」と叫んだくらいである。

ちなみに、なぜヨーロッパ系とアジア系かというと、われわれの祖先がアフリカを出たあと、ユーラシア大陸で旧人類のネアンデルタール人と交配したからである。とはいえ、アフリカにルーツがある人でも、ヨーロッパ系、アジア系と混血していれば話は別で、ネアンデルタール人の遺伝子を持っている。

いずれにしろ純粋な科学上の大発見であり、これからこの分野がどう発展していくのだろうかとワクワク、ドキドキ、夢や希望を大いにかき立てられたものだ。ところが今回は正反対である。怒りと失望しか湧いてこない。

mRNAワクチンの発明自体はアメリカのウイルス学者、ロバート・W・マローン氏による。ウイルスの表面にはスパイクタンパクなるトゲ状のものが刺さっている。そのタンパクの遺伝情報に相当するmRNAを体内に送り込めば、スパイクタンパク自体がまず生成され、スパイクタンパクに対する抗体もつくられる。こうしてウイルスに対する免疫が得られるというわけである。

ところが、このmRNA本体を構成する物質が炎症を引き起こすという困った問題があった。カリコ氏らは炎症のもとになる物質ウリジンを、構造が似ているシュードウリジンという物質に置き換えて、この問題を解決した。

そこで、いよいよ新型コロナのｍＲＮＡワクチンの実用化が始まったというわけである。しかし、このワクチンは十分な治験を経ておらず、安全性が確認されないまま、ほとんど治験が目的であるかのように人々に投与された。また、いくつもの危険性が指摘されている。

具体的にどう危険なのかはｍＲＮＡワクチンの発明者である、マローン氏のXを見てみるとよくわかる。

２０２３年10月2日のXでは、

「カリコとワイズマンがノーベル賞を受賞したのは、ｍＲＮＡワクチンを発明したことではなく、安全に開発されていれば効果的なワクチンプラットフォームになった可能性のあるもので、無制限のスパイク毒素の製造を可能にするシュードウリジンを追加したことによるものである」

非常にわかりにくい翻訳だが、要するに、ｍＲＮＡワクチンはシュードウリジンの導入によって炎症を起こさないようになったために実用化されたが、それは同時にスパイク毒素を無制限につくり出し、ワクチンを安全でないものとさせた、そんな恐ろしいものをつくったために受賞したと皮肉っているのだ。

スパイクタンパクの毒性としては一般的に、脳、神経、心臓、血管、凝血、生殖システム、免疫システムなどへの悪影響が指摘されている。

マローン氏はウィキペディアに「このワクチンに対する誤情報を流していると批判されている」と記載されているが、ウィキペディアの内容も大きな勢力によって操作されている可能性は大いにある。

マローン氏はXで、ビッグファーマであり、今回のワクチンで一番儲けたファイザー社が、ノーベル生理学・医学賞の選考機関であるスウェーデンのカロリンスカ研究所に多額の寄付をしており、ずぶずぶの関係であることも暴いている。

今回のノーベル生理学・医学賞がどのような影響を及ぼすかといえば、まずノーベル賞のお墨付きを得たということで、特に日本でこの危険なワクチンをありがたがって接種する人々が増えるのではないかということだ。

実際、2023年9月20日から2024年3月31日まで「令和5年秋開始接種」として、XBB・1・5なるオミクロン株対応のワクチン接種が行われた。

もっと恐ろしいのは、ノーベル賞のお墨付きを得たということで、これまでの被害が闇に葬《ほうむ》られ、それどころか、ほかのワクチンにもシュードウリジンを導入したmR

NAワクチンの技術が使われるのではないかということだ。これを防ぐには個人の覚醒しかないが、いくら訴えてもまったく聞く耳を持たない人が多いし、それどころか事実を語ったばかりに友だちをなくすケースも驚くほどある。

もっともその一方で、私の知人はこんな救済案を出してくれた医師と出会っている。「職場でどうしても接種義務があるのなら、生理食塩水を打っておきましょうか」

医師のなかにもわかっている人々は確実にいる。医師と一般人がどう大きな勢力と戦うかに、決して大げさではなく、人類の今後がかかっているのだ。

次の日本人ノーベル受賞者はいつになることやら

2000年以降のノーベル賞自然科学部門における日本人の連続受賞にはすさまじいものがあった。

2000年は白川英樹氏の化学賞、2001年は野依良治《のよりりょうじ》氏の化学賞、2002年には田中耕一氏の化学賞と小柴昌俊氏の物理学賞のダブル受賞。以後6年間の空白があるが、2008年には南部陽一郎氏、小林誠氏、益川敏英氏による物理学賞の共同受賞と下村脩《おさむ》氏の化学賞と、空白期間を取り戻すかのような受賞者ラッシュ。以降は1年のブランクはあったとしても日本人受賞者が絶えることはなく、私は産経新聞の正論欄で何度も記事を書かせてもらった。

ところが、2021年の眞鍋《まなべ》淑郎《しゅくろう》氏の物理学賞以降は、受賞者なしである。

それだけで結論づけるのは早計だが、もしかすると日本の基礎科学研究のストックが尽きてきたのかもしれないし、資源の乏《とぼ》しい日本では基礎研究が国力の根幹をなすはずだが、疎《おろそ》かにされているのではないか。

実際、研究の質をあらわす、論文の引用される件数、研究環境、教育・学習環境の3つを主な評価対象とした世界の大学ランキングでは、日本の大学の凋落《ちょうらく》が深刻だ。中国の清華大、北京大の後塵《こうじん》を拝しているほどである。

もっとも中国の大学では、中国人どうしで盛んに論文を引用し合い、あたかも論文の質が高いかのように操作していることがわかっている。中国の大学は我々が思うほどレベルは高くないかもしれない。

しかしともあれ、日本の大学が凋落してきていることは確かで、この状況を受け、岸田政権では世界トップレベルを目指す大学の研究を政府が支援する「国際卓越研究大学」なる制度が始まった。10兆円の基金の運用益で数校を対象に、1校につき年間数百億円の助成金を与えるというものだ。

文科省が２０２２年末から２０２３年3月末までの期間に公募したところ、早稲田大、東京理科大、東京科学大、筑波大、名大、九大、京大、東北大、東大、阪大の10の大学が名乗りをあげた。各大学は研究等体制強化計画第一次案を提出しており、文科省はこれをもとに大学側との面接や視察、計画のブラッシュ・アップなど段階的審査を経て、２０２３年9月初め、東北大を選出した。高い目標と改革意欲を示していることが評価されたという。

東北大とは意外と思われる方もいるだろうが、同大学は日本で初めて女子大生3人を誕生させた大学である。今から１１０年前の１９１３年、正規の大学が、東大、京大、東北大、九州大の4つの帝国大学しかなく、しかも、おもに旧制高等学校の男子生徒にしか進学の道が開かれていなかった時代に、女子にも門戸を開いたのだ。２０２３年9月30日に秋篠宮佳子内親王殿下が同校の「女子大生誕生１１０周年」の式典に出席され、お言葉を述べられたことは記憶に新しい。

それはともかく、科学技術研究を政府が支援するにあたり、注意しなければならないことがある。

実は平成7年（1995）に制定された「科学技術・イノベーション基本法」により、政府は「科学技術基本計画」を策定。科学技術政策を長年にわたり実行してきた。平成8年（1996）から令和2年（2020）までの5期にわたってである。

しかし、それは科学技術施策の「選択と集中」と言われる路線であり、研究はおのずと短期的成果や経済波及効果を追う形にならざるを得なかった。

国際競争力を高めようとしたのに、逆に科学研究力が驚くほどに低下した。基礎研究はおろそかになり、研究そのものが活力を失ったのだ。産経新聞の「主張」欄では、「選択と集中」路線の反省とともに「選択と集中」に「広く厚い支援」を加えて一体化させ、高い頂点を築くために広く厚い裾野が必要だとしている。

国際卓越研究大学の場合も、この痛い経験を活かさないと同じ過ちを冒すことになる。真っ先に選ばれた東北大学は、選定の理由となった高い目標と改革意欲で、政府は幅広い支援で、それぞれ高みを目指す努力と支援をしていくべきだろう。

件《くだん》の世界の大学ランキングだが、イギリスの教育誌、『タイムズ・ハイアー・エデュケーション』が調査し、発表しているところによると、2023年版では上位5位が、オックスフォード、ハーバード、ケンブリッジ、スタンフォード、マサチューセッツ工科大学で、9月27日に発表された2024年版ではオックスフォード、スタンフォード、マサチューセッツ工科大、ハーバード、ケンブリッジと、あまり代わり映えしない。

ところが日本の大学は同様に、東大39位、京大68位、東北大は201〜250の範囲だったものが、2024年版では東大29位、京大55位、東北大130位、阪大175位、東工大191位と、軒並み上昇している。

大学ランキングによって危機感を持った大学が、自ら内部の改善に乗り出した結果であると考えたい。まさか日本人が中国式ごまかしなどしないはずだ。

似た者同士の松川るい・三浦瑠麗　東大卒女子のこんな共通点

自民党女性局の局長（当時）、松川るい氏が、女性局の海外研修で訪れたパリのエッフェル塔を背景にした「エッフェル塔ポーズ」の写真をSNSに投稿し、炎上した事件があった。2023年7月のことだ。

そうしたところ、あの国際政治学者の三浦瑠麗氏が同年8月1日、自身のSNSで擁護のコメントを投稿した。

「いまのSNSは危険すぎるからお勧めできないけれど、エッフェル塔行って記念にポーズとるってふつうの発想だよね」

「公金が入っているって言いだしたら、公共事業の請負業者もそうだし、学校の先生も遊べなくなる。学者も出張ついでの観光は抜きに」

「仕事もいきいきと楽しんでやってほしいと思うな。若者の政治家を増やそうと言ってるんだから。エッフェル塔で写真は撮らないようにって次から指導するのかね」

この発言は『スポニチ　アネックス』が記事としたが、ヤフーニュースに転載され、コメントが1000件以上も寄せられた。返信も多く、グッドが1万以上もつく事態となった。

だが、前2つの発言はいいとして、最後の発言は何だかずれてはいないだろうか？

仕事を楽しむかどうかはこの際関係ないし、またエッフェル塔で写真を撮るのはいいが、それを能天気にSNSにあげたところに問題点があるのに「エッフェル塔で写真を撮らないよう次から指導するのか」というのも的はずれだ。

これに対する返信を抜粋してみよう。

「政治家として有権者に向けた発信は、そのような観光旅行であっては困るのだ。こういう緊張感のない発信を、『楽しんでほしい』などと甘やかすのは自称国際政治学者や自称脳科学者くらいのものである」

「自分たちも研修旅行で観光もするが、わざわざSNSにアップなんてしない。なぜなら松川氏のようなことになるのは明らかだから」

政治家でなくとも研修旅行の観光部分はSNSに投稿しないようだ。

「研修中の様子だけでよかった。自民党への国民感情がよくないタイミングで空気の読めない写真チョイスで投稿。これがよくない」

まさにおっしゃる通り。

「ズレてる人をさらにズレてる人が評するとこうなるという好例」

「三浦氏のインスタにあげてるセレブ生活もやっていることは同じ。バカとしか言いようがない」

「夫の事業を援護射撃してきたが、豪華生活一転。今、再び政治家にこびる、取り戻そうとしている」

三浦氏の夫、清志《きよし》氏は2023年1月に会社と自宅を家宅捜索され、3月には業務上横領の疑いで逮捕・起訴された。これを機に瑠麗氏は豪華マンションや事務所を引き払ったといわれ、清志氏とも離婚した。

これらのコメントにもあるように、そもそも松川氏と三浦氏には共通点が多い。2人とも東大卒、それぞれの夫も東大卒、安倍晋三元首相と親しかった、上から目線のもの言いをし、しかも失言が多い、何を言っているのかわからない、そして何よりずれていることだ。ついでに顔の傾向が似ており、ロングヘアーのところも。

そう思っていたら、『日刊ゲンダイ　デジタル』に「顔も言動も三浦瑠麗氏ソックリ？　〝お気楽研修写真〟投稿の松川るい議員は『失言炎上』の常習者」という記事が登場した。

松川氏が同年3月ツイッターで「子供にとってコロナ対策のマスクなど百害あって一利なしだと思います」と根拠なく述べて炎上。同じく3月に参議院予算委員会でのコロナ、高齢者施設への対応をめぐる質疑の中で「高齢者は歩かない」とヤジを飛ばし、謝罪に追い込まれたことをあげ、さらに2020年9月に大坂なおみさんが人種差別に抗議するため黒いマスクをつけて全米オープンテニスに出場、優勝した際、S

ＮＳで「米国警察は黒人の命を軽視するのはやめてほしい」と発言して自民党支持者に抗議されたことをあげている。

この「米国警察」云々は松川氏が物事をいかに表面的に、一方的に見ているかを物語るものだろう。その後、「ほとんどの警官の皆様は命懸けで市民を守っています。それにもかかわらず、軽率なコメントをしてしまったことを関係者の方々に心からお詫び申し上げます」と謝罪し、発信の撤回をしている。そう、ひと言でいえば軽率なのだ。

このゲンダイの記事にはネットの声として、

「三浦瑠麗がテレビから消えて松川るいのテレビの露出が多くなった」

「三浦と同じレベルのひと言で言えることを冗長にして何言っているかわからないようにする天才」

「専門用語などが口に出るが矛盾が混在し、論として全く成立しない」

といった意見が寄せられている。みなさん大変手厳しいが、本質をついていると思う。

結局、松川・三浦両氏に言えることは、学校の勉強は極めてよくできるが、学んだことをもとに独自の意見を構築するのがあまり得意ではないらしいということだ。しかしプライドだけは高い。とりあえず発言するが、それは知識の披露と専門用語で埋め尽くされる。しかも、ときどき文脈がどうしてそういう飛び方をするのか理解に苦しむほうへ飛び、結局何を言っているのかわからなくなってしまう。そうすれば反論を封じることができるからだ。

こういう話し方は今では「東大話法」と呼ばれるものだが、私はすでに50年近く前に気がついていた。高校を卒業して1年が経過したとき、高3のクラスの同窓会が開かれた。私のような浪人組に配慮して1年遅れにしたのだ。

そのとき東大の文系学部に現役で進学した連中が、揃いも揃って独特の、変な話し方を身につけていることに気がついた。結局、東大話法とは、独自の意見を求められたとき、勉強ほどには力を発揮できない人々の、バカにされないための保身術のようなものではないだろうか。一方、どんなに稚拙《ちせつ》な意見であろうともオリジナリティさえあればOKというのが、私などが持つ価値観である。

しかし東大生や東大出身者の場合、プライドが邪魔をする。よって下手な意見は言わず、反論を封じ込めることに力を注ぐ……。

松川・三浦両氏の、とりあえず言ってみたら失言だったとか、ずれている、何を言っているかわからないなど、いろいろと残念な点は、もしかするとプライドを死守しようとするところに原因があるのではないだろうか。もちろん東大関係者すべてがそうではないのだが。

ＬＧＢＴ法成立の先に待つ〝おぞましい世界〟

２０２３年6月9日、多くの人々の反対の声も虚《むな》しく、ＬＧＢＴ理解増進法が衆議院で可決された。「性自認」が「性同一性」と言い換えられた自民党の修正案は、この過程で「ジェンダーアイデンティー」とカタカナ表記となってしまった。もととなる英語をカタカナにしただけで、性自認も性同一性も両方含むニュアンスとなったのだ。

もっとも一方で、女子トイレ、女湯などで女性の権利が侵害される恐れに対しては「すべての国民が安心して生活できるよう留意する」という言葉が盛り込まれ、最悪の事態は免れたようだ。

しかしながらＬＧＢＴ法は、よく言われるように、同性婚、選択的夫婦別姓、そして日本では皇統破壊への入り口となっている。家族や社会をバラバラにし、国家をも弱体化させようとするグローバリストたちの一連の企みの途上にあるものだ。

ＬＧＢＴ法には実は、まだあまり知られていない、隠された企みもある。２０２３年４月17日のアメリカＦＯＸニュースほか反グローバリズムのメディアが伝えたところによると、国連とグローバリストは、なんと未成年者との性行為を犯罪と見なさないことを目指しているという。

その中心となっているのが国連のうちでも最も人権に取り組むべき機関である国際法律家委員会というのも問題だ。

その言い分とは、小さな子どもにも、性的な意思決定をする能力と法的な権利との両方がある、というのである。つまり、ＬＧＢＴを入口として最終目標は子どもの人権である。小さな子どもにも性的な意思決定をする能力もあれば、法的な権利もある――そのような流れにしたいわけである。

とはいえ小さな子どもが性的なことについて、はたして自分で意思決定を下すことができるだろうか？　いや、できないからこそ、子どもを性被害から守るために小児性愛を取り締まる法律があるのだ。

ところが、この点をクリアするためにグローバリストたちは、すでに手を打ってい

る。オランダのジャーナリスト、デヴィッド・ソレンセン氏によると、国連、WHOなどの見解は、

・子どもは0歳から性的な対象である
・セックスをすることが彼らの人権である
・すべての子どもは性的パートナーを持つ必要がある
・そのため学校教育によってできるだけ若いうちから導かれなくてはならない

具体的には、

・9歳からマスターベーションを教えるべき
・0〜4歳で自分の体に触れる楽しさ、喜びと幼児期のマスターベーションを教えよう
・6〜9歳にはインターネットも含むメディアでセックスについて教えるべき
・子どもが9〜12歳から、性的体験をするかどうかを意識的に決定することができるようアドバイスをする

といったことである。

後半の具体的な部分は一見、早めの性教育のように思われるが、よく考えると時期早尚にもほどがある。そして9〜12歳で性的体験をするかどうかを意識的に決定でき

るようにするとは、私的経験からしてもいくら教育しても無理だと思われるが、無理でも何でも、この年齢で「性的に合意」できるよう、構わず指導せよということだ。

子どもが性的に合意さえしていれば、性的な行為でも、なんら問題はない。これが小児性愛を合法化させるための布石なのである。小児性愛がどうしてそんなに問題なのかと普通の人なら不信に思ってしまうが、エプスタイン事件に見られるように、なぜかグローバリストのエリートたちには小児性愛がつきものなのだ。そして小児性愛を無罪化するために、さまざまな仕掛けが行われている。

世界は、我々の理解をはるかに超え、進行しているらしい。

繁殖の妨害をめざすフェミニストの“意外な敵”

月島さくらさんというAV女優と『WiLL』（2024年1月号）誌上で対談をした。月島さんはご多忙の様子だったが、おそらく本業のほかに女性の権利を守るための活動もしているからだろう。

2022年6月、AV新法なる法律が施行された。正式には「AV出演被害防止・

救済法」と言い、成人年齢が18歳に引き下げられたことを機に、出演契約をめぐる被害を防止するためにつくられた。

塩村あやか参議院議員が中心となり、超党派の議員立法で成立を急いだが、その際、「被害者支援団体」の主張のみを頼りに、密室で3カ月、国会で1日審議しただけ。AV女優や監督、制作会社など当事者への聞き取り調査はなされていない。

なんでも塩村氏は「AV人権倫理機構」を業界団体だと思い、話を聞いたとしているが、この団体は弁護士、憲法学者、犯罪学者などからなっていて、とてもではないが、現場の実態を知る当事者ではない。しかも聞き取りの時間が1分20秒と5分の2回だけというお粗末さだ。

結局、AV新法は現場を知らない人々による、AV女優は被害者である、彼女たちは男に強要されてやっているという思い込みと、自分たちはよいことをしているとの自己満足のためにつくられ、成立したフシがあるのである。

AV業界は大きな被害をこうむることになった。何しろこの法によれば、撮影の1カ月前にスタッフ全員と契約をかわす義務があるので、その間は撮影ができない。また、その間にたとえば女優が病気で出演できなくなると、従来なら代役を立てることが可能だったが、それができなくなり、契約自体が白紙となる。さらに撮影が終わって4カ月間は公開できない。

よって女優への仕事のオファーが減るし、プロダクションや制作会社も資金繰りに苦しむことになった。月島さんのような人気女優でも、2022年の出演作はその前の年よりもはっきり減っている。

結局、この新法ができたために、リスクの高い個人作品や裏AVに転職する女優も現れるという本末顚倒の現象が起きているのである。

そして驚いたことに「被害者支援団体」はAV新法の成立とともにNPO法人となり、内閣府男女共同参画局から助成金をもらうことになったという。

となると、この団体がAV女優を救うというのはただの口実であり、こちらが本丸。AV女優には被害者であってもらわなくてはならず、それゆえ、あえて当事者に聞き取り調査をせずに法を通す必要があったのではないだろうか。

実際のAV業界は、ただでさえ女優が男たちに強要されてはいないかと疑われる業界であるため、自浄作用が働く仕組みとなっている。女優はいやなら、どの段階であっても撮影を断ることができる。そのような過程はすべて録画されている。そして、そもそも女優は自分の意志で業界に入るのだ。

月島さんは２０２０年7月にＡＶ新法改正を呼びかける署名活動の共同発起人となり、２０２２年10月には女性の多様な生き方を支援するグループ、一般社団法人「siente《シエンテ》」を立ち上げ、忙しく活動している。

そうするといったい、ＡＶ女優の人権を守ると言いつつ、あえて実態を調査せず、彼女たちを逆にもっとひどい状態に貶める被害者支援団体とは何か。助成金目当てであることはもちろんだが、それ以外に本当に目指しているものがあるのではないかと私には思えてくる。

それはこの団体に限らず、ほとんどのフェミニストや、彼女たちが属する団体に言えることだと思うのだが、とびきり魅力的な女たちの活動を妨害するということではないだろうか。

今回、その標的となったＡＶ女優や、２０２２年に日本共産党の埼玉県委員会と埼玉県議会議員団が県にプールの貸し出しを禁止させ、中止に追い込んだ水着撮影会に参加予定だったグラビアアイドル。そして大学などが主催するミスコンテストの出場者たち（ミスコンもフェミニストたちによって消え失せつつある）。

彼女たちの活動の場を奪えば、次は繁殖の機会を奪うことにもつながるだろう。

フェミニストは、ぽっちゃりした女芸人が胸の谷間を見せていても決して文句を言わない。それは彼女たちの目的が女として、特に魅力ある者たちの活動と繁殖を妨害することにあるからこそなのである。

では、当のフェミニストの繁殖はどうなるかだが、実は動物の繁殖戦略として、自分は繁殖せず、ただ単に他人の繁殖を妨害するだけの「スパイト」というものも存在する。

スパイトとは「自分が損をしてでも他人の足を引っ張る行動」と辞書には説明されているが、本人は繁殖しなくても他人の繁殖を妨害することで、血縁者の繁殖を助けることになる。つまり、血縁者を通して自分の遺伝子が残っていくので、こういう行動が進化するのだ。こういう生き方もれっきとした人生なのである。

「トランスジェンダー女子」はこうして人為的につくられる

ＫＡＤＯＫＡＷＡから２０２４年１月に刊行される予定だった、『あの子もトランスジェンダーになった　SNSで伝染する性転換ブームの悲劇』という本をゲラの段階で読むことができた。

この本の原著はアメリカのアマゾンなどで一時取り扱いを拒否されるなどの妨害にあいながら、ベストセラーになり、年間ベストブックにも選ばれた大変な良書だ。

タイトル自体に内容が凝縮されているが、トランスジェンダー、特に10代の少女が自分はトランスジェンダーであると自認するのは実は本当にそうなのではなく、社会によってつくられたブームによるもの。文字通り伝染するというである。

そもそもトランスジェンダー、あるいは性別違和は男性で０・００５〜０・０１４％、女性で０・００２〜０・００３％とされてきた。

男性で１〜２万人に１人か２人、女性で３〜５万人に１人というオーダーであり、非常に珍しい。しかも男性が性別違和を感じるケースのほうが女性の場合よりも多いという特徴がある。２０１２年以前の科学論文には11〜21歳の女児の例はないという。

にもかかわらず、アメリカでは２０１６年から２０１７年にかけて、ＦＴＭ（女から男への性別適合手術）手術が４倍に増え、イギリスでは２０１８年、ジェンダー医療を望む10代の少女が過去10年と比べ、４４００％も増えた。

それはトランスジェンダーが社会的に認知されるようになったからというだけでは到底説明のつかない増え方なのだ。

欧米で、この10年くらいに新しく登場した女の子のトランスジェンダーの特徴は、本来なら幼少期から性別違和を感じるはずが、そうではなく思春期から、あるいは何と、トランスジェンダーであると名乗ってから感じるということ。65％がＳＮＳに熱中したあとで、自分はトランスジェンダーだと言い始めること。友人グループ内にトランスジェンダーが多発していること。ほとんどの場合、両親が上中流階層に属する高学歴の白人で、政治的には進歩的。本人はまじめで大人しく、成績優秀な生徒であるなどといったことだ。

アメリカでは幼いうちからジェンダー教育がなされる。思春期は誰でも不安感にさいなまれ、抑うつ状態になるなど、心の苦しさを抱える。

そこでおもにスマホによってネットの世界を覗《のぞ》いてみると、トランスジェンダーのインフルエンサーによるＹｏｕＴｕｂｅ動画などに出会い、なるほど自分の心の苦しみとはトランスジェンダーに原因があったのかと思い始める。スマホの普及はまさに女の子のトランスジェンダーが激増した時期とぴたりと重なるのだ。

また女の子は仲間うちで共感しやすい性質を持っており、仲間はずれにされないためにもLGBTQの傘下に入る。その際、レズビアンやバイセクシュアルよりもトランスジェンダーはイケてるとみなされており、レズビアンよりもトランスジェンダーが多いという現象が起きることがある。

イギリスの女子校の生徒500人のうち15人がトランスジェンダーであるとカミングアウトし、レズビアンはなかったという例さえあるのだ。生徒のカミングアウトはカリフォルニア、ニューヨーク、ニュージャージー州などをはじめとするアメリカの多くの学校で親には知らされないことになっている。プライバシーを侵害するからだという。こうして親不在のまま性別移行のためのホルモン治療が始まることもある。

さらにアメリカ心理学会は、メンタルヘルスの専門家にジェンダー思想を受け入れることを義務づけており、セラピストらはトランスジェンダーであるという少女の主張をひたすら肯定する。そして親にはトランスジェンダーだと認められないと娘さんは自殺する可能性が高いと、なかば脅《おど》しをかけるのだ。実は証拠などないのだが。

こうしてトランスジェンダーの女の子は社会によってつくられる。白人で両親が高学歴、上中流階層の生徒に多いのは、そこに何ら弱者の要素がないという意味であると考えられる。黒人でもなく、貧困でもない。ならば、トランスジェンダーというマイノリティの立場に逃げ込もうということらしい。アメリカでは今や、白人は白人という罪を背負って生まれてくるとまで言われ、極端なまでのマジョリティ非難、マイノリティ擁護の風潮があるからだろう。

そして、いよいよ性別移行のためのテストステロン投与と乳房の切除に踏み切る場合があるが、なんとイェール大学などではテストステロン投与に保険が適用され、月にたった10ドルで提供されるという。こうなるともう、政府、学校、医療、製薬会社などはグルである。

しかも、いったん性別移行のための手術や投薬を始めると一生医療にすがるしかない仕組みになっている。投与されるテストステロンは心臓発作のリスクを高めるだけでなく、ガンを誘発するため、ガン予防のために子宮や卵巣を摘出することになる。

こうして生殖能力は完全に失われ、性別適合のためにペニス形成術を施《ほどこ》したとしても、それは生殖のための機能を持っているわけではない。性別適合手術を受けたことを後悔し、乳房を再建したとしても、それは授乳の機能を持たないただの脂肪の塊《かたまり》なのだ。

いったいどんな組織がこのようなブームをつくり出したのだろう。

この本では深掘りしていないが、２０１５年にＣＮＮが「トランスジェンダー時代に入った」と宣言したり、同年に黒人のトランスジェンダーが初めてエミー賞を、２０１８年にトランスジェンダーの歌姫が主人公のチリの映画『ナチュラルウーマン』がアカデミー賞外国語映画賞を受賞し、２０１６年にコスモポリタン誌が「ブレストバインダー初心者のための完全ガイド」なる特集を組んだりすることなどから、おおよその察しはつく。

毎度おなじみ、グローバル勢力がプロパガンダの一環としてブームをつくり出したのだろう。その最終目的は社会の分断、家族の崩壊などにある。とにかく世界から秩序を奪い、ひっくり返すことだ。このような動きは今のところ日本にはない。アメリカと違い、未成年が親の承諾なしにホルモン治療することが禁じられている点も、その動きにブレーキをかけているだろう。

しかし先述したように、２０２３年、グローバル勢力の圧力によってＬＧＢＴ理解増進法が成立した。学校でＬＧＢＴ教育がなされるという流れは確実にできあがった。そうなると日本は今が正念場だ。周回遅れで欧米の轍《てつ》を踏むことだけは避けなければならない。

自分たちに都合の悪い本を葬り去ったLGBTテロ

前回、『あの子もトランスジェンダーになった　SNSで伝染する性転換ブームの悲劇』（原題：『Irreversible Damage : The Transgender Craze Seducing Our Daughters』）という翻訳本の紹介をした。この本は2023年12月3日に情報解禁となるため、私はさっそくこの日にメルマガを更新し、続いてXにも投稿した。

しかし、おもにLGBT活動家たちによる妨害により、情報解禁から2日後の12月5日に出版中止という事態となり、なんでそれくらいのことで出版中止などという事態に至るのか、版元のKADOKAWAはなんという腰抜けかと、大変な話題になった。今回はその顛末について、私のわかる範囲内でお伝えしようと思う。

版元の説明によれば「タイトルやキャッチコピーの内容により、結果的に当事者の方を傷つけることとなり、出版中止に至った」という。

何とも歯切れの悪い説明である。とうてい納得が行かない。もしそうであるのなら、タイトルとキャッチコピーを変更すればよいだけのこと。何も刊行を中止するほどの理由とはならないのではないか。

原著者シュライアー氏は日本語版の刊行中止についてXでこう批判している。

「『Irreversible Damage』に反対する活動家主導のキャンペーンに屈することで、検閲の力が強化された」

次の方々のX上での発言も参考になる。

・島田洋一氏「実質的なトランスジェンダー本を活動家の圧力で出版中止としたカドカワ上層部は言論史に大きな汚点を残した」

・我那覇真子氏「出版中止！　どんな攻撃があったのでしょうか。日本で同じ犠牲者が出ないようこの本は必要です。ＬＧＢＴ活動家のテロに屈したら、これがエスカレートするだけ」

・白川司氏「ＫＡＤＯＫＡＷＡの新刊翻訳が出版中止になったことを原著者が批判。気に入らなければ議論をすっ飛ばして抗議と圧力というのが普通になって、言論の自由が軽くなってしまった」

ともあれ、このお三方の投稿内容からすると、私と同様に出版社から送られてきたゲラを読んでおられるのではないかという印象である。

私がKADOKAWAの編集者からこの本を読み、SNSで広めてほしいとの依頼メールを受けたのは10月のことだ。

私がXでLGBT関係の投稿をよく行っているというのがその理由で、私にまで依頼が来るということは、かなり多くの人々に同様のメールが送られたのだろう。11月上旬にはゲラが届き、12月3日には情報解禁。アマゾンなどでも予約が開始された。情報解禁を知らせる版元からのメールには「無事に出版までこぎつけたら……、と願っております」とあり、この時点で何らかの妨害が始まっていたことがうかがえた。

私は、予約開始を知らせるKADOKAWAのXへの投稿を引用する形で投稿したが、案の定、私の投稿、KADOKAWAの投稿のどちらのコメント欄、引用欄も荒れた。LGBTの活動家と思われる勢力による、この本がヘイト本であり、差別が横行しているといった感情的な書き込みが散見されたのだ。

そうして、わずか2日後の12月5日に刊行の中止が発表され、KADOKAWAの投稿は削除された。しかもそのとき、私の投稿などにKADOKAWAがつけた「いいね」までを取り消すという徹底ぶりだ。Xではその日、「KADOKAWA」と「言論弾圧」がトレンド入りし、投稿は賛否合わせて計11万を超えた。

そもそも活動家たちはゲラを読むことはできないはずである。原著を読んだのかもしれないが、その可能性は低いだろう。だとすると、内容を知らず、単にタイトルやキャッチコピーだけで反応、刊行停止に追い込むという極めて悪質な言論弾圧と言える。もちろん、この本は差別を助長するようなものではない。少女たちが取り返しのつかない過ちに陥るのを防ぐための大変な良書である。

先述したようにアメリカでも2020年の刊行当初、アマゾンが一時取り扱い停止にせざるを得ないほど活動家の妨害を受けたが、12万部を超えるベストセラーになったこと、アマゾンの評価が4・7、コメントが8000件を超えることからも明らかだ。世界10カ国語に翻訳され、イギリスでは『タイムズ』誌、『サンデー・タイムズ』誌、『エコノミスト』誌というリベラル系のメディアまでもが年間ベストブックとしている。これもまた良書の証《あかし》である。

今回の騒動ではキャンセルカルチャーの恐ろしさを見せつけられた。

キャンセルカルチャーとは、社会的に好ましくない発言や行動をしたとしてSNSなどで糾弾、不買運動をしたり、ボイコットしたりすること。社会から排除する動きのことである。支持や支援をやめる、つまりキャンセルすることに語源がある。

KADOKAWAの件もSNSで、活動家による書き込みによって炎上している。それはまだ翻訳本がまだ世に出ておらず、キャンセルカルチャーの定義である「好ましくない発言や行動」が何であるかがよくわからない段階で社会から排除しようという〝強権〟ぶりだ。

さらに経済評論家の朝香豊氏によれば、今回の騒動を牽引したのはリベラル思想を持った出版関係者たちだという。

2023年12月3日の情報解禁とともに「内容が刊行国アメリカですでに問題視されている」「当事者の安全、人権を脅かしかねない」と内容も知らずに批判したらしい。この本が出版中止となったため行われなかったが、かれらは12月6日にKADOKAWA本社前で「トランス差別KADOKAWA抗議」なるデモを計画していた。出版関係者が自ら言論の自由を封じるとは本末顚倒ではないか。

KADOKAWAに対してはこれ以外にもひどい攻撃があり、刊行を断念せざるを得なくなった事情があったのだろう。しかし我那覇氏の言うように「ＬＧＢＴ活動家のテロに屈するとエスカレートする」のは必定で、島田氏の言うように「今回の判断が日本の言論史に汚点を残した」ことは確かだ。そして、白川氏の言うように「議論なしの抗議と圧力が普通になって」しまっては言論どころではなくなる。

そうならないためにも、どこか骨のある保守系の出版社がこの優れた翻訳本を世に出してほしいと思っていたら、４月３日、産経新聞出版から『トランスジェンダーになりたい少女たち　ＳＮＳ・学校・医療が煽る流行の悲劇』と題し出版された。

今回もまた出版社が脅迫され、リアル書店には放火の予告までなされた。書店によってはネット販売までも中止するということもあった。

そんな中、ネット書店のアマゾンでこの本は総合１位に輝いた。本当に良書なのだから、日本でもベストブックに選ばれるなど、「グローバリストよ、それがどうした」という心意気を示してほしい。

3章

仁藤夢乃、国連人権理事会、DJ SODA……

日本を貶める連中に黙ったままでいいのか！

ジャニーズ問題に群がる反日勢力の顔ぶれ

1章で取り上げた市川猿之助さんのスキャンダルが表面化したのは、その直前のジャニーズ事務所（現ＳＭＩＬＥ-ＵＰ.）のスキャンダルの影響を受けてのことだったのは間違いない。では、なぜジャニーズ・スキャンダルが明るみに出たかといえば、それはＢＢＣ（英国放送協会）が２０２３年3月に放送した「Ｊ-ＰＯＰの捕食者 秘められたスキャンダル」がきっかけだった。

この番組から日本でも性加害（特にジャニーズ）の議論が高まったことに対し、外国に指摘されてようやく性加害の問題が表面化するとは恥ずかしいとか、これでやっと日本も世界的水準に追いついた、などという意見があった。

ジャニー喜多川氏を擁護するつもりはさらさらないが、ＢＢＣという外国のメディア（組織）に批判されると途端に浮足立ち、恐れ入って身内を批判し始めるという日本人にありがちな態度だけは絶対に避けるべきだと思う。

なぜなら、もしＢＢＣの番組が何らかの謀略、たとえば日本や日本文化を貶《おとし》める目的で放送されたのだとしたら、外国に指摘されて初めて性加害を問題視したり、日本も世界の標準にならえと主張したりするのは、ある組織にとってはきわめて好都合だからだ。日本は遅れている、だから日本はダメなんだという論調が広がれば、反日本勢力にとっては思うツボである。

たとえば、このスキャンダルでジャニーズが衰退したら、代わって何が台頭するだろうかと考えたとき、まずあげられるのはK-POPだ。ここで想像をたくましくするなら、K国がBBCにジャニーズ事務所のネタを（相当なお金とともに）提供し、いっしょに日本叩きをしましょうと持ち掛けていたら……ジャニーズの衰退とK-POPの台頭がリンクする構図が見える。

たとえそのようなシナリオでなかったとしても、少なくともジャニーズ叩きには反日左翼勢力がかかわっていると思うようになった。

2023年4月19日に突如立ち上がった「PENLIGHT（ペンライト）旧ジャニーズ事務所の性加害を明らかにする会」なる組織が、いかにも怪しげだからである。自分たちを「ジャニーズ事務所所属のタレントをこれまで愛し、応援してきた者たち」とし、即日ジャニーズ事務所に謝罪と検証を求める署名活動を始め、5月31日には4万筆の署名が集まったというが、SNSなどでの発言を見ると、とてもジャニーズを応援してきたとは思えないほど、そこに愛が感じられない。そもそも主宰者が誰なのかさえ、一向にわからないのである。

ただし賛同者はわかっている。たとえば次の5人だ。

- 仁籐夢乃（コラボ代表）
- 北原みのり（コラボと仁藤夢乃さんを支える会）
- 李信恵《りしね》（同上）
- 太田啓子（コラボ弁護団）
- 辛淑玉《シンスゴ》（のりこえねっと）

コラボ（Colabo）とは「困難を抱える女子中高生を支援する」女性支援団体だが、東京都から受け取った数千万円もの業務委託費を不正に利用した疑いや、活動内容の不透明さが問題となり、住民監査請求が行われ、監査委員は東京都に経費の再調査を求める騒ぎに発展した。

弱者支援団体による、補助金や助成金などに群がって公金を無駄遣いすることを指す「公金チューチュー」という言葉は、このコラボに対してSNSで使われ始めたものである。その利益誘導集団のメンバーが新しい獲物《ターゲット》を見つけたかのようにジャニーズ問題に飛びついたとしか思えない。

あまりに迅速に立ち上げられたPENLIGHTなる団体の賛同者がコラボ関係者だらけのうえ、おなじみの反日左翼、フェミニストの名も多くみられる。

となるとこれは、従軍慰安婦やいわゆる徴用工問題のように、ありもしない問題や国内問題を喧伝《けんでん》する外国人や、なりすまし日本人たちから謝罪と賠償金を強要されるという、これまでいやというほど見せつけられた弱気な日本人の構図が飽きもせず繰り返されることにならないだろうか。

毎度おなじみの日本を貶める侮日キャンペーン？

2023年3月、イギリスのBBCがジャニーズ事務所の性加害問題を扱った番組を放映するというニュースを知り、もしそれが上から目線だったり、日本はこういう問題について遅れているなどといった論調であったりするなら、決して乗ってはならない、それは毎度おなじみ、日本を貶める毎日キャンペーンの可能性があると思っていた。

実際､番組は危惧《きぐ》した通りの内容であり､その後の展開も思った通りとなってしまった。早速立ち上がったPENLIGHTなる「旧ジャニーズ事務所の性加害を明らかにする会」は立ち上がりのあまりの早さもそうだが、後述するように例によって例のごとしの団体だった。

そして、これまた想定のうちだが、国連も登場することになった。国連人権理事会の「ビジネスと人権」ワーキンググループ（作業部会）が調査を目的として2023年7月24日から8月4日まで来日。8月4日の声明では、

「タレント数百人が性的搾取《さくしゅ》と虐待に巻き込まれる深く憂慮すべき疑惑が明らかになった」

と指摘。

「透明な捜査を確保し、実効的救済を確保する必要性がある」

とも提言した。

調査の際、7月9日に立ち上げられた「ジャニーズ性加害問題当事者の会」のメンバーにもヒアリングをしている。

事態が急展開したのは、「外部専門家による再発防止特別チーム」が5月26日から8月29日まで行った詳しい調査の報告書を発表し、被害者23人と関係者18人（関係者には、ジャニー喜多川氏の姪であり、当時の社長の藤島ジュリー景子氏も含まれる）に行ったヒアリングによる生々しい内容が明らかになったことがきっかけだ。

そして9月7日、ジュリー氏、新社長の東山紀之《のりゆき》氏、子会社の社長、井ノ原快彦《よしひこ》氏らが長時間の会見を開き、これを受けて11日、アサヒホールディングス、サントリーホールディングス、キリンホールディングスなど多くのスポンサーがジャニーズタレントの広告宣伝に関し、現時点での契約は期間満了を持って終了。新たな契約は結ばないとした。

花王は11日にはジャニーズタレントとの現在の契約は続けるとしたが、12日になってCM自体を中止するとした。一方、モスバーガー、不二家は契約を続行するという。

なぜ性加害に関係のない現在のタレントまでもが契約の打ち切りという被害を受けなければならないのかという疑問はあるが、広告はイメージが第一であり、ジャニーズの名が残り、ジャニーズの香りをまとっている限り、それは仕方のないことなのかもしれない（ただ、ファンがどういう行動に出るのかはまだわからない。案外、不買運動が始まるのかも）。

私が一連の動きの中で最も気になるのは、「ジャニーズ性加害問題当事者の会」のメンバーたちが、最近になって謝罪と賠償を求め始めたことだ。

謝罪と賠償？　どこかですでに聞いたことがあるなあ、と思ったら、さもありなん。先のＰＥＮＬＩＧＨＴ（旧ジャニーズの性加害を明らかにする会）が、韓国の慰安婦団体である正義連（日本軍性奴隷制問題解決のための正義記憶連帯）の日本支部であるキボタネ（希望のたね基金）、ひところ話題になったコラボ（若年女性支援団体）ともつながっていることがわかってきたのだ（当然、当事者の会のメンバーともつながりがある）。

ＳＮＳ上にある、きわめてうまい表現によれば、これらの団体はいずれも「地下茎でつながって」おり、共通するのは、日本を犯罪大国であることに仕立てあげ、ついでに賠償金などのお金も巻き上げようということらしい。

日本がなぜいつもこういった連中の餌食《えじき》になるのか。言うまでもなくそれは、日本人があまりに真面目でお人よし、すぐに反省してしまうからだ。

実際、ＢＢＣの番組直後の論調として、日本は外国に指摘されないとこのような問題を明らかにできないのか、恥ずかしいというものが主流だった。

ジャニー氏の性加害が許されるわけでもなく、隠蔽《いんぺい》も同じく罪深い。性加害の被害者たちの救済も行われてしかるべきだ。しかしその際、日本人が極度に貶められることだけは、防がなくてはならない。それができるのは日本人自身だけなのだ。

従軍慰安婦の強制連行、いわゆる徴用工問題、南京大虐殺などに今回の問題が加わった。ジャニー氏の性加害は、確かにジャニー氏に落ち度があるため、これらと同列に並べることはできないが、これ以上、日本を貶める隙《すき》を見せてはならない。

女が肌を露出するのは計算ずく

韓国の女性ＤＪが、大阪で行われたイベントで観客から胸を触られる性被害を受けたとＸ（旧ツイッター）とインスタグラムで発信した。ＤＪ ＳＯＤＡという、日本でも人気のある方だそうなので、ＳＮＳ界で侃々諤々《かんかんがくがく》の議論が巻き起こったのは当然として、不思議なのは、その日のうちに異常とも思える速さで各方面から反応があったことだ。

イベントの主催者はＳＯＤＡに対して性的暴行を行ったとされる男女３人を特定しないまま大阪府警に刑事告発し、泉南《せんなん》警察署（イベント会場は泉南市にある）で告発状が受理された。

ちなみに、ここでいうＤＪとはラジオのディスクジョッキーではなく、イベント会場やクラブなどで、コントローラーやエフェクターなどの機材を駆使し、個性的な音楽を生み出していくミュージシャンのこと。トークはあまりしない。

事の顚末をざっと述べると、２０２３年8月13日に大阪の泉南市で開かれた「MUSIC CIRCUS '23」というイベントで観客に胸を触られたと、ＳＯＤＡが自身のＸとインスタグラムで性被害を訴えたことから始まる（英語、日本語、ハングルの３カ国語で発信している）。

Ｘでは一連のポストを8月14日午前11時27分から投稿し始め、

「ファンの方々ともっと近くで楽しんでもらうために、私が公演の最後の部分でいつものようにファンの方々に近づいた時、数人が突然私の胸を触ってくるというセクハラを受けました」

「DJをしてから10年たちますが、公演中にこんなことをされたことは人生で初めてです」

同日午後2時11分には、

「男たちだけが私の胸を触ったのではありません。この女も笑いながら私の胸を摑みました」

と写真つきで説明。同じく午後4時19分には、

「私がどんな服を着ていたとしても、私に対してのセクハラと性的暴行は正当化できない」

と述べた。

ちなみに彼女のXにも、インスタグラムにも（もちろんイベントの際にも）露出の少ない服装というものが見当たらない。たいていは上下セパレートスタイルで、豊かな胸を強調し、ボトムは超ミニスカートか短パン。水着のときはほとんど裸同然だ。

そして動画では何かを食べるか（それも意味深なものを口に直角に突っ込むように食べがち）、尻振りダンスを披露する。要は〝性〟を売りにしているのである。

事件が起きた時の写真や動画と彼女のほかのいくつかのイベントでの様子を見比べ

ると、ほかのイベントでは存在するボディガードがなぜか見当たらない。

彼女は10年やっていて初めて触られたと言っているが、それは今回、初めてボディガードなしで観客の近くに飛び込んでいったということではないのか？

加えて、このようなイベントでガードマンがつくのは常識であることからすると、ガードマンなしはただの過失とは思えない。

ともあれ彼女のポストに素早く反応したのは国連である。国連広報センターは同日午後5時45分、Xに次のようなポストをした。

「世界中の女性の3人にひとりがその生涯で、身体的、性的暴力を経験し、そのほとんどが、親しいパートナーによってです。私たちはみなで、この人権侵害と重大な公衆衛生問題を根絶するために何かできるはずです」

続いて、

「『あなたは何を着ていたか？』性的暴力のサバイバーが襲われた時、何を着ていたかは関係ありません」

2番目のポストが服装に触れていることからすれば、偶然ではなく、SODAのポストに反応したものと考えてよいだろう。それにしても速すぎはしないだろうか？

同じ日の午後6時36分にはヤフーニュースが「#痴漢大国」「#日本の恥」がXでトレンド入りしたことを報じている。彼女が最初のポストをしたのが、午前11時27分。ハッシュタグをつけてX内でツイデモ（X〈ツイッター〉上でのデモ）が行われ、トレンド入りし、ニュースとなるまでわずか7時間。

私はツイデモを主催したことがあるが、いきなり自分で始めてもダメで、何日か前に日にちと時刻を予告し、多くの人の賛同と協力を得て初めてトレンド入りできるようなものである。

もちろんこの件の話題性を考えれば、いきなり誰かがツイデモを始めてトレンド入りすることもあり得るが、彼女が性被害を発信することがあらかじめわかっており、そのための準備がなされていたと考えるほうが合理的ではないかと疑いたくなってしまう。

イベントを主催したトライハードジャパン（TryHard Japan）は8月15、19、21日の3回にわたって声明を出している。

15日には、

「このような行為は性暴力、性犯罪であり、断じて許すわけにはいきません」

「このような卑劣な犯罪行為を行った犯人を特定し、損害賠償請求や刑事告訴など、民事及び刑事の法的措置を取る所存です」

「犯罪行為に及んだ方は、すみやかに警察署に出頭し、また当社にご連絡ください」

と呼び掛けた。主催者として警備の不備があったことには触れていない。

19日にはこんな内容が加わっている。

「SNS上でDJ SODAに対する誹謗中傷や国籍に対する差別発言が散見される。DJ SODAの権利保護のため、流布者のアカウントをモニタリング追跡中であり、法的措置をとることもある」

そして21日、冒頭で述べたように氏名などを特定しないまま、男女3人を不同意わいせつと暴行の疑いで刑事告発したわけである。

このトライハードジャパンは「ジャパン」と名乗ってはいるが、実際には中国・韓国系の会社である。社長は5年前に日本国籍を取得した方、役員には明らかに中国系、韓国系の名の方が4人。韓国出身で日本語が堪能な作家、崔《チェ》碩栄《ソギョン》氏のポストによると、その中の1人は朝鮮総連の方と同姓同名とのことだ。

このように、SODAがおそらく初めてボディガードなしで観客に近づいたこと、彼女がＳＮＳに発信するや否や驚くほどの速さで国連が反応、Ｘ（ツイッター）にもトレンド入りしたこと、主催した中韓系の会社が警備の不備を謝罪することなく、〝犯人〟の刑事告発とＳＮＳ上の発言者の追跡に執念を燃やしたことなどを考えると、もしかするとこれもまた日本貶めの一環ではないかと思えてくる。

例によって多くの人が批判されるまま「日本人として恥ずかしい」とうなだれるが、我々はもういい加減、自己卑下《ひげ》のようなことはやめるべきだ。そのほうが世界のスタンダードでもある。

ここで動物行動学の豆知識として、女が肌の露出の多い服を着るのは男を誘うためだとはっきりとわかる研究を紹介しよう。

まず、彼氏がいる女は、排卵期（子ができやすい時期）に露出の多い服を着てディスコ（今ならクラブか？）に行きがちだ。「いる」女が、である。なぜなら、そうやって別の男との間に子ができたとしても、彼氏が引き受けてくれるから。

彼氏のいない女の場合には、逆に非排卵期に露出の多い服を着て出かける。なぜなら、もし子ができたとき、引き受けてくれる男がまだいない。だから、まずはできた子を引き受けてくれる男を探しに、子ができにくい時期に出かけるというわけだ。

この研究は、女は肌の露出を調整しているし、それは自分が置かれた状況、つまり彼氏がいるかどうか、によって違いがあるということを示している。肌の露出が、ほかならぬ男を誘うためだからこそだろう。

女が何を着ていたかは性暴力と関係ないと国連は言う。しかし女は少なくとも何を着るかを調節していることだけは事実である。

DJ SODAはなぜ日本のファンだけを告発?

DJ SODA事件の続きである。イベントの主催者であるトライハードジャパンが、観客の男女3人について氏名などを特定しないまま不同意わいせつと暴行の疑いで刑事告発した前日(8月20日)、告発された3人のうち男2人——阪南市に住むアルバイトのA君と北九州市在住の大学生B君(いずれも20歳で友だち同士)は、「青汁王子」こと、実業家の三崎優太氏のYouTubeチャンネルで謝罪の動画を収録した。青汁王子とは、三崎氏が青汁をネット販売し、爆発的ヒットとなったことに由来する。

動画撮影は、A君のバイト先の会社の社長が、面識のある三崎氏に頼んで行われたものらしい。警察に出頭するよりも動画撮影が先ということに違和感を覚えるが、出頭してからでは撮影のチャンスを逃す恐れがあるということかもしれない。

ともあれ、その後2人は三崎氏に付き添われて近くの交番に出頭。警察署に移送され、日をまたいで4～5時間も取り調べを受けた後、告発状を受理していた泉南警察署へ出頭した。動画の公開は出頭後の8月21日夜となっている。

警察での供述によると2人とも「体に触れようと思って伸ばした手が胸に触れてしまった」「触りたい一心で腕を触った」と行為自体は認めるが、「わいせつな意図はなかった」「危害を加えようとする気はなく、ファン心理によるものだった」と犯罪の意思は否定している。

翌8月22日、DJ SODAは自身のインスタグラムで、両親が共働きで家に一人でいた6歳のときに性暴力を受けたと突如告白。さらには2018年に韓国の「スペクトラムフェスティバル」に行ったときにVIPの男にセクハラを受けたこと、外国のDJ仲間から性的発言をされたことを告白し、

「人生を生きながら何度もセクハラや性的発言の被害を受けてきた。私はこういうことが起きても何事もなかったかのように隠して生きなければならないと思った。しか

し、もうこれ以上逃げたり隠れたりしない。これを無視することはまた別の人が被害者にならざるを得ないからだ。（中略）2023年にこんなことが起きるという現実が非常に悲しい」

との決意を語った。

我慢してきたのはわかる、これ以上の犠牲者を出さないため、というのも立派だ。でも、なぜ今回なのだろう？　人生で何度もセクハラ被害にあい、沈黙を通してきた彼女が、なぜ今回をもって泣き寝入りをやめたのか？　相手が日本人だからではないのか？

8月23日には、残る1人を大阪府警が任意で事情聴取した。水戸市に住む21歳の会社員であるこの女性は、胸を触る、抱きつく、肩にキスしたことを認めたうえで「目の前に来たのでうれしくて触ってしまった」と述べている。男性2人も、この女性も、供述からすれば、ただのファンにすぎない。

どんなイベントであろうと、警備員がいるのがあたり前で、だからこそ出演者はファンにもみくちゃにされずに済む。今回のようにまったく警備がなく、ファンと出演者を仕切る鉄柵を出演者自ら脚立を使ってよじ登り、高い位置から身を乗り出し、両手をあげて胸をゆらしたら、そりゃそうなるでしょうという話なのだ。

8月24日になると、ＳＯＤＡはＸ（旧ツイッター）で日本と日本人が大好きであることを述べている。カルピスが好きという理由だけで日本に住みたいとか日本のアニメが大好きだと言い、さまざまなキャラクターのコスプレをしている写真、日本のファンとのツーショットもアップした。

彼女はかつて慰安婦像のプリントに「ＲＩＰ（安らかに眠れ）」の文字が躍るＴシャツとパーカーを着ている写真をインスタグラムに掲載しており、それが反日的だと批判されたことを弁解するためだろう。

この事件は疑問だらけだ。

・SODAのツイートに国連がやたら素早く反応したこと
・「#日本の恥」「#痴漢大国」のハッシュタグを付けたツイッター上でのデモがたちまち起こり、彼女の最初のツイートからわずか7時間でヤフーニュースになったこと
・主催者の警備上の不備が最大の問題のはずなのに主催者の謝罪が一切ないこと
・SODA自身が、故意か偶然かもわからない段階で体に触れたファンの顔をSNS

にさらしたこと
・過去にいくつもの性被害にあった彼女が、日本での〝性被害〟を機に泣き寝入りはやめようと決意したこと
・主催者のトライハードジャパンの社長が日本に帰化した中国出身の人物であり、役員に中韓系の名前の人物が多いこと、そのうちの1人が朝鮮総連の人物と同姓同名で顔写真も一致すること

……などなどだ。

ひとつ言えるのは、この事件の背景がどうであれ、またしても日本と日本人は世界規模で貶められてしまったということだ。

イベントの主催者であるトライハードジャパンは2023年11月3日、公式SNSで「DJ　SODAはこの事件について、被疑者3人からそれぞれ謝罪文を受け取った。被疑者たちが深く反省し、悔いていることを確認し、この謝罪を受け入れて被疑者たちを許すことにし、金銭賠償を含まない形の和解をすることにした」と発表。告訴状も取り下げているとのこと。知らんがな。

やりたい放題の迷惑外国人をなぜ追い出せない

最近SNSで論議を呼んでいる、ジョニー・ソマリという人物をご存じだろうか。自称アメリカ人ということだが、外見からするとルーツは北アフリカ、アラブ諸国あたりかなという感じがする。

このソマリなる人物、数人の仲間と来日し、「広島！　長崎！　また原爆を落としてやるぞ！」と叫ぶ場面を動画配信するとか、店内で大声で叫ぶ、路上で日本人を誹謗中傷する、日本の警察をバカにするなど、とにかく日本と日本人を侮辱《ぶじょく》する動画を作成し、再生回数や配信中の投げ銭（スパチャ）によって利益を得る。本当は話題にするのも胸クソ悪い人物である。

同じような方法で利益を得ている迷惑外国人はほかにもいるが、ソマリは特に悪質だ。このような動きに、日本と日本人、そして日本車、それもハコスカと呼ばれる日産スカイラインのシリーズを愛してやまないアメリカ人のスティーブさんという方（YouTubeで「スティーブ的視点 Steve's Point Of View」略してPOVというチャンネルを持っている）が、２０２３年9月15日の動画でこんな発言をしている。

「もう我慢できなくなったので言いたいことを言わせてもらう。日本が嫌いなくせに日本にやって来て、日本人を脅《おど》すだけでなく、日本人の親切さ、優しさを利用してお金を稼ぐ。許せない。最悪だ。外国人としてアメリカ人として謝りたい」と。

スティーブさんが発言を我慢できなくなったのは、9月12日に起きた次の事件のせいもあるかもしれない。この日、ソマリとその仲間は大阪道頓堀に現れて大声でヘイト発言し、店内で迷惑行為をしていた。

すると、ある外国人が、ソマリと仲間が吹っ飛び、血を流すほどの強烈なパンチを食らわせたのである。この場面はソマリたちが動画として残している。

スティーブさんと同様の怒りによって鉄槌《てっつい》を食らわしたということなのだろう。ちなみに警察は、英語がわからないためにその場を立ち去るのみだったという。

単純な私はこのとき、外国人が殴る前に、なぜ日本人のいきのいいお兄ちゃんが殴らないのだ、殴るべきだと思ってしまった。これをX（旧ツイッター）に投稿すると、本当は腸《はらわた》が煮えくりかえっているが、殴ったら、顔をさらされ、ヘイト扱いされて今後の人生に影響が出るから我慢しているのだろうという回答が返ってきた。

なるほど、今の日本はそちらのリスクのほうが高いらしい。スティーブさんが日本に対してアドバイスしているのは、こういう迷惑外国人を許していると、この先どんどんやってくる。英語がわからないなら、日本語で通せばいい。毅然として逮捕するなり、強制送還するなりすればいいということだった。

この件を再びXでみなに問うてみると、これらも今の日本では難しいのではないかという意見が多かった。ヘイトスピーチ解消法によって外国人にはものが言いにくい。

警察が逮捕したとしても、相手が外国人ゆえに検察が不起訴にするだろう（窃盗のような明らかな犯罪に対しても不起訴になることが多いわけで）。国際法にのっとるなら、法的に障害がないはずだが、人権団体が圧力をかけるだろう。

そんな中、移民や不法滞在の外国人の問題に目を光らせているXユーザーの高安カミユさんはソマリの問題について入管に電話をして尋ね、その結果を9月15日に報告している。

・ソマリを入国拒否できる理由、法がない
・警察が彼を起訴し、執行猶予以上の判決が出れば、入国拒否も強制送還も可能だ

・帰りのチケットを持っていないなど、明確な理由がない限り、観光目的という申請を拒否できない。ただし、民事ではなく、刑事で起訴できる可能性はある

そして髙安氏の投稿のコメント欄で、観光というよりはユーチューバーとして日本でお金儲けをしている点を追及できるのではないかという指摘に、髙安氏はすでに入管に問い合わせており、それは観光の範囲内にあたるという回答を得ていると言う。

しかし一方で、こんな指摘もあった。

「相互主義に基づき上陸を認めない」

「つい先日、米国ハワイで入国拒否された日本人女性の事例を米国人のソマリの入国拒否の理由にできる。

入管法第5条第2項　法務大臣は、その者の国籍又は市民権の属する国が、ある事由により日本人の上陸を拒否するときは、同一の事由により当該外国人の上陸を拒否することができる」

こういう毅然とした態度、国として当たり前の態度を日本はとってしかるべきだ。

これからは迷惑外国人どころか不法滞在の外国人対策がますます重要になる。黙って

いては解決しない。私も入管にもの申してみるつもりだ。

【追記】ジョニー・ソマリは大阪の建築現場に無断侵入した罪で、2023年9月21日、ようやく大阪府警によって逮捕された。建築現場での映像ではおどろおどろしい覆面をつけ、「フクシマ、フクシマ」と叫んでいたから、「ヒロシマ、ナガサキ」から何ら進歩がない。そして何ということか、この件は不起訴処分となってしまった。懲りない男、ソマリはその後、牛丼店で大音響を流し、10月に再逮捕された。

この件については2024年1月、罰金20万円が言い渡されている。どこかで毅然とした態度をとらないと同じことが繰り返されるだけだろう。

SNSのお騒がせ女性が「中国人」となれば話は変わる

2024年1月21日、X（旧ツイッター）を賑わした「港区女子」と「ラウンジ嬢」という言葉をご存じだろうか。

港区女子とは、お金持ちの多い東京都港区を拠点に華やかな生活を送る女子という意味である。港区と言っても六本木、麻布、赤坂界隈に限定される。バリキャリ（バリバリ働くキャリアウーマン）、起業家、モデル、あるいは夜の仕事をしている女子である。ラウンジ嬢はキャバ嬢に近いが、ラウンジというお客を限定する店で働くため、自分を売り込む必要があまりなく、名刺を持たない、服装も自由でドレスである必要はない、髪も美容室でばっちり決める必要がないなどの特徴があるという。

港区女子とラウンジ嬢がXで話題になったのは、「明太子@オトガイDT」なるX名のラウンジ嬢が1月19日に投稿し、20日になって書き換えたものが物議をかもしたからだ。

その投稿を要約すると、「南麻布の高級寿司店にお客さんと同伴で行ったが、二日酔いで気持ちが悪いのに、ほかの客から店主に提供された白ワインのボトルを目の前に置かれた。どけてほしいと言ったが、店主が二日酔いなら先に言えよと暴言を吐き、怒った自分が、こんな寿司屋はじめてと言ったら店主がなぐりかかろうとした。それを店主の弟子が必死にとめたが、その瞬間の写真を撮った」というものだ（現在、投稿は削除されている）。

この投稿に対し、コメント欄では彼女を擁護する意見もなくはないが、圧倒的多数が店主を擁護している。

写真を撮って顔と店を晒《さら》してしまうのはどうか、一方的な話であり、これだけでは判断できない、この店主は温厚で気さくな人柄で知られる、ここまで怒らせるほど彼女の態度がひどかったのではないか、そもそもカウンター内から客を殴ることはできない、などの理由だ。

一方、彼女のXに対しては驚いたことに、このとき自分は店にいた、真相はこうだと〝証言〟する人物が続々と現れた。しかし〝証言者〟は全部で9席しかない店に到底入りきらないほどの大人数となり、混乱を極めた。

そんななか、これは信頼できるのではと思ったのは、Ｊｕｎｐｉさんという方の1月20日19時45分の投稿だ。店に出向き、店主から直接話を聞かせてもらった内容が証拠の領収書の写真付きで語られている。

要は、店を訪れたカップルの男性が女性を口説きつつ、寿司はそっちのけで2人だけの世界に入り、写真や動画を撮りまくっていた。もう一組のお客さんの声も録音されるからと店が注意しても態度を改めない。店も客（常連さん）もストレスを感じていると、常連さんから店主に白ワインが提供された。それを店主がなぜか女性の前に置いた。女性が二日酔いだからのけてほしいと言う。では、どこに置けばいいのか、お客様からもらったワインにそんなこと言うなと店主が反論。そこで、とうとう男女ともう一組の客とで口論に発展。その間も男性が動画撮影を続け、店主の怒りがとうとう沸点に達する。そして、件《くだん》の写真が撮られてしまうという次第だ（現在投稿は削除されている）。

店主の側にも態度や発言に多少の落ち度はあるものの、徐々に怒りの度合いが増していく様子がよくわかり、ラウンジ嬢の投稿にあるようにいきなり怒り、殴りかかろうとしたわけではないことが判明する。

また彼女のものと思われるインスタグラムのダイレクトメールなるものが晒されていて、Xの投稿では話を盛ったということを自身で告白しているのである。

さて話がこれで終わるなら、私はわざわざここに書くこともなかっただろう。SNS上のただのお騒がせ事件だ。

ところが、「ニシさん」という方が21日、Xで彼女の1月20日（すし店で騒動があった翌日）のXの投稿に興味深い文面を発見し、指摘していたことがある。

「留学していた時も一切人種差別を受けることがなかったのに平和な国とされる日本

で人種差別を受けたの《原文ママ》割と心のダメージ大きい」(https://twitter.com/goroyamada359/status/1748914860606562437）とあり、少なくとも彼女が日本人ではないことがわかる。

ニシさんは問題の投稿が1・5億（1月22日現在は2・7億）もの閲覧数があることからして日本国内だけでなく、おそらく中国でよく閲覧されているのではないかと推測している。確かに彼女の別の投稿では日本人なら冒《おか》さない文法上のミスや意味がよくわからない表現がある。

たとえば1月19日の投稿で件のトラブルについて、彼女たち以外の客として一組の夫婦がおり、

「夫に耳打ちして夫が私のお客様がトイレに行っている間に下等生物とも言われました」

というような文章がある。

またティックトックで女性が野しょん（初めて聞いたが、トイレではなくそこらで用を足すこと）をする動画があり、それがこの女性と同一人物ではないかとも指摘されている。そもそも日本人の女性はトイレ以外で用を足すことはまずあり得ず、しかも動画内の女性は中国人によくあるように、紙でふくこともしていない。もし本人であ

るのなら、ますます中国人ではないかという疑いが深まるのだ。

Xですし屋の悪評を一方的に広めた人物は日本人を装う中国人かもしれない。しかもその投稿が日本人だけでなく、中国人も含めたと思われる億単位の閲覧数となった。

この事件が示すのは、日本が有事の際にはこのような〝なりすましの中国人〟がどれほど情報をかく乱するかということだ。実際、私も熱心な閲覧者の一人となってしまった。

幸いXでは冷静な人々による冷静な意見が大半を占めたが、もしすし屋でのいざこざという比較的平和な事件でなく、もっとシビアな、検証がしにくい急を要する事件だったらどうなっていただろう。国家の安全は保障されるだろうか。

ラウンジ嬢自身はそのつもりではなかったかもしれないが、この事件はそのような事態に対する実質的な予行演習となったのかもしれない。

ウクライナ女性「ミス日本グランプリ」につきまとう違和感の正体

2024年の「ミス日本」のグランプリに椎野カロリーナさんという、日本で活躍するモデルが選ばれ、話題を呼んだ。

椎野とはいっても、日本人とのハーフではない。両親ともウクライナ人の生粋のウクライナ人だ。しかし母親が離婚後に日本人と結婚したため、５歳のときに来日。以後、常に日本語を話し、頭の中も日本人という彼女は２０２２年、念願の日本国籍を取得している。

ミス日本の応募資格は、日本国籍を持つ未婚の17～26歳とあり、彼女はいずれも満たしているが、まずグランプリを獲得したのが26歳という、これまでの最年長であること。帰化した日本国籍者であり、しかも、もともとは生粋の欧州人（ハーフやクォーターならこれまでも例があった）ということで話題となっているのだ。

審査員30人による投票は、内面、外面、行動の３つの側面から「日本人らしい美しさ」を審査して行われる。グランプリの受賞後のインタビューで彼女は「多様性があり、人を外見で判断しない社会づくりに貢献したい」と抱負を述べている。

好意的に解釈するなら、多様性とは「自分のような日本人がいてもよいではないか」という意味での多様性、人を外見で判断しない社会とは「外見で外人と判断せず、日本人と認める」社会という意味だろう。実際、彼女は髪の色や高い鼻から外人と見なされることに悩んでいたという。

しかし外見で人を判断しないと言っても、ミスコンテストはほとんど外見で人を判断する世界である。「それはないんじゃないですか」と突っ込みたくなってしまう。

ともあれ2024年1月24日の「産経ニュース」（ネット版）の奥原慎平氏の記事には擁護派の意見として、月刊『Ｈａｎａｄａ』によく寄稿されているブロガーの藤原かずえさんの意見、「日本国籍を持つことが日本人の必要十分条件です。要件ではない人種の壁があったとしたら、日本人として本当に残念です」が紹介された。

確かにおっしゃる通りなのだが、何だか表面的で肝心なところを掬《すく》いあげていない。一見ごもっともだが、どこかいかがわしさを感じる。こういう〝正論〟をきっかけに過去に大切なものがどんどん失われていったのではないのか。

一方、懐疑的な意見としてはX（旧ツイッター）で活躍する神官の山下弘枝さんの意見が紹介されている。

「人種差別は絶対に許してはならないが、ミス日本というコンセプトで容姿を競うなら、これぞ日本の美という基準であってほしいと個人的には思う」

と審査基準を疑問視するものだ。これは私の感覚にかなり近い。

ちなみにスウェーデン出身、日本で造園業の親方に弟子入りして庭師となり、俳優やモデル業もこなし、日本国籍も取得している村雨辰剛《むらさめたつまさ》さんは、「籍が日本であっても、彼女は帰化人です。文化的に日本を代表しません」という意見に対し、「私は帰化人が文化的に日本を代表できなければ、日本は損すると思います」とXで力説した。そして「今まで日本のために貢献した帰化人がいなければ、今の日本もありません」と述べている。

これもまさしく正論だが、藤原さんの意見に感じられた表面的なもっともらしさがない。

それは村雨さんが庭師として活躍するだけでなく、古い日本家屋に住み、庭でサンマを焼いたり、餅つきをしたり、梅酒をつくったり、和服で暮らすなど日本文化に対するリスペクトや本人の日本人らしさが具体的に現れているからだろう。

結局、村雨さんと椎野さんの違いとは日本人らしさが実態として現れているかどうか、我々が納得できるかどうか、ではないかと思う。

いやいや椎野さんも日常的に十分日本人らしいよという声もあるかもしれない。しかしミス日本という、外見の日本人らしさが大きなポイントとなる状況においてはどうしても無理がある。その場において我々は納得しないのだ。

椎野さんについてはまだ引っかかる点があり、それはウクライナ出身であるということだ。もし出身がロシアで、そのほかの条件がまったく同じである場合、彼女ははたしてグランプリに輝いただろうか。

もしかしたら、このような政治色や、欧州にルーツがあっても帰化していたなら日本人、日本的美の世界で競っても問題なしとするようなポリコレ色に私の違和感の正体があるのかもしれない。

文春砲のおかげ？　海外からも「ミス日本」批判の声が

ミス日本グランプリを獲得した椎野カロリーナさんの続報だ。カロリーナさんの不倫疑惑を『週刊文春』（2024年2月8日号／2月1日発売、情報自体はその前日に解禁される）が報じ、結果として彼女は、ミス日本グランプリの辞退と所属事務所との所属解除を申し入れ、受理された。

『週刊文春』の記事が出てからのミス日本協会、カロリーナさんの所属事務所、そしてカロリーナさん本人の見解は以下のように変遷する。

２０２４年2月1日、ミス日本協会は、

「記事から読み取れる事実は、妻子ある男性が〝独身である〟旨を述べて女性に近づいたためにおきたことであり、女性側には非がないと考えております。ミス日本協会は椎野カロリーナに問題があったとは考えておりません」

とコメント。

所属事務所も同日に、

「カロリーナ本人と事実確認を重ね、週刊文春には不貞行為の事実はないと回答させて頂きました」

と声明を出している。

ところが2月5日になって所属事務所は、

「あらためて本人と事実確認を行いました結果、大変残念ながら発表内容とは異なる事実があることが発覚しました」

「カロリーナは（お相手の）前田氏が〝離婚をしている男性〟と本人から聞いた上で、前田氏と交際を開始しました。しかし交際期間中に前田氏が婚姻していることを認識しましたが、その後も交際を続け、男女の関係がありました」

と『週刊文春』に対する回答を訂正した。

では、なぜカロリーナさんは事実と異なる説明をした、つまりウソをついたのかについては、

「（カロリーナさんが）今回の報道に混乱し、色々な事が頭の中を巡り、恐怖心を抱き真実を話すことができなかったため」

と説明。

「しかし、このまま嘘をつき続けることで更に多くの方々にご迷惑をかけることになると思い至り、あらためて上記のことを述べるに至りました。弊社としましては2月1日に発表をしておりながら、内容を覆すことになってしまいました事は大変申し訳なく思っております。関係者各位には多大なご迷惑をおかけいたしておりますことを、心よりお詫び申し上げます」

と謝罪している。

どうやら、不倫の事実よりもウソをついたことの代償のほうが大きいらしい。

こうしてカロリーナさんはミス日本グランプリの辞退と所属事務所との契約解除を

申し入れ、いずれも受理された。現在、ミス日本グランプリの座は準ミスが繰り上げられるということもなく、空位となっている。繰り上げでは、また物議をかもすことになるからだろうか。

先述したように、帰化したとはいえ純粋な日本人ではない女性が、日本女性としての美が最も重要視されるはずのミス日本グランプリという場で最高位に輝いたこと、しかもロシア人などではなく、ウクライナ人であることに、グローバル勢力を意識した極めて政治的意図が感じられる。こういうところから文化の侵略が進むのではないかとも考えられる。

その意味からも今回の文春砲は結果的によい仕事をした。我が国の危機を救う一翼を担ったと評価できる。

実際、そのような危機感に関しては海外のほうが敏感で、「ニュースシェアリング」という海外の保守系サイトはズバリ「いかなる状況であっても、白人女性がミス日本で優勝してはならない。こうやって文化を消去していくのです」と指摘した。

そのコメント欄では、

「今、まさに侵略の被害を受けている最前線からの警告。これは誰にとっても他人事ではないのだ」

「もはや主流はナショナリズムに潮目が変わっているのに、グローバリストは自己の利益のために時流に逆らっているということ。それくらいグローバリズムは、やりすぎてしまった」

「文化を消去するというよりも、日本から日本民族を奪おうとしているのです。日本人は目覚めてください」

などの鋭い意見が飛び交っている。

この記事が出たのは2月3日であり、カロリーナさんのスキャンダル発覚後である。もし文春が暴かなかったなら、そもそも彼女のミス日本の話題が世界的に注目されず、これらの意見が出てこなかった可能性もある。

カロリーナさんには同情の余地もないことはないが、文春は実によい仕事をした！

石田ゆり子、市川沙央（芥川賞作家）、
松本哲治（沖縄・浦添市長）……

4章
勘違いの〝権利〟を主張するのはいかがなものか

あくまでペットといっしょに逃げたい人たちへ

２０２４年1月2日、羽田空港の滑走路におけるＪＡＬ機と海保機の衝突事件では、海保機のほうに残念ながら5人の犠牲者が出たものの、ＪＡＬ機は乗員、乗客の全員が脱出に成功。これは奇跡的なことだと言われている。

しかし私は奇跡という前に、乗員のたゆまぬ訓練と、乗員の指示に従い我先にとは行動しない日本人乗客。そういう我々にとっての当たり前がもたらした結果ではないかと思う。

この脱出劇の一方で注目されたのは、貨物室に預けられた2匹のペットの命が犠牲になったことだ。翌1月3日、ＪＡＬの会見で明らかにされた。

フリーアナウンサー、笠井信輔氏は1月4日、自身のインスタグラムで、今回の事故で愛猫の命を失った方からのコメントが寄せられたとし、ペットのことは自分の観点から抜け落ちていた、エールフランスではケージも含め8キロ以内などの条件をクリアすればペット（犬猫）も客室に同伴が可能だ、日本でも検討してみてはどうかと提案した。そして「人の命もペットの命も失われないよう」と締めくくっている。

気になるのは、ペットも機内で同伴すれば助かる、今回のように貨物室で死ぬことはないのに、という意味が言外に含まれていることだ。

笠井氏のこの投稿に女優の石田ゆり子さんがコメントを寄せ、これが大騒動へと発展した。その要旨は、

・ケージに入れたペットの機内持ち込みを許してほしい
・災害時、非常時にはモノとしてではなく家族として扱い、最善を尽くしてほしい
・生きている命をモノ扱いするのは理解できない

こちらもペットの機内同伴が許されれば、飼い主といっしょに脱出し、助かるという意味が言外に含まれている。

実際、1月7日のインスタで、

「動物たちの命をなんとか救いたかった、一緒に脱出できるようになったらどれだけ幸せかと思うばかりなのです」

と石田さんは明言している。

今回、ペットも機内同伴、いっしょに脱出して命を助けたいという意見が噴出したのは、はっきり言って人間が全員助かったからこそだ。もし人間に1人でも犠牲者が出ていたなら、こんな意見はあり得なかったのではないだろうか。人間が全員助かるという余裕があった。それなら脱出口にペットが2匹くらい加わっても問題なかったのではないか、と言うのだろう。

そうだとすれば、この点が大きな間違いだと思う。

乗員は乗客に「手荷物をいっさい持たないでください」と指示している。スマホだけポケットに入れて脱出した人、上着を機内に残した人、みなさん指示に従っている。だからこそ全員脱出に成功したのだ。

もし誰かが手荷物に固執していたら、犠牲者が出ていた可能性は十分にある。そして、ペットは手荷物と同様に人間の脱出の妨《さまた》げとなるはずだ。

実際、ペットの機内同伴を許しているエールフランスにも、ペットは手荷物と見なし、緊急の際には手荷物と同様の扱い、つまり機内に残して脱出することという「運送約款《やっかん》」が存在する。同じくペット機内同伴を許可する日本のスターフライヤー、アメリカン航空、エア・インディアなども同様だ。

ペットといっしょに脱出は、いくら熱望しても法律上かなわないし、かなう可能性もあり得ないのだ。

いやいや、ペットを置き去りにし、自分だけ助かるわけにはいかない、というのが飼い主の心情だろう。

そこでどうだろう。脱出口から、乗客の最後であることはもちろん、機長よりも後に脱出するということ。そうすればペット同伴でない人々に迷惑をかけず、飼い主とペット、両方ともが助かる道となる。もちろん両方が犠牲になることもある。

現実に可能かどうかは別として、もしこのようなルールがあれば、飼い主の覚悟のほど、ペットの命をどれほど重視しているかを試す機会にはなるだろう。

重度身体障害者の芥川賞受賞に差別はあったのか

第１６９回芥川賞（２０２３年上半期）を受賞した市川沙央《さおう》さんの発言が論議を呼んだ。市川さんは幼少時に先天性ミオパチーという筋疾患を発症して症候性側弯症《そくわんしょう》に罹患し、人口呼吸器や電動車椅子を使用せねばならぬほどの重度の身体障害を負っている。受賞作の『ハンチバック』(ハンチバックとは背中が曲がった猫背状態のこと)は障害のある自身を投影した作品だ。

問題の発言は、市川さんがよく視聴しているニコニコ動画に寄せられた40代の男性からの質問、「当事者性や当事者小説がマスコミ各所で無批判に使われるだろうが、その点についてどう思われますか」に対してのものだ。

市川さんはまず「その言葉はＯＫを出している。なぜならこれまで当事者がいなかったということを問題視しているから」と答え、問題視された発言に続く。

「芥川賞にも重度障害者の受賞者はあまりいなかった。だから初と書かれるんでしょうが、どうして2023年にもなって初めてなのか、それをみんなに考えてもらいたい」

これだけ聞くと、これまで選考側が重度障害者を差別し、落としてきたが、2023年になってようやく差別がなくなって受賞できたと言いたいのかと解釈せざるを得ない。

「いや違うでしょ」と私は言いたくなった。これまで重度障害者を差別してきたのではなく、単に重度障害者による、芥川賞に値する作品がなかっただけ。今回初めてその価値を持った作品が現れた。だから賞を与えた。

もう少し言うなら、出版界は賞を与えるとしたら、なるべく話題性のある作品を選ぶ傾向がある。その点で市川さんはむしろ有利だったのではないのか？

元北海道議会議員の小野寺まさる氏もXで「芥川賞の対象となる作家の中で絶対数が少ないからじゃないですか？」と一刀両断。ＹｏｕＴｕｂｅ動画のコメント欄なども、おおむね私と小野寺氏の意見を合わせたような論調が大半だ。

しかしこの発言は、よくあることだが切り取られたものだった。要約すると、実はこのように続く。

「『読書バリアフリー』を訴えたい。自分は重い本を持てないので、読みたい本が読めない。電子書籍なら問題ないが、出版社、学術界は書籍の電子化がなかなか進まない。障害者対応に早く取り組んでほしい」

つまり、身体障害者の芥川賞受賞者がこれまで現れず、２０２３年になってようやくという発言の真意は、選考側が身体障害者を差別していたからではない。身体障害者にとってそもそも読書環境が整っていない、だから小説の分野で活躍するための素地を築きにくいという意味だったのだ。

どうして初めてなのか、みんなに考えてもらいたいと振られたので、個人的な偏見、それこそ差別意識のせいなのかと誤解したのである。市川さんの発言の真意を知って私が思ったのは、読書環境といえば誰にだって不利はあるということ。その不利を振り払おうと各自が努力しているということだ。

たとえば貧しくて本が買えないのなら、図書館の本を借りる。人気の新刊本はときに何カ月待ちなどということもあるが、それはそれとして受け入れている方も多いだろう。

目の不自由な方には図書館は点字版を用意するとか、音読の録音盤のサービスを行っている。もちろん新刊がすぐに点字で読めたり聴覚化されたりするわけではないが、それは仕方のないことだ。

市川さんの言う、紙の本が重いから電子化をということだが、今やほとんどの本は電子化され、しかも紙版とほぼ同時発売である。かつては電子版が紙の本を食うからという理由で数カ月遅れだったが、今や読者が紙派と電子派に分かれたことにより、そのような発売形式となったのだ。つまり、それくらい電子化は進んでいるのである。

確かに学術書の電子化はあまり進んでいないだろう。ならば重い学術書は書見台にでも置いて読むなどの工夫をすればよいのではないだろうか。私は身体障害の当事者ではないので、当事者が抱える問題点にすべて気づくことはできていないのかもしれない。

しかし市川さんの発言の切り取り部分で発せられた、重大な差別があったと誤解されかねない言い回しと、それに続く読書バリアフリーの主張とのあまりの落差に驚いた。そして、なんだかもやもやとした違和感を抱いたことは確かなのだ。

快楽と便利さに背を向けるアーミッシュの人々が教えてくれること

20〜30年前のこと、アーミッシュの人々に興味を持ち、続けて何冊かの本を読んだことがある。アーミッシュとは米国ペンシルベニア州から中西部、カナダのオンタリオ州に独自のコミュニティをつくり、自給自足生活を送る宗教集団だ。

スイスにルーツを持ち、ルター派から分かれた一派なのだが、幼児洗礼を否定し、成人洗礼を受けるという点が、二度洗礼を受ける（再洗礼派）と誤解され、ヨーロッパ各地で迫害され、18世紀に新大陸に逃れてきた。

そのような歴史もあり、教会は持たず、各家庭が持ち回りで教会の役割を果たしている。

そのアーミッシュの特徴と言えば何といっても文明を拒否していること。それに迫害から逃れてきた18世紀の頃のままの生活スタイルを保っていることだ。電気は使わず（だから冷蔵庫、テレビ、電話もない）、馬車で移動する。

私はなぜかたくなに文明を拒否するのだろうと疑問を抱いたわけだが（おそらくほとんどの人はそうだろう）、実際はただ文明を否定するのではなく、信仰の妨《さまた》げとなる文明は避けるということだった。

たとえば電話をひけば、電話を通して誰かの悪口を言い始めることになるだろう。だから電気製品は使わないが、品種改良した作物の種などは拒否せず、積極的に取り入れる。

実際、アーミッシュの農産物は大変品質が高く、高級ホテルや高級レストランで好んで用いられているほどなのだ。

アーミッシュの生活ではあらゆる快楽が禁止され、聖書および聖書の参考書以外の読書、賛美歌以外の音楽、コミュニティ外の高等教育、化粧、派手な服装、離婚、もちろんケンカも禁止だ。

しかし16歳になると、親元を離れ、アーミッシュの掟《おきて》から外れ、何をやってもよい「ラムスプリンガ」と呼ばれる期間が与えられる。酒、たばこ、ドラッグもOKだ。

そうして18歳くらいになった頃、アーミッシュに戻るか、俗世間に留まるかの選択を迫られるが、なんと80%以上がアーミッシュに戻る選択をし、しかも戻る率は年々増加傾向にあるという（もっともアーミッシュでは高等教育がなされないことから、職業の選択肢があまりないという事情もあるのだが）。

一度味わった快楽、あるいは便利な生活を手放してでも戻りたくなるアーミッシュの生活。どこが一番の魅力なのだろう？

最近読んだ本、『残酷すぎる人間法則』（エリック・バーカー著／竹中てる実訳／飛鳥新社）によれば、先述の信仰の問題のほかに、アーミッシュが文明を拒否するとき、それはコミュニティの存続を邪魔するものに限られ、そうでないものは拒否しないという。

たとえばトラクターは農業のために重要だが、コミュニティは破壊しない。しかし、人々が車を持ち始めると互いに随分離れた距離に住むことになり、コミュニティ破壊の原因になる。だからトラクターは受け入れるが車は受け入れないというのである。

そうすると、アーミッシュの若者たちの大半がまた戻ってくるのは、このコミュニティによって得られる、俗世の快楽や便利さよりも大きな満足感によるのかもしれない。それこそが互いに助け合って生きる生き方なのではないだろうか。

今やある程度の都会であれば、一人で暮らすことに不自由はなく、一人暮らしは増加する一方だ。アメリカでは１９８５年から１９９４年にかけてコミュニティへの参加が45％減少し、家族と夕食をともにすること、友人を家に招くことも減った。その元凶はテレビであるという。そして21世紀になると、スマホ、オンラインの登場により、人々のコミュニティ参加はますます減った。その結果、抑うつ状態などの精神疾患が増えた。

その一方、大災害のあとや戦争、紛争が起こると精神疾患が減少することがわかっている。

戦時中に精神科の入院患者が減少することはよく知られているし、１９６０年代に北アイルランドのベルファストで暴動が起きたとき、暴力行為の多かった地域でうつ病が激減したのに対し、何も起きなかった地域では増加した。

なぜか。そのような困難な状況では人々は助け合わざるを得ないからだ。

人間は本来、助け合わなければ生きていけない。そのような状態で心が安定するよう進化した。現代社会は確かに物質的には一人でも生きていける。しかし一方で何らかのコミュニティに属し、一人で生きているのではない、助け合って生きていると実感することが重要なのだ。

夏休みに子供たちを肝試し大会に参加させる理由

現代ではどうか知らないが、私が中学生、高校生だったころ、学校行事の夏のキャンプや林間学校など、集団で2〜3日を過ごすときに、決まって行われたのが肝試し大会だ。むろん、夜に開かれる。

せっかく子どもが集まる機会なのに、なんでわざわざ怖いこと、それも一歩間違えば事故につながるかもしれないことをするのだろう。しかし一方で、あのワクワク感、ゾクゾクした感じはほかではなかなか得られないものであるし、その体験を友だちと共有することは何かよほどの意味がありそうな気もする。

そんなことを漠然と考えていたら、最近、なるほどそういうことかと大いに納得させられる研究に出会うことができた。

英オックスフォード大学のロビン・ダンバーは、彼にちなむ「ダンバー数」という言葉があるほどの有名な学者だ。ダンバー数とは、一人の人間が持つことのできる友だちの数の上限で、約150人とされている。

そういえば、キャバ嬢が顔と名前を覚えられる客の人数はちょうどそれくらいで、誕生日祝いなどのメッセージを送るのもその範囲だと聞いたことがある。ダンバーたちがダンバー数を割り出すうえで重要視したのも、クリスマスカードを送る仲の交際範囲だった。

そのダンバーは最近、いかにして人と人との「絆」が生まれるかということを中心に研究している。絆に関するホルモンといえば私はオキシトシン（絆や愛着のホルモンといわれる）やオキシトシンに似たバソプレシンしか知らなかったのだが、彼はエンドルフィンに注目した。

エンドルフィンは脳内モルヒネとも言われ、私たちがもともと持っている天然の痛み止めだ。が、同時に人と人との絆の形成にかかわっており、エンドルフィン系の活性化こそがほかの人との絆の強さの目安になるという。

　では、どうやってエンドルフィン系の活性化を調べるかだが、ダンバーらは「ローマンチェアテスト」なるものを行った。ローマンチェアをネットで調べると、「筋肉を鍛える道具」としか出てこないが、要は「空気椅子」のことである。

　壁に背をつけ、まるで見えない椅子に座っているかのように太ももとひざ下を直角にし、太ももの筋肉の力だけで体を支えるというものだ。

　大変苦しく、痛く、たいていの人は1分以内に音《ね》を上げてしまう。そこで、何かを行う前後にこの態勢の持続時間を測定してみる。

　もし、行為の前よりも後のほうが長く続けられるようになったとすれば、それは痛みの閾値《しきいち》が高くなり、より痛みに耐えられるようになったからこそだ。つまり、脳内麻薬であるエンドルフィンの活性がより高まり、痛みを感じにくくなったと考えられる。

　エンドルフィン系の活性化はまた絆の形成と深くかかわるから、ある人が何らかの行為のあとで痛みを感じにくくなり、空気椅子の態勢をより長く保つことができるようになったとしたら、これぞその行為によって、ほかの人との絆が強まったと見なすことができるのだ。

このような絆が強まる行為としては、いっしょに笑ったり、歌ったり踊ったり、宴会で飲みかつ食い、しゃべること。宗教儀式などもそうだし、物語を共有することもそうだ。

そこで物語の共有についてダンバーの共同研究者は、こんな実験をしてみた。4つのタイプの映画を見てもらう。

・興奮度が高く、マイナスの感情が引き起こされる映画
・興奮度が高く、ポジティブな感情が引き起こされる映画
・興奮度が低く、マイナスの感情が引き起こされる映画
・興奮度が低く、ポジティブな感情が引き起こされる映画

それぞれを4人1組で鑑賞するが、4人がいっしょに観る場合と、映画は同じだが、それぞれがイアホンをつけ、別々のスクリーンで見ることで互いの反応がわからない場合とを設定した。そして映画鑑賞の前と後で、痛みの閾値の変化、つまりエンドルフィン系の活性化の変化を空気椅子テストによって測る。

すると、最もエンドルフィン系が活性化され、互いの絆が強まったのは「興奮度が高く、マイナスの感情が引き起こされる映画」を観たとき。しかも４人が別々であるよりも、いっしょに観たときのほうだった。

絆が最も強まるのは、みなでいっしょに怖い体験や困難な体験を味わったときなのである。

この現象を応用したのが、伝統的社会で行われる通過儀礼だ。若者たちだけで普段は決して行かない夜の森などに出かけ、恐怖を味わい、ときに体に一生消えないような傷を負わせられる（割礼《かつれい》はその代表）。結果うまれた絆は永遠に損なわれない。

軍事訓練なども同様で、もし少しも苦しくなく、恐怖さえも伴わないものであったなら、絆は生まれず、結束の弱い団体となってしまうだろう。軍事訓練は苦しく、疲労困憊《こんぱい》し、恐怖を伴わないと意味がないのだ。

そんなわけで、子どもたちの夏のキャンプなども単に楽しいだけで終わらせてはもったいない。肝試しのように怖くて危険、痛いなど興奮度が高く、マイナスの感情が引き起こされる体験をする。

そうしてこそ子どもたちの、それこそ一生にわたる絆が形成されるのだ。

いじめのウラに隠された「集団意識」の正体

文部科学省の調査によれば、令和4年度に全国の小中高などの学校で認知されたいじめは、前年度よりも10・8％増の68万1948件。驚くべき数値であり、事実、過去最多だった。

学校別には小学校55万1944件、中学校11万1404件、高校1万5568件、特別支援学校3032件である。年齢があがるほど減少する傾向がある。

さらに、いじめを認知した学校は2万9842校にのぼり、これは全学校の82・1％にあたる。いじめがあるのに認知していない学校もあるはずなので、ほとんどの学校にいじめは存在すると言ってもいいだろう。いじめのない学校なんて存在しないと思ったほうがいいのだ。

2023年は「いじめ防止対策推進法」が実施されてちょうど10年にあたる。

この法律のきっかけとなったのは平成23年（2011）に大津市で起きた、いじめによる中学2年男子生徒の自殺事件だ。マスコミに大きくとりあげられ、社会問題化したため、平成25年（2013）6月28日、与野党の議員立法によって国会で可決成立。9月28日に施行された。

同法は、いじめを児童や生徒が「心身の苦痛を感じていること」と定義する。そして心身の大きな被害や長期欠席は「重大事態」とし、学校や教育委員会が調査組織を設置することを義務づけた点が重要である。

ところが、この設置義務はあまり守られてはいない。文科省の調査によれば、令和3年度の重大事態は約700件にのぼるものの、約4割はいじめと認知されないまま深刻化しているという。

令和3年（2021）2月13日、気温マイナス17度の寒い夜に家を出て、3月23日に凍死した姿で発見された、旭川中2年女子生徒の事件がそれを象徴している。

彼女は恥ずかしい行為を強要され、写真を撮られ、SNSで拡散されるなど、ひどいいじめを受けていたにもかかわらず、学校側はいじめがあったことを認めず、まして重大事態であるとして対処することもなかった。その後、設置された市教委の第三者委員会においてようやく認めたという。

このように過去の事件をもとに法律ができ、不完全ながらいじめの防止のための対策がとられているにもかかわらず、過去最高のいじめ件数が報告される。

それはなぜだろう。

一つにはいじめ自体の認知が増えたこと。これまで隠されていたいじめが明るみに出たということがあるかもしれない。そうだとするとそれ自体はよいことと考えられる。

しかし一方で、いじめ自体が簡単にできるようになったせいで件数が増えた可能性も大いにある。たとえば、古典的ないじめとして肉体的な暴力や言葉による暴力を振るうと、その場で相手に同じ方法で反撃される恐れがある。だから、その行為にはストップがかかりやすい。

しかし旭川の事件のように、SNSを使えば、少なくともその場で反撃される恐れはないのだ。

いじめは人間だけのものと思われるかもしれない。だが、少なくともチンパンジー社会にはいじめがある。それもひどく残酷なものである。ある個体は脚が不自由になり、普通とは違う歩き方をするようになった。それを見た同じ集団の連中はみな、彼の歩き方を真似するようになったのである。それは普通とは違う点が彼らの関心事となったからだろう。

私も似たような経験をしている。

私は右脚が少し外側に湾曲していて、その特徴のある歩き方によって遠くからでもすぐに私とわかると言われている。大学院時代には和歌山県の山奥の、総戸数60件くらいの集落にフィールドワークのために出かけていたが、なんと私の歩き方が集落の人々によって真似されていたというのである。

実際、私はその集落の人が、京大に行く女なんてとんでもなく気が強く、人を見下し、隙あらばとって食うのだろうと思っているのではないかと感じた経験が何回もあった。よそからやってきた、それも京大理学部の女子学生という、見たことのない恐ろしい存在。しかも普通とはちょっと違った歩き方をする。そのような要素が人々の好奇心をとてつもなく刺激したのだろう。

普通とはちょっと違う個体を、いじめるとまではいかないにせよ、からかいの対象とするのはチンパンジーも人間も共通している。それは規格から外れた個体を排除することで仲間うちの団結を強めるなど、何らかの重要な意味を持っているはずである。またそうであるからこそ、これほど根強く残っているのではないだろうか。

いじめを根絶させる、わが校にはいじめは存在しないと高らかに宣言することは構わない。しかし、いじめにはもしかすると集団の存続にまでかかわる深い意味があるのかもしれない。そう理解しておいたほうが、よほどいじめの減少や予防のために役立つのではないかと思う。

沖縄・浦添市長がギリギリ「セーフ」と考えたセクハラ動画

沖縄県浦添市長、松本哲治《てつじ》氏が2023年6月、浦添市に新しくできたリゾートホテルをPRする動画を、ショート動画サイトのティックトックに投稿。

この動画に対し9月16日、X（旧ツイッター）に疑問を呈する、こんな投稿があがった（原文ママ）。

「浦添市長のやつ（オフィシャルだよこれ）を見てしまい、恐怖に震えている」

この投稿にフェミニストが反応。性暴力のない社会を訴える「フラワーデモin沖縄」の主催者、上野さやか氏は、

「見て不快に感じている人がいるのも事実だ」

とポストした。

　では、どれほど「恐怖に震え」るもので、どれほど「不快に感じ」るものなのだろうか。問題の動画を見てみた。

　それはワイドショーかドラマのノリのこんなナレーションとともに進行する。

〈市長が若い女性とホテルで密会しているとの通報が入った。

　市長はもちろん妻子持ち。

　市長、何やっているんですか、こんなところで！

「浦添市に新しくできたホテルAの案内をしてもらってたんだよ」

　そう、市長は視察に来ていたのだ。

　なあんだ、びっくりしたよ、市長。

　いや、でも待てよ。そうするとこの若い女性は一体誰なんだ？

「彼女もホテルスタッフで……」

　そう、彼女もホテルのスタッフで、客室で市長と打ち合わせしてから館内を案内してくれる方だったのだ。心配して損したぁ〉

　ここで場面は変わり、プールサイドのデッキチェアでリラックスしていた市長が身を起こし、振り返って女性にこう言う。

〈「せっかくだから君もいっしょに（プールに）入らない？」

女性はそっけなく、

「予定があるので失礼いたします」〉

ナレーションとセリフだけピックアップするとこうなる。

読者はどう感じられただろうか？

私は最後の一場面まではまったく何の問題もないと思う。問題は市長の最後のひと言だが、これが私的な場面で発せられたものなら、若干セクハラ気味のつまらない冗談の範囲に留まるだろう。

しかし、市長という公の立場で、広報動画の中で発言したことには問題がある。この発言には女性を水着に着替えさせ、あらわになった彼女の体のプロポーションを見てみたいという願望が含まれているからだ。

これは、職場で上司が部下に「君のそのドレス、素敵だね」はセーフだが、「そのドレスを着た君は、いつもよりセクシーに見えるよ」と言ったらアウトという、セクハラの練習問題の応用形に相当すると思う。

女性はきっぱりと断っているが、だからといって市長の発言が緩和されるものでもないだろう。

驚いたことにこの動画は、外部のクリエーターが脚本を書き、市長と担当課職員が確認して製作、投稿したのだという。クリエーターはいつもの作品と同様、多少の炎上も見越していたかもしれない。

市長は今回の件について、

「誰かを傷つけたり、女性を蔑視《べっし》したりするつもりはなかった。まったく批判されないような内容では誰も見てくれないので、ギリギリのラインを心掛けたつもりだったが、気分を害された方がいたとしたら申し訳ない。（SNS利用に当たっては）不快にならない形になるよう気をつけたい」

と述べている。

ギリギリの線を攻めるのは動画も、私が携わっている文章の世界も同じだ。しかしその際、いかに作品を客観視できるか、手加減や表現の仕方など、多方面にわたるセンスが問われる。しかもどう評価されるかの基準も、時を経るごとにどんどん更新されていく。つくづく怖い世界にいるなと思う。

ちなみにこのティックトックのコメント欄は概して寛大であり、「何ら問題ない」

「これがニュースになって会見まで開かなくてはならないのか」などだ。

『琉球新報』(2023年9月21日付)を転載したヤフーニュースのコメント欄はもう少し手厳しく、「脚本家、市長、職員ともに感覚のずれがある」「市長が公の動画の中で行っていることが問題」と、私が同意できるものが多い。

自分の感覚は世間とは、そうずれてはいなかったと確認し、安堵した次第だ。

宗教的戒律は男が女を縛るためにつくられた?

あるネット番組で、ジャーナリストの高山正之氏が男と女の違いについて、こんな興味深い指摘をしておられた。

胎児のときに何らホルモンの作用が働かないと女の体と脳になるが、ごく初期の頃、男性ホルモンのテストステロンを浴びると男の体と脳になるということを説明し、男が男となるためには原型である女を男性化させるというステップがある。それは、男にしかない性染色体Y上にある遺伝子で、男性化の第一のスイッチ(SRY、Y上の性決定領域)がオンになるところから始まる。これがオンになったことで次の遺伝子がオンとなり、そのまた次の遺伝子がオンに……ということが繰り返されて男性化が始まる。このように男はわざわざ原型を男性化しないといけないし、そのためには多くの遺伝子を次々とオンにしていかないといけない。そういう意味で男は女よりも不完全で不安定な存在だ。

……おおよそこんな意味のことをおっしゃった（ここでは私がだいぶ補足した）。

まさにその通りだ。

私がさらに付け加えるとしたら、人間も含め動物はメスがオスを選ぶ、が大原則だということだ。なぜなら、メスのほうがオスよりも1回の繁殖にかけるエネルギーが大きいし、時間もかかるからだ。

哺乳類ならメスは一度妊娠すると、妊娠期間、出産、授乳期間と次々なすべきことがあり、時間がかかり、次に繁殖するのは何年か後。しかしオスは一度射精したなら、次なる繁殖の機会は精子が回復したとき。同じ日のことだってあり得る。

となれば、まずは需要と供給の関係からオス過剰となってメスがオスを選ぶことになる。またメスは、同じ繁殖をするなら、できるだけ質のよいオスと子をつくりたいという意味でもオスを選別するのだ。このようにメスがオスを選ぶという原則から、動物界ではメスのほうが社会の主導権を握るのである。

高山氏はその後、人間界に視点を移し、不完全で劣る男、完全で優れた女という見方をする。そしてほかの動物とは違い、文化という武器を得た人間は、男が巻き返しを図るための工作を始めたという。それは特に宗教において顕著で、多くの宗教で婚姻形態を決めているのはその一例である。

もし、特に婚姻形態を決められていないのであれば、女はより魅力のある男を選び、子をなすことになるだろう。

男にはモテるモテないの格差が生じる。

しかし宗教で一夫一妻を決めていれば、どの男にも一応妻があてがわれるのであり、モテない、あぶれた男を救済することができる。人間界ではこのように女と比べ不完全である男、劣っている男が文化や宗教の力によって巻き返しを図っているのだ。

私がはっと気づかされたのはこの点だ。

もしかしてそんなこと、とっくに知っているという方も多いかもしれないが、少なくとも私は今までぼんやりとしか考えていなかった部分がはっきりとつながった。

人間も女が男を選び、社会の主導権を握っている。それに対し、男が何とかして巻き返したいと画策する。それが婚姻形態を決めることや、浮気はいけないという倫理をつくることだ。

一夫一妻の婚姻形態はモテない男の救済案にほかならないことは、髙山氏のおっしゃる通りだが、浮気をいけないとする倫理もモテない男のためである。

女が浮気をするとしたら、少なくとも旦那よりも質のいい男とだ。わざわざ浮気というリスクを冒し、旦那よりもさえない男と交わっても意味がない。しかも女は一夫一妻制のもとでは極めて魅力的な男の妻となることはなかなか適わないが、浮気ならとびきりのいい男と交わることができる。

ところが、浮気はいけないという倫理やその後の処罰があれば、妻が自分より魅力的な男と浮気し、特にとびきりのいい男と交わることをある程度は阻止することができるのである。

男尊女卑の思想もまた、男の巻き返し工作の一環ではないかと思う。男のほうが偉く、優れていると繰り返し吹き込む……。

ただ世界中至るところに存在するこの思想は、女が負けたふりをする一方で実権を握るという結果に収まっているようだ。

私は男尊女卑の本場、九州の出身者に何度も問いただしたことがあるのだが、男は家庭の外で、あるいは家にお客さんがいる場合には思いっきり亭主関白ぶりを発揮し、自分の優位を見せつけるが、家庭内においては完全に女房の尻に敷かれているとのことだった。

女が男を選ぶという動物学の原則の下で、男が宗教、文化などによって形勢の巻き返しを図ろうとする。

それによってときには女が悲惨な立場に置かれることもあるが、女の権利がひどく疎外されていると言われる中東に記者として駐在経験のある髙山氏に本当はどうなのかと聞いてみたことがある。

その答えは、言われているほどには、あるいは外から見ているほどには悲惨ではなく、たとえば不義密通を冒した妻を罰するとしても、単に妻を責めるのではなく、むしろ男に恥をかかせず、男のプライドを保つことが優先されているとのことだった。

男尊女卑もそうだが、男はプライドというエサを与えれば満足する。

一方、女にはプライドは不要。代わりに実をとっているというのが現状ではないだろうか。

5章

広末涼子、斉藤由貴、藤澤五月……

男と女のセックス戦略はこうも違う

目立つ中年女性の不倫　実は男よりも旺盛？

広末涼子、斉藤由貴、広瀬めぐみ（自民党議員）……不倫報道で人生が一転した女性たちだ。

まずは広末涼子さん（当時、42歳）から見てみよう。2023年の『週刊文春』の記事に端を発する、広末・キャンドル・鳥羽の戦い。所詮は中年男女の色恋沙汰、ここは静観しておくにとどめようと思ったら、6月18日に広末さんの夫、キャンドル・ジュン氏が単独で会見。具体的かつ、興味深い発言が次から次へと飛び出した。

文春オンラインにおいて、紙媒体の『週刊文春』の発売1日前に発表されたのは、「〝ベストマザー賞〟広末涼子がミシュラン1つ星シェフとW不倫　美脚ショートパンツで〝お店デート〟の後に」と題する記事だ。

不倫のお相手、鳥羽周作氏の知人による「2人が道ならぬ恋に落ちています」という証言のうえに、大きなサングラスにショートパンツ姿の広末さんが鳥羽氏のお店でデートしたときの写真もある。

6月3日夜9時、2人は時間差でホテルに入り、翌日、張り込んでいた記者が広末さんに声をかけると、彼女は不倫を否定。鳥羽氏にも電話取材したが、同様に不倫も否定した。

私はかつて『週刊文春』『月刊文藝春秋』という文春二大雑誌の編集長を務めたHさんから、雑誌のうえでのケンカの仕方を教わったことがある。なんでもケンカの時はいっぺんに情報を出してはいけない。小出しにし、しかもいきなり核心をつくものは出さないということだった。

ということは、第1弾では当人たちにとってあまり打撃にならない、そこそこの情報を出す。この場合ならホテル前に張り込んでいた記者が声をかけたが、これだけでは不倫の決定的な証拠とはならず、逃げきれると読んだ当人たちは否定したというものだ。

そうすると、次の週には、これでどうだという決定的証拠を出すのではなかろうか？

読みは当たった。2023年6月15日発売号では、こちらが恥ずかしくなるような文言が躍る、手書きのラブレターが公開された。こうして広末・鳥羽両氏は不倫の事実を認めざるを得なくなり、それぞれ謝罪のコメントを出すに至ったのである。

結局認めるなら最初から認めろよという声もあるが、週刊誌による、最初は〝緩い球〟作戦に2人ともまんまと引っかかった。まだ決定的な証拠は掴まれていないようだから、不倫は否定しておこう、というわけである。

さて、そのような騒ぎの中、6月18日に広末夫のキャンドル氏が単独会見を開いた。質問者の名を一人ひとり呼び、丁寧に答える誠実な態度に、動画のコメント欄は、キャンドル氏の人柄がよくわかったとか、広末にはもったいないなど、おおむね好意的な内容で埋められた。

しかし、キャンドル氏の次のような説明に私は首を傾《かし》げてしまったのだ。

彼女は日頃、メークもせず、美容も気にせず、香水もつけない。子どもの世話をよくし、ママ友とのつき合いも大切にする。しかし、過度なプレッシャーや不条理なことに出くわすと豹変《ひょうへん》する。その結果、濃いメークに派手な格好をし、眠らなくなり、誰かに連絡する、そして夜に出かけるようになるという。

そのように精神が不安定な中で今回、不倫をしたわけだが、それは自分をコントロールできなくなった彼女が普通の精神でしたことではない。公開されたラブレターは、自分を制御できない彼女の心のSOSではないのか？

キャンドル氏はさらに彼女の過去の不倫騒動にまで触れ、その際には相手の男性が「彼女を異常とわかってとどまってくれた」のだという。

彼女は仕事などのストレスによって自分をコントロールできない状態に陥ることがしばしばある。そういう状況で不倫することもあるが、それはあくまで異常な状態においての話だ、といったところだろうか？

妻を異常者にしてしまっていいのかという気がするが、この方、妻がなんで急に派手なメークをしたり、派手な格好をしたり、誰かに連絡して夜出かけるのかがわかっていない。いや、わかりたくないのかもしれない。

加えて妻が浮気しやすいタイプであり、子どもが3人（うちキャンドル氏との間の子は2人）もいる。そして42歳という、年齢的にも子を産むラストチャンス時にあることにも目をつぶっている。

では、斉藤由貴さん（57歳）の場合はどうだろうか。

彼女は2023年、6年ぶり4度目の不倫報道なるものを『週刊文春』に掲載された。2023年10月、斉藤さんは都内のあるクリニック前で「入れて！　閉めないで」と泣き叫んでいたが、相手は中に入れようとせず、「この人、薬を飲みすぎておかしくなってしまったんです」と言った。

この相手こそが6年前にW不倫をスクープされた医師だ。この医師によると、彼は不倫の代償として離婚し、前妻に随分と財産をとられた。斉藤さんの離婚問題の相談にも乗ってはいるが、今は関係がないという。

自民党参議院議員の広瀬めぐみさん（57歳）の場合は、2023年10月末の出来事を『週刊新潮』（3月7日号）にスクープされた。赤いベンツの助手席に56歳のカナダ人男性を乗せ、慣れた様子で新宿歌舞伎町のホテルの駐車場に入り、宿泊し、チェックアウト。その足で参議院予算委員会へと向かったのである。

3月5日、広瀬さんは地元岩手の事務所で会見し、不倫を認めた。家族も許してくれ、夫と家族のために償《つぐな》っていくとした。

ちなみに広瀬さんは2023年7月、研修旅行と称し、実際は観光がメインだった、自民党女性局のパリ旅行でエッフェル塔の前でポーズをとって写真撮影をした、いわゆるエッフェル姐さんのうちの1人である（64頁参照）。

そもそも男にも女にも「真面目型」と「浮気型」という2種類の繁殖戦略があることがわかっている（171頁参照）。広末さんや斉藤さんがどちらのタイプであるかは言うまでもないだろう。

そして女は年齢によって、さらにはパートナーとの間にどれほど子がいるかによっても、浮気のしやすさが変化する。

まず年齢別だが、イギリスで動物学者のロビン・ベイカーらが調査したところ、年代別浮気確率（一番最近のセックスがパートナーとではなかった確率）は、

・10代後半……6％
・20代前半……5％
・20代後半……4％
・30代…………8％
・40代…………10％

歳とともに浮気確率が上がっていくが、パートナーとの間に何人子がいるかで調べるともっとはっきりした傾向があった。

〈子の数〉　〈浮気の確率〉
・0人………5％
・1人………3％
・2人………10％
・3人………16％
・4人以上……31％

こうして見ると、年齢が上がると浮気しやすくなることの本質とは、実をいえば旦那との間の子の数が増えることによる影響であることがわかるのだ。

そして旦那との間に子が2人以上いると途端に浮気しやすくなるが、それは浮気して子どもができたとしても、すでにこれだけの子がいれば、旦那としてはその子を受け入れざるを得なくなるという意味である。

子がいない場合には、妻と浮気の子を追い出せば問題なし。子が1人の時はやや迷う。妻と浮気の子を追い出すと、小さなわが子が1人残される……。

そして子が2人だと、妻と浮気の子を追い出すと小さな子が2人残される。3人だと３人小さい子が、４人だと４人小さい子が、ということになり、そんなちびっ子を大勢世話することは男には無理だ。よって妻と浮気の子を受け入れるしか方法はなくなるのである。

広末さんはキャンドル氏との間に12歳と7歳という2人の子がいる（前夫との間の子は19歳で、すでに独立している）。42歳という年齢的にも今がラストチャンス。彼女は極めて本能に忠実に従っただけのこと。だから本当は騒ぐほどのことではないのである。

斉藤さん、広瀬さんの場合、年齢的に出産は難しい。しかし40代の頃の、最後の子を浮気で子を産むという繁殖戦略をまだ引きずっているということだろうか。

別れやすいカップルの特徴――離婚は決して悪いことではない

夫婦はいったいどういう条件下で離婚に至りやすいのだろう？

米エモリー大学のユーゴ・マイアロンとアンドリュー・フランシスが３０００人以上の結婚経験者へのアンケートをもとに研究した。２０１５年のことだ。

まずは婚約指輪の値段。20万～42万円だと、5万～20万円の場合よりも離婚率が1・3倍高い。

高額の婚約指輪を購入するのは、本当に裕福か、無理をしているかのどちらかだ。しかし数としては無理している勢力のほうが大きいだろう。ということは無理して高い婚約指輪を買うと、そのしわ寄せが後の結婚生活に現れるということだろうか？もっとも、5万円以下の場合も離婚率は平均よりも高い。こちらはもともと経済的に苦しいことが離婚率に反映されるとみられる。

次に結婚式にかけたお金。200万円以上使ったカップルのほうが、50万～100万円の場合より離婚率は1・3倍高い。結婚式に大きな金額をかけるのも、裕福な人々よりも無理している勢力のほうが大きいはず。よって、そのつけが結婚生活に現れるのだ。

さらには招待客の数だ。200人以上だと離婚率は平均を下回り、10人未満だと平均を上回る。これは単純に友人、知人、親戚の多さの問題だろう。つまり前者の、大勢の前で誓ったカップルはまずは責任の重大さゆえに離婚しにくいし、困ったときに相談ができる相手、自分たちを応援してくれる人間が多いことでも離婚しにくいと考えられる。

続いてハネムーンに行ったかどうか。行かなかったカップルは行ったカップルよりも離婚率が60％高い。

これをどう解釈するかは難しいが、ハネムーンに行かないというのは、単にお金がないか、行くほどには気分が盛り上がっていないかであり、いずれにしても結婚生活の破綻《はたん》につながりやすいのかもしれない。

さて、実を言うとここまでは前置きで、本論はこれからである。

まずは交際期間の問題だ。交際1年未満での結婚の離婚率に対し、交際1～2年では20％低下、交際3年以上では39％も低下するのである。

この件については恋愛のときめきの気分を演出する、フェニルエチルアミンの分泌という観点から説明されている。

このホルモンの分泌は、だいたい3カ月から2～3年でレベルが下がってくる。

分泌の絶頂期には相手の悪い点など目に入らず、なんでもかんでもよく見えてしまう。しかし分泌が下がってくると、相手のよくない点にも気づき始めてくる。つまり、交際期間が短いと相手のよい面だけが見える段階で結婚するが、やがて相手のよくない点に気づくことになって愛想をつかし、離婚に至る。

しかし長い交際期間を経て結婚するカップルは相手のよくない面を承知で結婚し、離婚に至りにくいというのである。私はこの説明に一応は納得するが、離婚をネガティブにとらえている点が気にかかる。

そもそも恋愛のときめきに3カ月～2、3年という期限があるのは、その後に別の相手との間に子をなすためである。

ときめきの最大期限である3年というのは2人が出会い、子を妊娠、出産。そしてその子が離乳し、次の子をなすことのできるまでの期間を意味するのである。人間本来の授乳期間は2年くらいだからだ。

ということは交際期間の短いカップルというのは、離婚はしやすいものの、相手を代えて別の人と子をつくるという意味では極めて合理的だ。しかも、それは子に遺伝的なヴァリエーションをつけるという大変重要な意味を持っているのである。

もちろん同じ相手と再び子をなすことも相手との絆が断ち切られないという有利な点もある。どちらの戦略で行くべきかは自分自身がもともと持っている戦略、あるいはその時の条件などによって左右されるはずだ。

交際期間のほかに離婚率に影響を与えるのは、年齢差だ。

・1歳差で3％
・5歳差で15％
・10歳差で39％
・20歳差で95％

つまり、離婚率は年齢差が大きいほど高くなる。

たとえば35歳の女が25歳の男と結婚したら、女の繁殖能力はあと数年間しかない。その期間がすぎると男はもっと若い女を求めることになるだろう。フランスのマクロン大統領夫妻の場合、夫人が24歳年上で、結婚したのは彼女が50代。それでも夫婦円満なのはあっぱれではあるが、あくまで例外だ。男がうんと年上の場合にもしかりで、年齢が離れるほどお互いに繁殖に適した期間がずれ、離婚に至りやすいということになる。

ちなみに最近、マクロン夫人のブリジットさんに男性疑惑が持ち上がっている。マクロン大統領とブリジットさんは男性同性愛者のカップルではないかということだ。

ブリジットさんの若い頃の写真を見ると、まさしく男であるが、歯の形、笑った時の口角の上がり方、鼻の形、目の形、顔の輪郭など、現在のブリジットさんとぴたりと一致する。この疑惑が持ち上がって初めて気づいたのだが、ブリジットさんは女にしては体に丸みやくびれがなく、全体的に棒状である。さらに割と最近の動画では、パンツルックのブリジットさんが股を広げて椅子に腰かける様子が映っていた。うっかり気を抜いたのかもしれない。

しかし、たとえブリジットさんが男であったとしても、フランスでは同性婚が認められている。この際、真相を明らかにして同性婚をなさったらよいだけのことだ。

話が大きく逸れてしまったが、もう一つ離婚率に大いに影響を与えるのは結婚した時期だ。

10代後半～20代前半という若い頃に結婚すると、高齢での結婚よりも離婚率は高い。これは若気の至りだと説明されるかもしれないが、動物行動学的にはそうではない。

これこそが、若い時と少し年をとったときとで相手を代えて子をつくるための戦略なのである。

同じ相手とではなく、違う相手と子をつくることは伝染病などに対して効果がある。同じ相手との子は遺伝的に似たり寄ったりなので、何らかの伝染病が流行ったときに最悪全滅することもあり得る。しかし違う相手と子をつくり、子に遺伝的ヴァリエーションをつけておくと、やられる子もあれば、やられない子もいる。少なくとも全滅は防ぐことができる。これが動物として最も大切なことなのである。

離婚はとかくネガティブなこととしてとらえられがちだが、繁殖のうえで極めて有効な戦略なのだ。そう理解すれば、離婚でくよくよすることもないし、離婚した人を責めることもなくなるのではないだろうか。

他人の心がやたら読める男はうさん臭い

実は、男にも女にも繁殖戦略に2つのタイプがあることがわかっている。「浮気型」と「真面目型」だ。

それはSOIなるテストの平均点数で判定する。SOIは、社会的性的な関心が外（家庭外とかパートナー以外）を向いているか、内（家庭内とかパートナー）を向いているかの尺度だ。
たとえば、こんな質問をする。

・週にどのくらい浮気を夢想しますか？
・過去1年間にどれくらいセックスパートナーを持ちましたか？
・愛のないセックスもＯＫですか？

それぞれの質問に対し、1から9までの9段階で答える。人数や回数のときはその数の大小で、そうでない質問のときは「1：まったく同意する」から「9：まったく同意しない」までの選択肢から選ばせる。

全部で27の質問に対する答えを平均してＳＯＩスコアとする。このＳＯＩスコアが大きいほど、社会的・性的関心が外を向いている「浮気型」。小さいほど内を向いていて「真面目型」ということになる。

イギリスと北米で調査したところ、男にも女にも「浮気型」と「真面目型」という2つの勢力があることがわかった。

これは予想通りだったが、さらに収穫だったのは、男の場合には「浮気型」の勢力のほうが「真面目型」を上回り、女の場合には「真面目型」の勢力のほうが「浮気型」を上回ったということだ。

男と女の繁殖において一番違うのは、男はしょっちゅうセックスのチャンスが転がっているので、成功するかどうかは別として、それを追求するべきだが、女は一度妊娠したら次に繁殖する機会は何年か後、よってじっくりと選んだ相手と繁殖し、男ほどには浮気のチャンスがないということ。

結局、男では「浮気型」が優勢だが、女では「真面目型」が優勢という現象には、このような事情が反映されているのだろう。

実は、今紹介した研究は3人の研究者によるものなのだが、そのうちの1人である英国オックスフォード大学のR・ウロダルスキー（Wlodarski）は1人で、さらにこんな研究をした。

浮気をよくするタイプの人物の心理とはどのようなものなのか。他人がどう感じているかを理解できる（心が読める）のか、あるいは他人が感じているのと同じように感じられる（同情できる）のか？

前者は「認知的共感能力」、後者は「感情的共感能力」と言われる。感情的共感能力は感情移入の能力と言ってもいいかもしれない。

ウロダルスキーは次のように予測した。浮気型人間は認知的共感能力が高く、感情的共感能力が低いのではないか？　つまり、相手の心は読めるが、相手に感情移入ができにくい。

というのも、感情的共感能力（感情移入の能力）は長期的なペアを組む際に重要であることがわかっているからだ。そして相手の心の状態を素早く効率的に理解できる認知的共感能力は短期のペア、つまり浮気相手の心を読む際に重要な能力だ。

ウロダルスキーは、まずは被験者が「浮気型」か「真面目型」かを先のＳＯＩスコアで判定。次にそれぞれの認知的共感能力と感情的共感能力とを調べた。

まず認知的共感能力、つまり他人の心を読む能力を、ＲＴＭというテストを行って調べた。目とその周辺の写真を36枚見せ、それぞれの場合にその人物が抱いている感情を4つの選択肢から選ぶというものだ。正解の合計が認知的共感スコアとされた。

一方、感情的共感能力については「他人の立場に同情しやすい」「相手の気持ちを素早く直感的に把握できる」など、22の項目について「まったくそう思わない」から

「まったく同意する」までの4段階で答え、点数の合計を感情的共感スコアとする。

そうして得られた結果は予想とはやや違っていた。確かに予想された通り、浮気型人間は認知的共感能力が高い。つまり他人の心がよく読める傾向がある。では他人に感情的に共感しにくく、感情移入しにくいのかというと、そうではなかった。「浮気型」の人間こそが、人の心をよく読めるだけではなく、人に感情移入する能力も最も高いことがわかったのだ。

こうしてみると、浮気には認知的共感と感情的共感の、どちらの能力も必要なことがわかってくるのだ。

どうして、こんなにも高い共感能力を持たなくてはならないのだろう。ウロダルスキーによると、それは相手が「浮気型」かどうかを効率よく見分けるためであると説明されている。「真面目型」の相手を一生懸命口説いてみても時間の無駄になるだけ。「浮気型」人間としては「同好の士」を素早く見つけることが最大の課題だからである。

私は、やたら他人の心がわかるとか、気の利く男に対しては警戒する性質を持っている。何だかうさん臭いな、下心があるんじゃないかな、と。逆に、多少気が利かないとか、あまり細かいことには気がつかない男だとほっとするのだが、それはおそらく私自身が「浮気型」ではないからなのだろう。

同好の士を見つけようとしている「浮気型」男にとっても私が警戒し、思わせぶりな態度をとらないことは重要なのだろう。どうやらこの世には「浮気世界」と「真面目世界」という2つの世界が共存している。両者が互いの領域を侵さないことが世界平和の秘訣であることは言うまでもないはずだ。

ムキムキのカーリング藤澤五月さんはお好き?

平昌《ピョンチャン》冬季五輪(2018年)で銅メダル、北京冬季五輪(2022年)で銀メダルに輝いた女子カーリング日本代表のキャプテン、藤澤五月さんがびっくり仰天の肉体改造を披露し、話題となった。

2023年7月22日、水戸市で開催されたボディメイクコンテストに出場。エメラルドグリーンのビキニをまとい、わずか2カ月で絞ったというその体は、私の目にはボディビルそのものに思われた。

そもそもボディメイクとは何ぞや。早速ボディメイクとボディビルの違いを調べると、前者は、健康で美しい、引き締まった体を目指すこと、ボディラインを重視してトレーニングする。特に女子ではほどよい筋肉量と脂肪を残した曲線美を競う。対してボディビルは、脂肪をそぎ落とし、筋肉を肥大化する。そのためにハードなトレーニングをする。

藤澤さんの、脂肪がほとんどついておらず、筋肉バキバキの姿はどう見てもボディメイクではなく、ボディビルの理想を追求した姿だった。

ジャッジをした本間浩之氏も、

「やっぱりアスリートなので、限界値が違うのかなと。ギリのレベルが。じゃないとあそこまで絞れない。絞りすぎてるってくらいですかね、ビキニ（クラス）では」

と述べている。

ビキニクラスとは、特に女性らしさを争う部門で、筋肉よりもアウトライン、バスト、ヒップを強調し、髪型、メイクも含め、トータルの美が問題にされる。そういう意味で藤澤さんはふさわしくなかったのかもしれず、優勝を逃している。

ともあれ、このニュースに対する一般の人々（その大半は男性と思われる）の反応と言えば、さすがはオリンピックに出た人は根性が違うというものもあるが、大半は前のほうがかわいい、ポチャがいい、色気がなくなった、老けて見える、など絞り込む前のほうがいいとする意見である。

そりゃそうだろう。私の見るところ、絞り込んだ藤澤さんの体脂肪率（％）はひと桁台。日本人女性は年代にもよるが、普通体脂肪は20～29％。

・20％未満は痩せ
・30～35％が軽肥満
・35％より上は肥満

と見なされる。

肝心なのは体脂肪が21％を切り、その値が下がるとともに、月経不順、無月経、無排卵とより深刻な状態になっていくということだ。また若い頃に体脂肪が少ないことは卵巣を老化させることにもなるという。

一般の人、特に男が前の藤澤さんのほうがいいと感じるのは自然なことであるし、それはちゃんと月経があり、排卵もしているという生殖能力のある女を選ばないと自分の子孫を残せないという淘汰ゆえに進化してきた心理であり、審美眼なのである。

藤澤さんの今回のコンテスト出場を巡っては、もう一つ議論が噴出した。それは大会を主催したFWJ（Fitness World Japan）という団体の抱える問題点だ。この団体は普段、アンチドーピングを標榜しているというのに、実際の大会においてはドーピング検査を行わなかったのである。

ほとんどの選手はドーピング不使用（これをナチュラルという）のはずだが、検査がないとなれば、ドーピング使用（ユーザー）の選手が圧倒的に有利になってしまう。筋肉増強剤であるアナボリックステロイドや成長ホルモンによって、ナチュラルでは超えられない壁をユーザーはたやすく超えてくるからだ。こうしてこの大会はユーザーたちの独壇場になる。

また藤澤さんはナチュラルなのだろうが、藤澤さんがこの大会に出場したことでFWJの名が一躍知られることとなり（私も初めて知った一人だ）、それは薬物使用のすそ野を広げることにつながりかねないのである。

女の筋肉ムキムキを男は普通、好まない。それは生殖能力のあるなしと深くかかわっているからだ。

男のあまりの筋肉ムキムキも、女は普通好まない。それがなぜなのかはよくわからないが、もしかすると筋肉をムキムキにする主原因である、男性ホルモンのテストステロンが持つ弊害にあるのかもしれない。テストステロンは男の魅力の源となっているが、同時に免疫力を抑えるという怖い働きを同時に持っているのである。あまりに筋肉ムキムキの男はテストステロンの免疫抑制作用にやられてしまうかもしれないと女が警戒しても不思議はない。

しかし、それだというのに筋肉をやたらつけたがる男女がいるのは……自己満足？

男には「射精責任」がある？　フェミニストが見落としていること

東京大学大学院教授の赤川学先生が月刊誌『WiLL』に「13歳からの性」というコラムを連載中だ。ちなみに赤川先生と私は同誌2023年3月号で対談し、少子化問題について議論した。

2023年11月号のコラムは「『射精責任』を読む」と題されているが、『射精責任』（村井理子訳、太田出版）とは、ガブリエル・ブレアという6人の子を持つモルモン教徒のアメリカ人女性が書いたベストセラーだ。彼女は起業家であり、ブロガーでもある。赤川先生としては話題の本の翻訳が出たので読んでみたというわけである。

アメリカでは長年、中絶を巡って胎児側に立つか、母体側に立つかの論争が続いてきた。胎児の生命権か女性の権利かである。

前者は文字通り胎児の生きる権利であるとし、後者は望まない妊娠をした場合の女性の権利を重んじるということだ。結局、両者を秤《はかり》にかけて、たとえば妊娠15週以降の中絶を原則禁止するという法律がある（ミシシッピ州法など）。

それについてブレアは、そもそも中絶以前の問題、つまり望まない妊娠の原因となる、男の無責任な射精について議論している。

彼女によれば、男の生殖のチャンスは女の50倍もあるという。女の生殖可能な期間が40年、排卵日が月1回あるとして、12×40で480日の生殖のチャンスがある（実際には月経周期は30日よりは短いが、大雑把な計算としてこうしている）。

それに対し、男は12～80歳までを生殖可能な期間として、射精できる日数は2万4820日（この値は365×68として導いている。若い頃ならともかく、年をとっても毎日射精のチャンスがあるとは思えないが）。

ともあれ、こうして男は女の50倍の生殖のチャンスがある。男にそれほどまでに生殖のチャンスがあるのなら、女の望まない妊娠は男の側に責任があるというのである。

それにまた、女の排卵はきちんとは予測できないし、コントロールもできないが、男の射精はコントロールできる。女性用避妊具は手に入れにくく、使いにくいが、男性用避妊具は手に入れやすく、使いやすい。このようなことも望まない妊娠を男の側の責任とする根拠となっている。

ここまでは割と受け入れやすい議論なのだが、ブレアは、たとえ女が避妊しなくてよい、つまり生中出しを求めたとしても男は断るべきだと言う。いかなる理由があろうとも、女が望まない妊娠をしないために男は徹底して避妊せよというのだ。

極端かつ、いかにもアメリカ人女性が言いそうな、フェミニズムに基づく現実離れしたこの議論に対し、赤川先生は大いに反論しているが、その詳細については記事を読んでいただくとして、私も反論する。

女はおつき合いの段階で常に妊娠したくないわけではない。当然、女にも繁殖戦略がある。女が生中出しを求めるとしたら、それは単に男を喜ばせ、気を惹くためというよりは、本当に妊娠を狙っているからではないだろうか。たとえば、できちゃったことによって一気に婚姻にまでもっていくことも可能だ。

さらには複数の女と同時につき合っている男が、できちゃったことによって、その女と結婚に至るという例は結構ある。

最近知った出来事では、岸田首相の片腕の木原誠二氏が2人の女性と同時進行でつき合っていたが、できちゃったほうの女性と入籍し、もう1人の女性とは愛人関係を続けたという例がある。

このように女は望まない妊娠をする一方で、望む妊娠を武器とする場合もあるのだ。では、子ができたことが吉と出るか凶と出るかを女はどうやって判断するのだろう。

それが人の心をよく読む能力の進化だ。

目とその周囲だけの写真を見せ、その人物がどんな感情を抱いているかを選択肢の中から選ぶというテストがある。

それによるとウエストがくびれている女ほど人の心をよく読める傾向がある。女性ホルモンの作用によってウエストがくびれ、それと同時に人の心を読む能力が増すとされるのだ。

ウエストのくびれた女は魅力的なので男によく声をかけられる。その際、男が一夜かぎりでポイ捨てするタイプか、誠実で長くつき合うべきタイプなのかといった男の繁殖戦略を見極めなくてはならない。そのために、人の心をよく読む能力を進化させていると説明されているのである。

『射精責任』の著者、ブレアは女の側にも繁殖戦略があり、それは男のそれよりもはるかに上回るという動物行動学の基本的理論、というか基本的事実を見落としている。しかもそれは、繁殖のチャンスが女のほうが男よりもはるかに少ないというブレア自身が提出した証拠から導かれるものだ。チャンスが少ないからこそ繁殖戦略は質的に上回っていないと対抗できないのである。

“ブサイクな女”ほどイケメン・イケボ好きなのはなぜ?

私がエッセイや動画などでよく話題にするのは、ツバメのメスが亭主の尾羽の長さによって浮気の頻度を変えるということだ。

ツバメは一夫一妻の婚姻形態をとっている。オスの魅力は尾羽の長さにあり、長いオスほどモテる。メスはオスよりも先に越冬地から繁殖地に戻ってきて、オスたちを待ち構えており、尾羽の長いオスほど早々に相手が見つかる。尾羽が長いオスはその日のうちか数日後に、尾羽の中くらいのオスは1週間くらいかけて、尾羽の短いオスは2週間くらいかけてようやく相手が見つかる。

このように一夫一妻であると、メスは必ずしも尾羽が長い、魅力的なオスとつがえるわけではない。たいていは妥協している。

では、その不満をどうやって解消するかというと、浮気である。メスのもとにはいろいろな尾羽の長さのオスが浮気のためにやってくる。しかし、メスが浮気に応じるのは尾羽が長いオスのみ。しかも亭主の尾羽の長さによって行動にはっきりと違いがある。

尾羽が長いオスを亭主にしているメスは、どんなオスがやってきても浮気をしない。尾羽が長くても、だ。

尾羽の長さが普通のオスを亭主にしているメスは、尾羽が長いオスがやってきたときの数回に1回、浮気する。そして尾羽の短いオスを亭主にしているメスは、尾羽が長いオスがやってきたなら、必ず、逃さず浮気するのである。

なぜ尾羽が長いオスが好まれるかというと、本人の免疫力の高さが尾羽の長さとして現れており、それはとても信頼できる情報だからである。

この話をしてから人間の話に進むとよく突っ込まれるのは、それはあくまでツバメの話。ツバメと人間をいっしょにするなということだ。

そこで言いたい。

一夫一妻制によってメスが多少不満のあるオスとつがわなければならないとき、その不満は浮気によって解消するという論理は動物界一般に通用するはずである。ツバメではオスのモテる要素が尾羽のみで、しかも一夫一妻制をとっているという非常に単純な事例であり、この件を追求するためにとても便利なモデルとなっている。だから、ツバメでよく研究がなされているというわけなのだ。

そうすると人間でも、一夫一妻制によって女が多少不満のある男とつがった場合にも浮気によって魅力のある男の遺伝子を取り入れているのではないだろうか。

この件については、男の魅力を声の魅力（低い声ほど魅力的）に限定して研究したものがある。

英国セント・アンドリューズ大学のD・R・ファインバーグらは男の魅力として、顔などのルックスの良さ、筋肉質の体などいろいろあるが、声に限定した。

そして、メスの魅力はほとんど関係ないツバメの場合と違い、女の側にも魅力のあるなしの区別をつけた。人間でも女が男を選ぶという大原則は存在するものの、女も男によってある程度、選ばれるからだ。

女の魅力は女性ホルモンのエストロゲンの産物であり、尿に含まれるE３G(estrone-3-glucuronide) なる物質の濃度で測る。エストロゲンは女の魅力を演出するホルモンだからだ。

そうすると、そもそも男と女はそれぞれの魅力が同レベル同士でつがう傾向がある。E３Gの濃度が高く魅力的な女は、声が低く、魅力的な男と、E３Gの濃度が低く、魅力に欠ける女は、声が低くない、魅力的ではない男とつがっているはずである。

そうしてE３Gのレベルと、排卵期と非排卵期にそれぞれどのような声を好むかを調べると、E３Gのレベルが高い女は２つの期間であまり差が現れなかった。ところが、E３Gのレベルの低い女は差が大きかった。

排卵期には思いっきり声の低い男を好むが、非排卵期にはそうではないのだ。

この結果が示すのは、E３Gのレベルの低い、魅力に欠ける女は、排卵期という子ができやすい時期には声の低い、魅力的な男を渇望するということ。つまり、亭主以外の魅力的な男に強く惹かれ、おそらく浮気もするだろうと解釈できるのだ。

これでツバメの話といっしょにしてもよいことがわかったし、アイドルやイケメン俳優にぞっこんの女が、はっきり言って女としてあまり魅力的ではない場合が多いという現象が説明されるだろう。

私も含め彼女たちは、排卵期にこそ魅力的な男に熱中しているはずなのである。

マスターベーションはセックスの前の準備！

最近、日本人のセックスレスについて考える機会があった。

このテーマでの討論会に呼ばれたからなのだが、とにかく日本人といえばまず何と言っても世界一セックスをしない人々といわれる。

イギリスの男性用避妊具メーカーのDurex（デュレックス）社による有名なアンケートによると、2005年の世界のセックス頻度（年間のセックス回数）は以下の通りだ。

・ギリシャ……138回

・クロアチア……134回
・セルビア・モンテネグロ……128回

以下、主要な国のみ紹介しよう。

・フランス＝120回、イギリス＝118回、アメリカ＝113回、南アフリカ＝109回、イタリア＝106回、スペイン＝105回、ドイツ＝104回、デンマーク／ノルウェー＝98回、タイ＝97回、中国＝96回、台湾＝88回、ベトナム＝87回、香港＝78回、シンガポール＝73回、日本＝45回

日本の「年に45回」は週に1回弱となる。このような結果にため息をつく前に、まずは知っておくべきことがある。それは、我々モンゴロイドはもともとそんなに頻繁にセックスをしないということだ。実際、デュレックス社の調査を見ても、アジア諸国は軒並み、平均である103回を下回っている。

さらに3大人種の睾丸《こうがん》サイズ（左右あわせて）、つまり、精子製造能力を比較してみ

よう。

・ニグロイド……50グラム
・コーカソイド……40グラム
・モンゴロイド……20グラム

モンゴロイドはコーカソイドの半分しかない。だから、モンゴロイドはコーカソイドと比べ、精子製造能力が半分しかないし、それくらい貧弱であってもかまわないという意味なのである。

では、なぜコーカソイドやニグロイドは多くの精子をつくらなければならないのかというと、精子競争、つまり一人の女の卵（卵子）の受精をめぐる複数の男の競争が激しいから。要は浮気が盛んだからなのだ。

浮気をしようとする男にとっては、相手の女のパートナーの精子を上回る数の精子（特に生きのいい精子）を投入しないと精子競争に勝てない。

パートナーが浮気しているかもしれない男にとっては、相手の男よりも多くの精子を投入しないと、そいつによってパートナーが妊娠させられる可能性が高まる。むろんセックスは頻繁にしなければならない。

こうして、どの男も精子をどんどん製造する必要に迫られ、睾丸は次第に発達。セックス数も多い。片やモンゴロイドはさほど精子競争は盛んでないので睾丸もあまり発達しなかったし、セックスも頻繁にする必要がないという次第なのである。

ちなみに婚姻形態が乱婚的であるチンパンジーでは睾丸は約120グラムである。

ここで、日本人がモンゴロイドの中でもとりわけセックス回数が少ないことの説明をしなければならないが、その前に東京大学の赤川学先生らの研究を見てみよう。赤川先生はマス青山なるペンネームを使用する、マスターベーションの専門家である。

1999年、2009年、2014年、2019年の4回にわたる調査で20代から40代まで、それぞれ1000人ほどの男性にアンケート調査を行ったところ、セックス回数は減少してきているが、マスターベーションの回数は減少せずとの結果が得られた。

もしセックスの回数が減っているのに対し、マスターベーションの回数が増えていたら、マスターベーションは性欲解消のためであると説明されるだろう。しかし変化なしなのだ。

つまり、マスターベーションは性欲解消を目的としたものではなく、セックスの準備であるからこそ、この結果なのだろう。

この現象は、C・R・カーペンターという霊長類学者がアカゲザルの集団を観察することで発見した。集団内の順位が高く、メスとの交尾のチャンスが多いオスのほうが、むしろマスターベーションを頻繁にするからだ。

結局、古い精子を追い出し、発射最前線を新しくて生きのいい精子に置き換えるのがマスターベーションであると後にR・ベイカーが説明し、マスターベーションの意味が定まった。

実際、赤川先生らの研究ではセックス回数とマスターベーション回数との間に弱い正の相関が出ており、それはパートナーがいる男でより明確な相関が現れるという結果だったという。

やはり、マスターベーションはセックスのための準備であり、パートナーがいる男ではパートナーとのセックスのためにより一層準備に励んでいるということなのだ。

セックス回数は減ったが、マスターベーションの回数は減らないという現象は、パートナーがいてセックスもマスターベーションも頻繁であるという男と、パートナーがおらず、マスターベーションしか行わないという男という格差のある構図から生まれると赤川先生は説明している。

後者の男はパートナーが現れるか、何らかのセックスの機会が訪れることを期待してセックスの準備だけはしているということだろう。

もしかすると日本人のセックス回数が少ないのは、男が準備だけはするが、実行にはなかなか移さないという後者の男の礼儀正しさにひとつの原因があるのかもしれない。既婚男性の妻には手を出さないとか、つき合っているかどうかもあいまいな時期に女性と交わることをしないとか。

6章

アインシュタイン、ジョブズ、チンギス・ハーン……

天才か、凡人か、遺伝子のミステリー

別々の人生を歩むと双子も別人のような顔になる

遺伝子についてレクチャーしてくださいと頼まれた。いったいどこから始めてよいものやらと思っていたが、ここでは遺伝子（DNA）の発現（遺伝情報の具体的な現れ）がどのようにして調節されているかという点に絞って説明してみようと思う。

例として挙げるのは、まずセロトニントランスポーター遺伝子である。この遺伝子はその名の通り、神経伝達物質の一つで、精神を安定させる働きをするセロトニンを運ぶ、セロトニントランスポーターをつくるための遺伝情報だ。

セロトニントランスポーターは神経細胞の末端部にあって、シナプス（神経細胞と神経細胞の間の部分、シナプス間隙ともいう）に放出されたセロトニンを回収する働きがある。

この回収がうまくいかないとセロトニンが体外に排出され、セロトニン不足になって、うつなどの症状を引き起こす。よってセロトニントランスポーター遺伝子が十分に発現するかどうかが、うつの一因となるわけだ。

このセロトニントランスポーター遺伝子の発現にかかわる一つの要素。それは、この遺伝子の転写開始部分（ここから先がこの遺伝子の本体であり、情報の読み取りを開始するという部分）よりも前の領域に存在する、塩基配列の繰り返しの回数である。

この件が初めて報告されたとき、繰り返し回数は14回と16回の2種類しかなかった。そこで前者はＳ（Ｓｈｏｒｔ）型、後者のほうはＬ（Ｌｏｎｇ）型と名づけられた。

その後、繰り返し回数は14、15、16、19、20、22回というようにほかにも見つかったが、それでも繰り返し回数が少なくて短いか、多くて長いかによるＳとＬの分類がなされている。

ともあれ、Ｌ型だとセロトニントランスポーター遺伝子が十分に発現し、セロトニントランスポーターが多く存在するので、セロトニンがよく回収されてセロトニン不足に陥らない。

よって不安も少なく、うつにもなりにくい。Ｓ型だとその逆で不安が高まり、うつになりやすいということがわかっている。

ただ実際には、セロトニントランスポーターの遺伝子は常染色体である第17染色体上に存在し、常染色体は一対ずつ存在するので、人はＬＬ、ＬＳ、ＳＳのどれかの組み合わせで持っている。

そして、SSは日本人の80・25%、中国人の75・2%、台湾人の70・57%と、東アジアの人々に多い。アメリカ人は44・53%、南アフリカの人々は27・79%である。S型が多い東アジアの人々は、不安になりやすいのだ。L型はアフリカ、欧米に多く、彼らは割と楽天的であると考えられる。

イギリスのA・カプシらはニュージーランドの847人について、彼らが21歳から26歳までの5年間に、人生の中でも非常にストレスを感じた出来事が4つ以上あったという人の場合、各型によって過去1年間のうつ病の発生率がどう違うかを調べた。

すると、LLでは17%だが、LSとSSを合わせたグループの場合には33%に達した。LLはかなりのストレスに対処でき、うつ病の発生率はS型を持っているか否かがカギを握るようだ。

以上は遺伝子の発現が本体とは違う領域にある塩基の繰り返し回数によって調節されているという例だ。

もうひとつ、近年よく話題になる「エピジェネティクス」という遺伝子の修飾（発現の調節のこと）の問題がある。遺伝子本体ではなく、遺伝子の発現を遺伝子の修飾（たとえばメチル基やアセチル基がくっつくとか離れるとか）によって抑制するか促進する。具体例として神経成長因子の一つであるBDNF遺伝子をみてみよう。

この遺伝子には塩基のC（シトシン）とG（グアニン）が、CGCGCG……と集中して存在する領域がある。このCがいかにメチル化（メチル基がくっついて修飾）されているかが、遺伝子発現に影響を及ぼす。メチル化とは発現を抑制するということだ。広島大学の淵上学《ふちかみまなぶ》氏らの研究によると、Cの70〜80％がメチル化されていることが、うつ病診断の有力な手掛かりになるという。この例からもわかるように塩基の修飾は人生経験を積むうちに変化するのだ。

これとは別に自殺者を調べたところ、副腎皮質ホルモンであるグルココルチコイドの受容体の遺伝子がよくメチル化されていたという例もある。

このとき、海馬《かいば》でのグルココルチコイドの発現が低下してストレスに弱くなり、不安や抑うつが増したのだと考えられる。しかもそれは、その人物が幼児期に虐待を受けたことにも対応していた。

ラットでも同じような現象が見つかっていて、それは親の養育行動が不十分なことから起こる。

遺伝子本体については変わらないが、遺伝子の修飾については生涯にわたって変化する。それが如実にわかる例がある。みなさん覚えておられるだろうか、あの「きんさん・ぎんさん」だ。お2人ともあまり似ていないから、てっきり二卵性双生児だと私は思っていた。ところが、お2人は一卵性双生児だったのである。

つまり、きんさんとぎんさんも、若い頃には家族でなければ見分けがつかないほどそっくりだったが、100年もの月日が経つうちに、互いに別々の人生を歩むことで遺伝子の修飾状態が変わった。それによって一卵性とは思えないくらいに差が現れたということなのである。

遺伝子は我々の行動次第でかなり調節が効く。変えられる余地を残してくれていると考えるべきだろう。

天才アインシュタインは「チンパンジーの目」を持つ

やりきれないほどの暑い日々が続くと、時々思い出す苦い体験がある。京大の日高敏隆研究室にいたころだ。夏の1カ月間、アメリカに行くという同僚男性から飼育している昆虫（ユスリカ）の幼虫の世話を頼まれた。

彼は私を地下室の飼育部屋へと案内し、世話の仕方を説明してくれたのだが、音声言語で説明されると頭になかなか残らないという弱点が私にはある。

そこで必ずメモをとるようにしているのだが、そのときはあいにくいきなり頼まれたのでメモの用意ができなかった。渡米する前に彼は当然、確認のためのメモを残してくれるはずと思ったが、その期待は見事にはずれた。

その結果、何が起きたのか。水の与え方は記憶できたのだが、エサに関する情報がすこーんと抜けたのだ。

よく考えれば水だけでよいはずはない。そこで同様に昆虫の飼育をしている同僚に尋ねればいいのだが、人とコミュニケーションをとって情報を得ることよりも、人とコミュニケーションをとることの恐ろしさのほうが勝ってしまう私はとうとう聞かずじまいだった。

1カ月間水だけで過ごしたユスリカの幼虫は死にはしなかったが、成長していなかった。彼はその不満を私にぶつけ、研究室全体にその顛末が伝わった。もともとダメなやつであることは知られていたが、あらためてダメなやつであることが確認されたわけである。

私はものを覚えるときには紙などに書き、視覚的に認識しないとなかなか覚えられない。また20代までは、特に覚えようとしなくても、書類や風景をまるで写真を撮ったかのように記憶することができた。

このような記憶法を直観像記憶とかシャッター記憶といい、幼いうちなら誰でも持っている性質である。

それがかなり大人になってもあるというのは、自閉スペクトラム症や、そのうちの軽い症状であるアスペルガー症候群の特徴と言われる。

ちなみに自閉スペクトラム症という呼び方からわかるように、この症状は連続的であり、誰でもその要素は大なり小なり持っている。要素をどれくらい持っているかによって障害があるかどうか判断されるのだ。

実は直観像記憶、シャッター記憶というのは、少なくともチンパンジーが得意とするもので、その能力は人間が逆立ちしても追いつかないくらいほどのものである。

京都大学霊長類研究所の研究によると、まずチンパンジーに1から9までの数字とその順序を覚えさせる。そうして、そのうちのいくつかをランダムに画面に表示し、彼(彼女)が一番小さい数字をタッチしたところで、残りの数字に白い被《おお》いをかぶせる。それでも彼(彼女)は残りの数字が隠れている白い部分を数字の小さい順にタッチしていく。

有名なチンパンジーのアイは、このタスクに関して5個くらいまでできる。息子のアユムはなんと9個まで可能だという。霊長類研究所の教官も大学院生も、誰一人アイやアユムに敵《かな》わない。

第一、人間は画面に現れてから一番小さい数字をタッチするまで、つまり数字の配置を覚えるのにやたら時間がかかるのである。チンパンジーなら瞬時に覚えてしまうのに。

人間は直観像記憶については若い時のほうが優れているが、そもそもチンパンジーのほうが人間より優れている。また、アユムがアイより優れていることからすると、チンパンジーでも若いほうがより優れているようだ。

このようなことから、人間にしろチンパンジーにしろ、直観像記憶はかなり古い時期に獲得し、進化した能力であろうと推察できる(個体発生は系統発生を繰り返すと考えるなら、だ)。

人間とチンパンジーは、共通の祖先から約700万年前に分かれたとされている。その人間が独自に進化させた能力として言語がある。言語能力はそれ自体、とても素晴らしいものだが、代わりに直観像記憶のような視覚で世界をとらえる能力が弱まってしまったと思われる。

自身も高機能自閉スペクトラム症である米コロラド州立大学動物科学教授のテンプル・グランディン（女性です）は「視覚思考者」と「言語思考者」という概念を提出している。

視覚思考者は言語で思考することが不得意だが、発明や技術、設計、芸術などに優れ、ミケランジェロ、アラン・チューリング、アルバート・アインシュタイン、トーマス・エジソン、スティーブン・スピルバーグ、ビル・ゲイツ、スティーブ・ジョブズ、イーロン・マスクなどが例としてあげられている。同時に彼らは自閉スペクトラム症あるいはアスペルガー症候群の代表例でもある。

視覚思考者、自閉スペクトラム症、アスペルガー症候群の人は、ずば抜けた能力を持っている場合には天才と呼ばれることが多い。しかし何かの能力を特別に備えているというよりは、遠い祖先が獲得した視覚思考の能力を高い水準で保ち続け、それを実世界で発揮することができている人々（ただし言語能力とは引き換えに）と言ったほうが適切ではないだろうか。

グランディンは今の学校教育が言葉で教えることに集中していて、視覚思考者が置き去りにされ、ときに落ちこぼれのレッテルを貼られることを大変危惧《きぐ》している。実際、エジソンは学校では落ちこぼれであり、退学後、元教師である母親に買ってもらった本で勉強し、自分で実験を始める。やがてパトロン兼助言者となる人物と出会うことによって発明と実業の世界に飛び込むことになるのだ。

視覚思考者に対しては、エジソンのように手を使って何かをする体験が能力を伸ばす秘訣だと彼女は論じている。

言語は人間独自の、最大の能力だが、一方で視覚思考という能力を弱める原因となってしまった。

その点、エジソンやミケランジェロ、アインシュタインのような人々は、視覚思考の能力を大いに残しつつ、言語能力もそれなりに持っているという絶妙な存在だ。そのような人々が人間界において発明や技術、設計、芸術を牽引し、活躍してきたということは実に不思議であり、神の采配のようなものを感じずにはいられない。

※チンパンジーの直観像記憶、短期記憶については以下の動画の3分くらいからご覧ください（https://www.youtube.com/watch?v=6UkL57i098k）。

天王寺動物園から脱走したチンパンジーがメスだった理由

２０２３年10月17日、大阪・天王寺動物園でメスのチンパンジーが脱走する事件が発生した。

報道によると、飼育舎のリニューアル工事のため仮の飼育舎にいたメスのチンパンジーが１頭、午前10時20分ごろ脱走し、20分後には獣医の男性が顔を噛まれるという事態になったが、園内にいたお客は至急園外に誘導され、ケガはなかった。脱走したチンパンジーは園外に逃げることはなく、やがて木の上に登っているところを発見された。

午前11時ごろ麻酔銃が数発発射され、うち１発が命中するが、すぐには効かず、職員たちが落下用の網を張って待ち構えていたところ、２時間以上も経過した午後１時

30分、ようやく木から落ちて御用となった。

この一見なんでもないような事件を聞いて疑問に思ったのは、天王寺動物園ではチンパンジーが全部で6頭しか飼育されていないということだった。

野生のチンパンジーは数頭のオスと数頭のメス、そしてその子どもたちからなる数十から100頭くらいの集団で暮らしている。この集団どうしがそれぞれ縄張りを持ち、オスたちが日々パトロールをして防衛している。

とはいえ、集団のすべてのメンバーがいっせいに行動するのではなく、日常的にはパーティーと呼ばれる小集団で行動する。パーティーのメンバーは日々刻々と変化していくが、それでも同じ集団内の者に限られる。霊長類学者の故・伊谷純一郎《いたにじゅんいちろう》氏はその実態に気づき、「離合集散」と名付けている。

そう考えると天王寺動物園のチンパンジーがたった6頭で飼育されていたことは、野生からあまりにもかけ離れているという気がするのだ。

チンパンジーの集団はまた、父系社会である。メスは大人になると生まれ育った集団を離れ、別の集団に移籍する。よって集団内のメスに血縁関係はないが、集団を出ていかないオスには大なり小なり血縁関係がある。

今回、チンパンジーのメスが脱走した背景には、たった6頭しかメンバーがいないという不自然さに加え、メスが集団を出ていくという習性があったからではないだろうか。

ところで、秋から冬にかけて、しばしば耳にするのはニホンザルが都会に現れたというニュースである。

ニホンザルは日本の山々に野生種として暮らしているが、彼らの社会はチンパンジーを裏返しにしたようなものである。

やはり数頭のオス、数頭のメス、そしてその子どもたちからなる数十頭から100頭くらいの集団で暮らしているが、チンパンジーと違い、集団から出ていくのはオスのほう。よって彼らの社会はメスに血縁関係がある、母系社会なのだ。

秋から冬にかけてはニホンザルの繁殖シーズンで、彼らの顔とお尻は真っ赤に色づき発情のサインを示すが、オスが集団を離れるのもこの時期。新しい集団に繁殖の場を見つけようとするのだ。

ところが中には方向オンチというべきか、わかっていない個体がいて、山とは反対の都会を目指してしまう。そうして何時間、ときには何日にもわたる大捕りものが展開され、ニュースのネタになってしまうという次第だ。

昔の男の影響が子どもに現れるのは本当？

インターネット上のお悩み相談みたいなコーナーを見ていたら、こんな内容のものがあった。

主人との間に生まれた子がＤＮＡ鑑定では主人の子であるという結果が現れたのに、肌の色が黒く、それは私にも主人にも似ていない。ひとつ気になるのは何年か前にアメリカで複数の男にレイプされ、その中に黒人がおり、そのせいで肌が黒くなったのではないか——。

それに対する答えの中に「テレゴニー」と言われる現象ではないかというものがあった。テレゴニーとは過去に交わった男（オス）の形質が、その男（オス）との子ではない子に現れるという現象だ。

結婚相手に処女を選ぶことの理由としてテレゴニーは長らく信じられてきており、もしかしてと思いたくなるが、少なくとも人間に関しては否定されている。

しかし、ハエでは見つかっているのである。オーストラリア・ニューサウスウェールズ大学のアンジェラ・クリーンらの研究グループによると、ナガズヤセバエ科のハエの一種のメスを複数のオスと交尾させる。

その際、このハエは産卵場所が見つからないうちは交尾をしても受精しないという性質を利用する。つまり、産卵場所が見つからない状態で複数のオスと交尾させることを2週間ほど続け、最後に産卵場所のある状態で、あるオスと交尾させるのである。そうすると、メスの卵は最後のオスの精子で受精するが、それ以前のオスの精子では受精しない。

結果として、生まれた子らは確かに最後のオスの子であった。しかし、体の大きさに関しては前のオスの影響を受けていたのだ。テレゴニーである。

この現象をどう解釈したらよいだろう？

クリーンらは精液の中の精漿《せいしょう》に注目する。精漿には遺伝子は含まれていないが、結果から考えるに、体の成熟を促す作用があるのではないかというのである。

これが2014年のことだが、翌年、同じく西オーストラリア大学のF・ガルシア・ゴンザレスらは遺伝学でおなじみのキイロショウジョウバエを使って研究した。

やはりメスを複数回交尾させると、受精させていないオスであっても、生まれた子の世代の繁殖能力に影響を及ぼすことがわかったのである。この場合にも精漿の影響が考えられている。

こうして導かれる推論は、我々は精液のうちの精子にばかり気をとられているが、精漿にもさまざまな物質が含まれており、体の大きさや繁殖力といったものに影響を与えている。

それだけでなく、アズキノメイガでは、メスの状態によって交尾時にオスの射精量や精液のタンパク質含有量が変化するのだという。ヨーロッパイエコオロギのメスは空腹だと、それを示す信号をオスに送る。

つまり、精液は栄養の意味もあるので、オスとしてはメスの状態如何によって精子と精漿のどちらに重きを置くかの調節をしている可能性もあるというわけだ。少なくとも昆虫では、このようなことも考えるべきだということになる。

人間ではどうか。少なくとも同時期、つまり排卵期に卵の受精を巡って複数の男と交わったなら、受精した男とは別の男の精漿が何か影響を及ぼすという可能性を完全に排除することはできないのではないか。しかし何年も前に交尾した男となると、少なくとも精漿の影響は現れないはずだ。

※昆虫の精液については東京大学応用昆虫研究室の安藤優樹氏の総説「昆虫の精液がメスに与える影響」を参照されたい。

少子化を救うのは責任感の強い男か、それとも……

『ＷｉＬＬ』２０２４年2月号（私の記事も掲載されています）の赤川学先生の連載「13歳からの性」第10回「少子化を救う『無限責任』男性」を読んでいたら、気になる記述があった。

赤川先生は東京大学大学院教授で専門分野はマスターベーションや少子化。東大の先生にしては異端の存在だ。その赤川先生の言う「無限責任男性」とは「今の自分の収入や貯金に不安はあるものの、もしセックスした女性が妊娠したら、『腹を括《くく》って』結婚し、生まれた子どもの養育を支えていこうという『覚悟』をもっている」男のことである。

手軽にできるマスターベーションや避妊するセックスに精子が浪費され、望まない妊娠が中絶という形に終わりがちな今、少子化防止の決め手となるのはこの無限責任男性である。その存在を増やしていくことが重要だという。

なるほど、おっしゃる通りだ。このような男が増えることこそが少子化防止の原動力となる。国は金銭的援助や託児所の増設などといった問題をちらつかせるが、そんなものは子が生まれてからの話。決して原動力とはなり得ないのだ。

赤川先生の今回の記事はこのように正鵠《せいこく》を射たものなのだが、ひとつ気になったことがある。それは、カップルのデート頻度とセックス回数のくだりである。

「すでに交際しているカップルであっても、会えば必ずセックスするわけではない」

「たとえばデート2回につき1回、セックスするのが定番のカップルは、週に1回のセックス頻度を維持しようとすれば、4週（約1カ月）に8回会わなければならない。互いに忙しかったり、遠距離恋愛になったりして会う回数が減れば、当然のことながらセックスの回数も減る」

というが、はたしてそうだろうか。

滅多に会えないとなると、セックス頻度の維持などというものは吹っ飛び、会ったら必ず、それも会うや否や、しかも別れていた時間を取り戻すかのように何回何回もいたすのではあるまいか？

これは私が日常や映画などを観察したうえでの考察だが、イギリスのロビン・ベイカーとマーク・ベリスはこんな研究をしている。

実際のカップルからセックス時の精液とマスターベーションによる精液とをコンドームを使って回収し、放出された精子の数を調べる。すると、精子の数に一番影響を与えたのは、マスターベーションでは前回射精からの時間だけだった。時間が長ければ精子数も増える。

ところが、セックスではその間にいかに相手といっしょに過ごし、ガードしていたかという時間の割合が最も問題だった。あまりいっしょにおらず、ガードが甘かったら、その間に彼女はほかの男と交わっている可能性が高くなる。ならば、その男の精子で彼女が妊娠しないよう、張り切って自分の精子を数多く放出する。

逆にかなりべったりといっしょにいたなら、彼女がほかの男と交わっている可能性は極めて低い。ならば、そんなに多くの精子を投入する必要はない。

そのような事情から精子数が調節されるのだ。調節は具体的には嫉妬心の強さなど、心理的な要素によってなされるのではないだろうか。

ということは、である。

互いに忙しいとか、遠距離恋愛でなかなか会えないカップルの場合、前回会ったときから今回に至るまで女のガードは、まったくなされていない。よってセックスしたら、まずは放出される精子は極めて多いといえる。しかも少ないチャンスを逃さないよう、何回も何回も交わるはずではないだろうか。

今回の記事にはすでに子どものいる夫婦、カップルが次なる子を得にくい状況として、「川の字就寝」や子どもとの添い寝の習慣が指摘され、それは、おもに日本の住宅事情と生活事情が関与しているとのことだが、私は少し違う観点を持っている。

確かに川の字で親子が寝ていると、わが子が邪魔になって親が夜の営みをいたすことが困難になる。添い寝の習慣も同様だ。

しかし、それは単なる住宅事情、生活習慣で済まされる問題なのだろうか？

ここで考えるべきは、なぜ今いる子が添い寝をしないとなかなか寝てくれないのか、子が両親の真ん中でないと安心して寝てくれないのか、ということなのではないだろうか。

つまり、今いる子こそが無意識のうちに次の子ができる行為の邪魔をしているのではないかということだ。

こういう考えは動物行動学を学んでいると自然に出てくるものだ。実際、40年くらい前だが、子どもの夜泣きは両親が次の子をつくる行為を邪魔するためだという論文が出ているほどだ。

なぜ、子どもは次の子が生まれてくるのを阻止したがるのか。

それは、もう少しの間、自分の世話に力を注いでほしいから、次の子ができると両親による世話などの中心が次の子に移るからである。ここでポイントとなるのは、両親にとっては今の子も次の子もどちらも血縁度2分の1の存在で、どちらがより大事ということはない。

しかし、子にとっては、自分はいわば血縁度1の存在であるのに対し、次の子は血縁度2分の1。よって自分の方が断然大事になるということなのである。

この食い違いにより、親と子の間に葛藤が生まれる。次の子を早くつくりたい親と、次の子はつくってほしくない子である。

よって子としては親の次の子づくりの機会である、自分が寝た後の時間を奪うべく、添い寝をしてくれないとなかなか寝ないとか、ぐずる。両親の間でないと不安がってなかなか寝ないという戦略を繰り出すのだ。それらはもちろん無意識のうちにである。

そういう子どももやがて川の字就寝や添い寝をしなくても寝てくれるようになる。それはなぜか。単に成長したからではない。

子にとって次の子は血縁度2分の1。つまり、そのような血縁の近い者、自分と共通の遺伝子を2分の1の確率で持っている者であるなら、いつまでもその誕生を阻止していては損になる。自分の遺伝子を残すという意味で、である。よって、ある程度の時間が経過したところで今度は次の子ができるよう戦略を切り替えるのだ。それが「お兄ちゃんになったね」などと言われる時期だ。

ちなみに血縁度とは、その家系に特徴的な遺伝子を共有している確率と言う意味であり、遺伝子全体の共有の確率ではないことに注意。もし自分と遺伝子を半分しか共有していない存在があったなら、それは少なくとも〝人間〟から遠い存在なのだ。

子が次の子ができるのを阻止する方法として、いつまでもお乳を欲しがるというものもある。

子に頻繁に授乳しているとき、女には排卵が起きないので次の子ができない。しかし子が離乳すれば排卵が再開される。そのため子としては授乳を頻繁に要求することで次の子ができることを阻止できるのだ。こんなに大きくなったのにまだお乳を欲しがるなんて、と母親を嘆かせつつも、喜ばせる子がいるが、それこそが戦略だ。この場合にも子にとって次の子は血縁度2分の1の存在。

いつまでも離乳を阻止し続けることは得策ではなく、タイミングよく切り上げることが重要だ。

川の字就寝や添い寝、いつまでもお乳を欲しがることが、子の側の戦略であるとは親は想像だにしないだろう。しかし、動物行動学の世界ではもの言わぬ幼児や赤ちゃんほど他人を操る術《すべ》に長《た》けた者はいないと考える。もの言えぬからこそ操作術が洗練されるのだ。

チンギス・ハーンの子孫は世界中に1600万人も!

いろいろと調べものをしていて一番気になったのは、今現在、世界一子だくさんの女性である。

「ママ　ウガンダ」と言われる、ウガンダ共和国のマリエム・ナバタンジさん、41歳だ。彼女はイスラム教徒だが、12歳のとき、結納《ゆいのう》金目当ての親によってキリスト教徒の夫の5番目の妻にさせられた。なぜ、キリスト教徒の男が複数の妻を持てるのか、その理由はわからない。

そして13歳のときに初の出産を経験したあと合計で15回出産し、44人の子を得た。この44人というのが現在の世界記録ということになる。

もちろん1回の出産で1人ずつでは、この値に到達するはずもなく、1回の出産で1人産んだのは1回のみ。あとは双子が4回、3つ子が5回、4つ子が5回である。

このように1回に多くの子を出産することの原因は、一卵性でない限り、1回の排卵で多くの卵子が放出されることによる。本来なら、より早く、より多くの子を産むための戦略ではないかと私などは考えるが、医学的には排卵過剰という診断名がつけられる。

マリエムさんは18歳で18人の子を産んだ時点でもう妊娠はしたくないと考えたが、出産を続けないと卵巣に腫瘍《しゅよう》ができる可能性が高いと医師は説明し、産み続けることになったという。この説明の真偽のほどはわからない。

夫にはＤＶ癖があるうえ、マリエムさんが37歳のとき家財道具をまとめて失踪してしまった。そこで彼女は、夭逝《ようせい》した６人を除く38人の子を育てるために廃品回収、自家製のジンの製造、さまざまな植物を調合して薬をつくり販売するなどの仕事を掛け持ちし、生計を立てているのである。

インタビューに答えて彼女は、教育を受けたかったこと、若くして結婚したくなかったこと、好きな人と結婚したかったことなどについて語り、子どもたちを同じ境遇にさせまいと努力している。

現在の子だくさん女性世界一はマリエムさんだが、いまだにギネス記録保持者であるのは、18世紀、帝政ロシア時代の名もなき農婦である。

農民ヒョードル・ワシリエフの妻は１７２５年から65年にかけて27回の出産で69人の子を産んだ。内訳は双子16組、３つ子７組、４つ子４組で計69人である。

彼女もまた1回に多数排卵することで早く、より多くの子を産む戦略者なのではないだろうか。

このような女性の子だくさんの例を見てくると、なんだかんだといっても女も何十人もの子を持つことができるじゃないかという印象を抱きがちである。

しかし、それは男と違い、女ではどんなに頑張っても69人という、極めて限りのある数値であることを理解しなければならない。

ギネス記録によれば、男の子だくさん世界一はモロッコ王国最盛期の皇帝、ムーレイ・イスマーイール（在位１６７２～１７２７年）の８８８人とされている。彼は４人の妻のほか、５００人もの妾《めかけ》を持っていた。

ある計算によると、在位中にこれだけの子をなすには、１日に平均で0・83～1・43回のセックスをこなす必要があるというが、これが楽にこなせる回数なのかどうかは私にはわからない。

ともあれ、女の子だくさんギネス記録69に対し、男のそれは８８８となり、少なくともひと桁の開きがある。ただし、ムーレイ・イスマーイールの子の数は確認されたものだけであり、８８８というきりのいい数字で終わらせたという可能性が大で、１７１１人という見解もある。そうすると女の場合よりふた桁多いということになるだろう。

これは女が１回の繁殖にかける時間が年単位であるのに対し、男のそれが、極端な話、セックスにかける時間とほぼ同じという事情によるのだ。

とはいえ、男と女で本質的に違うのは、女が産んだ子は絶対に自分の子であるのに対し、男の子どもは本当にわが子がどうかわからないということである。ムーレイ・イスマーイールの子の何人かは、妻や妾の身近にいた男の子どもであるかもしれない。ムーレイ・イスマーイールよりも激しい繁殖活動を行っていたと考えられるのは、モンゴル帝国のチンギス・ハーン（在位1206～1227年）と、その息子たちだ。

彼らの領土は最盛期には西は今のトルコの東半分くらいにまで範囲を伸ばしたが、それとともに彼らが励んだのが土地の娘とのセックスだった。

英オックスフォード大学のブライアン・サイクスのグループは世界各地の男のY染色体（男しか持たない性染色体で、父から息子、そのまた息子へ……とほぼ変化することなく受け継がれる）を調べたが、チンギス・ハーンとその息子たちが持っていたであろうY染色体のタイプの分布は、モンゴル帝国が最大の勢力を誇った地域とぴたりと一致するという。

彼らが土地の娘と交わった結果、息子が生まれたならY染色体はそのまま受け継がれた。その息子のY染色体も、そのまた息子に受け継がれ……という、男から男への継承によって現在の分布があるわけだ。

そして、そのY染色体の存在から逆に計算されるチンギス・ハーンの子孫は1600万人に上るという。おそらくこれが800年以上の未来に最もよく子孫を残した男のギネス記録になるはずだ。

しかも彼が持っていたであろうタイプのY染色体という、ほかの男がつけ入る余地のない記録であるところにムーレイ・イスマーイールなどとは違った意義がある。

竹内久美子（たけうち　くみこ）
1956年、愛知県生まれ。79年、京都大学理学部卒。同大学院で動物行動学専攻。92年、『そんなバカな！　遺伝子と神について』（文春文庫）で第８回講談社出版文化賞「科学出版賞」受賞。ほかに『浮気人類進化論―きびしい社会といいかげんな社会』（晶文社・文春文庫）、『世の中、ウソばっかり！―理性はわがままな遺伝子に勝てない!?』（PHP文庫）、『ウエストがくびれた女は、男心をお見通し』『女はよい匂いのする男を選ぶ！　なぜ』『なぜモテるのか、さっぱりわからない男がやたらモテるワケ』『「浮気」を「不倫」と呼ぶな―動物行動学で見る「日本型リベラル」考』（ワック）など著書多数。

女《おんな》が男《おとこ》を誘《さそ》いたいとき

2024年５月26日　初版発行

著　者　竹内 久美子

発行者　鈴木 隆一

発行所　ワック株式会社
東京都千代田区五番町 4-5　五番町コスモビル　〒 102-0076
電話　03-5226-7622
http://web-wac.co.jp/

印刷製本　大日本印刷株式会社

ISBN978-4-89831-900-0